ДЭНИЭЛ ДЖ. АМЕН

ЗАГАДКИ *женского* МОЗГА

КАК РАСКРЫТЬ ПОТЕНЦИАЛ СВОЕГО МОЗГА, УКРЕПИТЬ ЗДОРОВЬЕ, ЗАРЯДИТЬСЯ ЭНЕРГИЕЙ, ВСЕГДА ПРЕКРАСНО ВЫГЛЯДЕТЬ И БЫТЬ СЧАСТЛИВОЙ

эксмо
Москва
2014

УДК 159.9
ББК 88.53
А 61

Daniel G. Amen

UNLEASH THE POWER OF THE FEMALE BRAIN:
Supercharging Yours for Better Health, Energy, Mood, Focus, and Sex

Перевод *О. Епимахова*

Художественное оформление *П. Петрова*

Амен, Дэниэл Дж.

А 61 Загадки женского мозга / Дэниэл Дж. Амен ; [пер. с англ. О. С. Епимахова]. — Москва : Эксмо, 2014. — 448 с. — (Психология и мозг).

ISBN 978-5-699-71824-5

Книга нейропсихолога доктора Д. Дж. Амена, широко известного благодаря своим книгам об улучшении работы мозга и повышении качества жизни, посвящена женскому мозгу. Это необходимое и исчерпывающее руководство для изучения вашего уникального мозга, его сильных сторон (интуиция, сочувствие, многозадачность, сотрудничество) и слабостей (тревога, депрессия и склонность к переживаниям). Автор дает простой 12-часовой план для улучшения здоровья мозга, повышения вашей жизненной силы и энергичности. Вы узнаете, как положить конец путанице относительно гормонов; правильно питать мозг, одновременно улучшая фигуру; успокоить мозг и положить конец тревоге, беспокойству, депрессии; контролировать свою тягу к еде, независимо от дня менструального цикла; оптимизировать мозг для улучшения всех аспектов личной жизни.

УДК 159.9
ББК 88.53

ISBN 978-5-699-71824-5

МЕДИЦИНСКОЕ ПРЕДУПРЕЖДЕНИЕ

В этой книге представлена информация, которая стала итогом многолетней практической работы и клинических исследований, проведенных автором. Сведения, изложенные здесь, имеют общий характер и не заменяют осмотр или лечение компетентным врачом. Если вы считаете, что вам необходима медицинская помощь, пожалуйста, покажитесь врачу как можно скорее. Все рассказанные в книге истории правдивы. Имена и обстоятельства героев историй изменены для защиты анонимности пациентов.

ПОСВЯЩАЮ
ЗНАЧИМЫМ ЖЕНЩИНАМ МОЕЙ ЖИЗНИ!

Моей жене
Тане

Моим дочерям
Бриянн, Кейтлин и Хлое

Моим внучкам
Анджелине и Эмми

Моей матери
Дори

Моим сестрам
Крис, Джин, Мэри, Рене и Джоан

И моим многочисленным
тетям, внучатым племянницам
и кузинам

СОДЕРЖАНИЕ

Введение

РАСКРЫТИЕ ПОТЕНЦИАЛА ЖЕНСКОГО МОЗГА

Мне кажется, что выражение «слабый пол»
придумала какая-то женщина,
дабы обезоружить мужчину,
которого она готовилась завоевать.

Огден Нэш

Я согласен с Огденом Нэшем. Мне тоже так кажется. Меня всю жизнь окружают сильные женщины.

В моем детстве было так много женщин, что когда в декабре 1962 года моя мама вернулась из роддома с моей пятой сестрой Джоан, мы с моим старшим братом Джимми убежали из дома. Джимми было девять, а мне восемь лет, и мы убежали тогда всего на сорок пять минут, но нам, единственным мальчикам в семье, и этого было достаточно! Власть в семье захватили девчонки, и они были повсюду. Я часто шучу на эту тему, говоря, что мне не удавалось помыться в ванне до четырнадцати лет, а когда я все-таки попал в ванную комнату, то обнаружил там множество разбросанных повсюду необычных и пугающих предметов.

Мало того, что меня воспитала очень сильная мать, которая и сейчас, несмотря на свой возраст (а ей 81 год), невысокий рост, по-прежнему везде командует, так у меня еще и пять решительных сестер, три невероятных дочери, две внучки и четырнадцать племянниц и внучатых племянниц. Моя жена говорит, что с женщинами я веду себя благопристойно, но это далось мне нелегко. Как мы увидим в дальнейшем, женский мозг сильно отличается от мужского.

Поняв особенности и потенциал женского мозга, я осознал, насколько большое влияние эта информация могла бы оказать на жизнь миллионов женщин, мужчин и детей.

Когда женщина понимает уникальность своего мозга — как заботиться о нем, как максимально использовать его сильные качества, как справиться с его проблемами, как полюбить его, и, наконец, как раскрыть всю его мощь, — ее уже не остановить. В своем личностном развитии на работе и в своих взаимоотношениях она может обрести все самое лучшее.

И наоборот, если женщина не заботится о своем мозге, не обеспечивает его необходимыми питательными веществами, физической нагрузкой, полноценным сном и эмоциональной поддержкой — растрачивает попусту самый ценный свой ресурс. Если вы не заботитесь должным образом о своем мозге, вы существенно увеличиваете риск возникновения у вас затуманенности сознания, проблем с памятью, упадка сил, рассеянности, трудностей с принятием решений, ожирения, диабета, заболеваний сердца и даже рака. У вас не остается жизненных сил, позволяющих проживать каждый день с должным спокойствием, сосредоточенностью, энергией и радостью. Скорее всего, вы будете быстро стареть и болеть часто и серьезно.

Этим рискам подвержены и мужчины, и женщины, но, как женщина, вы сталкиваетесь с некоторыми дополнительными трудностями. Женщины с гораздо большей вероятностью страдают от чрезмерного беспокойства и депрессии, а, по данным некоторых исследований, и от болезни Альцгеймера. Женщины более склонны предаваться негативным мыслям, от которых трудно избавиться, и чаще имеют искаженное представление о собственном теле, что нередко приводит к нарушениям питания. Женщины больше критикуют себя за свою мнимую неидеальность. Кроме того, они склонны растворяться в заботе о своем возлюбленном или в своей работе, семье, своем сообществе, забывая заботиться о самих себе.

Таковы общие риски, но вы не обязательно должны становиться их жертвой. Забота о своем женском мозге и умение раскрыть его силу освободят вас и помогут реализовать весь ваш потенциал, чтобы стать здоровой, любящей, успешной и сильной. Это позволит иметь прекрасные близкие отношения и стать лучшей партнершей, поможет вам быть эффективным сотрудником на выбранной вами работе. А женщин, стремящихся иметь детей, это подготовит к желанной беременности и позволит им полностью раскрыть потенциал мозга своих детей.

> Раскрытие потенциала женского мозга позволит вам жить той жизнью, о которой вы мечтаете и которой заслуживаете.

ЖЕНСКИЙ МОЗГ СПОСОБЕН ИЗМЕНИТЬ МИР

Здоровье западного общества, где происходит эпидемический рост числа людей, страдающих ожирением, диабетом, депрессией и слабоумием, семимильными шагами отклоняется от правильного курса. Теперь более чем когда-либо нам нужны вдумчивые, умные и сильные женщины, которые бы повели за собой в нужном направлении наши семьи, сообщества, церкви, учреждения, людей и мир. И именно женщины способны значимо повлиять на имеющуюся ситуацию.

Одна из причин, побудивших меня написать эту книгу, — понимание, сколь огромную роль могут сыграть женщины. В моем детстве моя мать следила за здоровьем всех членов семьи, а сегодня то же делает моя жена Тана. Я неоднократно видел такую модель поведения в семьях моих пациентов. Когда взрослые женщины начинают лучше заботиться о себе, это обычно позитивно влияет на тех, кто их окружает.

Как невролог, психиатр и специалист по сканированию мозга, я давно знаю о том, что обычно женщины относятся к своему физическому и психическому здоровью серьезнее, чем мужчины. Я убежден, что именно поэтому они и живут в среднем дольше мужчин. В 2010 году средняя продолжительность жизни американских женщин составляла 80 лет, а у мужчин — всего 73 года. А в России женщины живут на 12 лет дольше мужчин (поэтому, мужчины, если вы читаете эту книгу, стремясь лучше понять женщин, начинайте уже меньше пить!).

Женщины больше беспокоятся о своем здоровье, и это тоже является одним из важных факторов долголетия. Люди, исповедующие философию известной песни «не беспокойся, будь счастлив» (а это чаще всего мужчины, выпивающие в барах или бесцельно гоняющие на машинах), — с большей вероятностью умрут преждевременно от несчастных случаев или таких предотвратимых болезней, как алкоголизм, диабет, гипертония и сердечно-сосудистые заболевания. А те, кто должным образом беспокоится о своем здоровье, в конечном счете лучше заботятся о себе и живут дольше, полноценнее и счастливее.

> Возможно, следует заменить девиз «не беспокойся, будь счастлив» девизом «будь внимательным, живи дольше, будь счастлив!».

Женщины меньше попадают в ситуации, в которых может быть поврежден их «центр управления», находящийся в лобных долях мозга, связанных с принятием решений, самообладанием и дальновидностью. Девочки реже предаются таким занятиям, где имеется риск повредить мозг (по крайней мере раньше до взрыва популярности футбола среди девочек это было именно так). Например, играя в футбол, порой приходится бить по мячу головой и жестко бороться за мяч.

Женщины, вероятно, живут дольше и потому, что они чаще проявляют сопереживание и способность прощать, а это помогает им лучше противостоять неизбежным штормам несправедливости, которые льются дождем на всех нас.

В ходе проводившихся в наших клиниках собственных исследований пациентов выяснилось, что мужчины и женщины способны с равным успехом улучшить свое здоровье. Однако женщины обычно преуспевают в этом, поскольку более добросовестны и серьезнее относятся к нашим лечебным рекомендациям.

Сопереживающие, заинтересованные женщины думают не только о себе. Они думают и о своих мужьях, и этим вполне можно объяснить то, почему женатые мужчины живут дольше мужчин, не состоящих в браке. Я часто слышу, как жены надоедают мужьям просьбами лучше заботиться о себе. Они достают свои капсулы с рыбьим жиром и витамины и побуждают их сходить к врачу. Однако некоторые исследования свидетельствуют, что замужние женщины далеко не всегда живут дольше незамужних, а иногда живут и меньше последних. Я думаю, что они просто утомляются от стресса, связанного с заботой о благополучии упрямых мужчин. Вот пример одной такой женщины:

Набил и его жена Моника были врачами и работали вместе. Однажды Набил позвонил своей жене и сказал ей, что у него рвота и сильная головная боль и что он не придет на работу.

Встревоженная Моника попросила Набила сходить в больницу. Набил сказал, что все будет в порядке и что ему нужно лишь немного поспать, и положил телефонную трубку. Моника перезвонила Набилу и стала умолять его обратиться за помощью, но он снова ответил, что все будет нормально и не стоит о нем беспокоиться. Зная, насколько опасными могут быть такие симптомы для людей, которым чуть за шестьдесят, Моника всерьез забеспокоилась. Она примчалась домой и вызвала «Скорую помощь». Когда Набила отвезли в больницу и осмотрели, оказалось, что у него мозговая аневризма. Нейрохирург сказал им, что без срочной медицинской помощи Набил умер бы в течение часа.

Женщины часто становятся предсказателями здоровья в своих семьях, потому что они обычно понимают и распознают проблемы быстрее, чем мужчины. Они обычно запрашивают помощь и поддержку со стороны за годы или даже за десятилетия до того, как это сделают мужчины. У себя в клинике мы видим, что, когда пара борется за свои отношения, именно женщина, как правило, обращается за помощью. В восьми из десяти случаев, когда у ребенка есть проблемы, именно мать приходит ему на помощь, даже тогда, когда оба родителя работают полный рабочий день.

Куда бы я ни посмотрел, я убеждаюсь, что в плане поддержания здоровья именно женщины ведут за собой свои семьи и сообщества. Как один из создателей «Плана Даниила» (программы церкви *Saddleback* по оздоровлению мира через религиозные организации), я вижу, и меня это не удивляет, что 85% участников этой программы — женщины.

Как психиатра мужского пола и врача, меня все больше беспокоит то, насколько запаздывает в этом вопросе большинство мужчин. Помню, что, узнав эти статистические данные, собранные нашей исследовательской командой в церкви *Saddleback*, я был страшно возмущен. Мужчины должны исправиться, и они делают это, но всегда по настоянию своих жен и матерей.

> Из своего опыта могу сказать, что именно женщины первыми берут курс на перемены.

Именно они, как правило, готовят еду, ведут хозяйство и смотрят за детьми. Выросши в семье, где всем заправляла мать, я узнал из первых рук, что когда у мамы правильное отношение к здоровью, то все остальные члены семьи получают такие же установки. А если мама имеет *неправильные* установки, это может иметь поистине катастрофические последствия для физического и психического здоровья всей семьи.

Когда я учился на психиатра, я изучал детей и внуков алкоголиков. Один из моих лучших друзей вырос в семье хронических алкоголиков. В ходе исследований я обнаружил, что, если ваш отец алкоголик, это оказывает значимое негативное влияние на ваше эмоциональное развитие. Но если алкоголичка ваша мать — разрушительные последствия бывают еще серьезнее. Вот почему важно сохранять женский мозг здоровым.

Большая часть этой книги призвана помочь вам раскрыть потенциал вашего уникального мозга, женщины. Если вы полюбите свой мозг, научитесь заботиться о нем и предпримете шаги, которые я рекомендую, у вас появится возможность влиять на своих близких, и вы сможете создать вокруг себя общество людей со здоровым мозгом, тем самым еще сильнее подкрепляя и свои собственные усилия быть здоровой.

В моей последней книге «Измени свой мозг — изменится и возраст!»[1], я писал о Марианне, директоре западного филиала весьма успешной тренингово-консалтинговой фирмы «Франклин Кови». В свои 59 лет она почувствовала, что ее умственные способности начинают ухудшаться. У нее болело все тело, и большую часть дня ее голова была как в тумане. Сначала она подумала, что просто стареет, что испытывает то, что рано или поздно происходит со всеми. Но по мере того как ее состояние ухудшалось, она решила, что продолжать работать вполсилы было бы несправедливо по отношению к ее сотрудникам, и стала подумывать об уходе на пенсию. Она сочла, что ее лучшие дни уже позади. И тут, к счастью для нее, одна из ее дочерей дала ей экземпляр одной из моих программ, к выполнению которой она тут же приступила. К своему изумлению, Марианна в течение двух месяцев почувствовала себя намного лучше. Ее боль ушла, а мозговой туман рассеялся. Продолжая выполнять эту программу, в течение года она сбросила 30 кг, а ее мозг стал проявлять себя моложе, острее и энергичнее, чем в предыдущие десятилетия.

«Я обладаю быстродействующим мозгом и житейской мудростью, — сказала она мне. — Я чувствую, что нахожусь на пике своей жизни и мои лучшие дни совсем не позади».

Недавно мы с Марианной были на конференции, организованной «Франклин Кови», где я выступал. Она рассказала мне,

---

[1] М.: Эксмо, 2013.

что, как только она стала здоровее, оздоровилась и одна из ее дочерей, у которой было 70 кг лишнего веса. Видя значительный прогресс своей матери, дочь захотела того же и для себя, и в течение двух следующих лет сбросила эти 70 кг. Замечательное изменение Марианны вдохновило и ее мужа, он тоже решил улучшить свое здоровье. Изменилось все и у Марианны на работе. Она повлияла даже на рацион питания своих коллег и поразилась тому, насколько больше энергии стало у членов ее команды и насколько больше они успевали делать во время совещаний. «К концу дня мы все уже бывали измотаны. Но как только мы начали есть *только* полезную для мозга пищу, у всех сразу возросла энергетика и мы стали работать гораздо продуктивнее».

Марианна — пример женщины, которая смогла измениться. Она — образец для подражания в своей семье, среди коллег по работе и соседей. Я надеюсь, что вы станете похожей на Марианну и тоже измените свой мир.

У ЖЕНСКОГО МОЗГА МОГУТ БЫТЬ ПРОБЛЕМЫ

По данным недавнего исследования, продолжительность жизни американских женщин возрастает медленнее, чем продолжительность жизни мужчин, и даже бывает иногда короче, чем всего два десятилетия назад! Хотя женщины по-прежнему живут дольше мужчин, исследование, проведенное в Университете штата Вашингтон, дает повод для беспокойства. Эта работа основана на данных о смертности по возрасту, полу и месту жительства с 1989-го по 2009 год. Согласно полученным данным, средняя продолжительность жизни мужчин увеличилась в среднем на 4,6 года, а у женщин — всего на 2,7 года. Директор команды исследователей выразил свою озабоченность по этому поводу так: «Увеличение ожидаемой продолжительности жизни должно быть равным среди мужчин и женщин. Это тревожный сигнал для всех нас. Трагично, что в такой богатой стране, как США, при наличии всех медицинских знаний, которые у нас есть, *многие девушки будут жить меньше своих матерей*».

С 1999 года ожидаемая продолжительность жизни прекратила расти или даже сокращается у женщин (в 661 округе США) и у мужчин (в 166 округах). Такое падение показателей также наблюдается в 84% округов Оклахомы, 58% округов Теннесси и 33% округов Джорджии. По данным исследования, женщин значительно реже мужчин излечивают от повышенного артериального давления и высокого уровня холестерина. Исследователи сообщили, что многие врачи не склонны лечить женщин с факторами риска сердечных заболеваний так же интенсивно, как мужчин. В основе снижения продолжительности жизни у женщин лежат такие предотвратимые причины, как курение, употребление алкоголя и ожирение.

В США наблюдается почти 12-летняя разница в продолжительности жизни разных женщин. Дольше всего женщины живут в округе Коллиер, штат Флорида (85,8 года), а меньше всего в округе Макдауэлл, штат Западная Вирджиния (74,1 года). В 1989 году эта разница составляла всего 8,7 года. В Австралии с 1989-го по 2009 год продолжительность жизни увеличилась на 12 лет у мужчин и у женщин. Мы можем добиться лучших показателей. Мы увеличим продолжительность жизни, если вы, ваша семья и ваши друзья будете следовать программе, представленной в этой книге.

РАСКРЫТИЕ ПОТЕНЦИАЛА ЖЕНСКОГО МОЗГА

В своей семейной, общественной и профессиональной жизни я неоднократно наблюдал поразительные перемены, которые наступают, когда женщины понимают свой мозг и предпринимают необходимые шаги для оптимизации его уникальных преимуществ и реакции на проблемы. Я также вижу негативные последствия, в том числе депрессию, тревогу и расстройство пищевого поведения, которые могут возникнуть, если женщина *не* понимает свой мозг или не предпринимает необходимых шагов, чтобы заботиться о нем. В этой книге я покажу вам, шаг за шагом, как именно раскрыть потенциал женского мозга.

С помощью этой книги вы:

- *Полюбите свой мозг, чтобы забота о нем стала радостью, а не бременем. Это станет для вас обязанностью и привычкой, наличие которой будет вас радовать. Это проявление здравомыслия и любви к себе.*
- *Научитесь использовать уникальные сильные стороны женского мозга, такие как сопереживание, интуиция, сотрудничество, самообладание и небольшое беспокойство, а также преодолевать его уязвимости: склонность к депрессии, перфекционизму и неспособность отпустить негативные мысли.*
- *Естественным образом сбалансируете гормоны, которые регулируют энергию, настроение, отдых, питание, доверие и сексуальное влечение, и заставите свои гормоны работать на вас, а не против вас. Вы также научитесь регулировать проблемы дисбаланса щитовидной железы, предменструального синдрома (ПМС), синдрома поликистоза яичников, перименопаузы и менопаузы.*
- *Узнаете о разных типах мозга, выясните, какой тип мозга у вас, и как использовать метод нашей клиники для оптимизации функций своего мозга.*
- *Успокоите свой мозг с помощью естественных методов лечения, дабы успешно справляться с тревогой, беспокойством, депрессией, перфекционизмом и расстройствами пищевого поведения. Вы также научитесь отключать свой мозг, когда вас постоянно атакуют мысли о том, что следует делать дальше, что что-то может пойти не так или что с вами что-то не в порядке.*
- *Научитесь питать свой мозг таким образом, чтобы сделать плоским живот, навсегда распрощаться с нежелательными килограммами, стать здоровой и подтянутой и перестать подпитывать синдром раздраженного кишечника, депрессию, болезнь Альцгеймера и даже рак.*

- *Сможете держать желания под контролем и освоите навыки принятия решений, чтобы улучшить свое здоровье и вес.*
- *Узнаете о синдроме дефицита внимания с гиперактивностью (СДВГ) у женщин и поймете, каким образом (если он у вас есть) он может саботировать ваш успех.*
- *Поймете связь между здоровьем мозга и красотой, а забота о мозге может помочь вам выглядеть более энергичной и молодой.*
- *Сможете оптимизировать функции своего мозга для любви, секса и истинной близости во взаимоотношениях. Все это улучшится, когда будет сбалансирован ваш мозг!*
- *Сможете подготовить свой мозг к рождению детей и вырастить их, ориентируя на здоровье мозга, раскроете потенциал мозга своих дочерей.*
- *Вы создадите сообщество людей со здоровым мозгом, а создание такого сообщества поможет изменить мир.*

Как психиатр, специалист по сканированию мозга и исследователь, как муж и отец трех девочек и брат пяти сестер, я знаю, что женщины обладают уникальной способностью оптимизировать потенциал своего мозга, и я поделюсь с вами историями успеха многих женщин, некоторые из которых похожи на вас. Когда вы раскроете потенциал своего мозга, вы сможете улучшить здоровье, жить дольше и замедлите или даже повернете вспять процесс старения. Вы обнаружите в себе неожиданные резервы спокойствия, энергии, жизненной силы и любви.

ЕСТЬ ЛИ У ВАС ДВЕНАДЦАТЬ ЧАСОВ ДЛЯ ТОГО, ЧТОБЫ ИЗМЕНИТЬ СВОЮ ЖИЗНЬ?

Где бы я ни был, люди повсюду рассказывают мне о том, как моя работа по оздоровлению мозга изменила их жизнь. Я знаю, какую необычайную силу можно раскрыть, если полюбить собственный мозг и начать относиться к нему с уважением. Я хочу, чтобы у вас это получилось, и я верю, что у вас это получится, если вы будете делать все правильно. Чтобы облегчить вам выполнение этой задачи, я дам вам 12 простых одночасовых упражнений, благодаря которым вы воплотите в жизнь принципы здорового мозга. Эти упражнения радикально изменят вашу жизнь, если вы будете строго их выполнять. Вы увидите разницу и почувствуете ее в своем настроении, энергетике, весе, внешнем виде и умственных способностях.

> Вместо того чтобы продолжать принимать опрометчивые решения, подрывающие ваше здоровье, вы познаете радость принятия великих решений, которые поддержат ваш мозг и вашу жизнь.

Вы ощутите пользу от ясного мышления и решительных действий, проистекающих из шаблонов здорового, упорядоченного мышления. Вы почувствуете свободу от вожделений, беспокойства, депрессии и стремления к перфекционизму, открыв совершенно новые возможности для каждого аспекта своей жизни.

Можете ли вы обрести все это за 12 часов? Да, такое возможно.

И тогда… дело останется за вами. Хотите ли вы продолжать идти по этой новой позитивной дороге, каждый день еще сильнее восхищаясь своим собственным мозгом? Хотите ли вы продолжать худеть, выглядеть отлично, чувствовать себя бодро, думать ясно и действовать решительно? Вы хотите, чтобы ваша жизнь улучшалась? Вы находитесь на пути к этому. Просто продолжайте внедрять наши 12 простых принципов... снова и снова. Следовать нашей программе со временем будет все легче, ваша жизнь гармонизруется, и вы наконец сможете раскрыть весь потенциал своего необычайного женского мозга.

Глава 1

ПОЛЮБИТЕ СВОЙ МОЗГ

ЗАБОТЬТЕСЬ О СВОЕМ МОЗГЕ БОЛЬШЕ, ЧЕМ О ЛЮБОЙ ДРУГОЙ ЧАСТИ ТЕЛА

Зависть к здоровому мозгу — первый шаг к раскрытию потенциала своего мозга

Мои лучшие люди — это женщины.

Уильям Бут, основатель Армии Спасения (подслушанный комментарий)

Сьюзен было сорок пять. Она была мамой четверых детей и генеральным директором некоммерческой компании по созданию учебных материалов для обучения детей-инвалидов. Сьюзен любила своего мужа и свою семью и считала свою работу очень нужной людям. Она принимала активное участие в жизни местной церкви и была уважаемым членом своей общины. Со стороны казалось, будто у Сьюзен «все есть».

Но когда Сьюзен вошла в мой кабинет, она рассказала мне совсем другую историю. «Я не просто чувствую себя плохо, — сказала она. — У меня хроническая усталость, независимо от того, высыпаюсь я по выходным или нет! Я не могу вспомнить простейшие вещи, и у меня такое ощущение, что я не могу ни на чем сосредоточиться дольше минуты. Я чувствую себя очень подавленной». Она вздохнула. «И ситуация ухудшается. На то, что раньше я делала легко, теперь у меня уходит уйма сил. Я знаю, что реакции по мере старения замедляются, но я никогда не думала, что это случится со мной в этом возрасте! Может быть, у меня ранние симптомы болезни Альцгеймера.

Я взяла одну из ваших книг, и увидела там позитивную идею о том, что даже когда человек становится старше, он вовсе *не должен* ощущать себя старым. Вот чего я хочу! Но в моем теле, похоже, многое выходит из строя. Я набираю вес. Моя кожа начинает трескаться — а этого *никогда* не было! И мои месячные стали более болезненными и интенсивными. Но хуже всего, что я стала раздражительной и вспыльчивой. Муж говорит мне, что я постоянно кричу на детей и на него, а я иногда даже не осознаю, что веду себя так!»

СИЛЬНЫЕ И СЛАБЫЕ СТОРОНЫ ЖЕНСКОГО МОЗГА

Сьюзен похожа на многих женщин, которых я наблюдаю. Она думала, что питается здоровой пищей, но, как правило, начинала день с кофе и рогалика и в течение дня ела очень много сладкого. Она хотела заниматься физкультурой, но не могла найти времени для этого и нередко выпивала два стакана вина вечером, чтобы расслабиться. И об одной важной части своего организма она никогда не думала — о мозге. Это странно, потому что мозг человека непосредственно связан с каждым аспектом его жизни. И мозг Сьюзен влияет на то, что она ест и сколько она спит. Будет ли она кричать на своих детей или сделает глубокий вдох и попробует другой подход? Будет ли Сьюзен жить долгой и энергичной жизнью, выглядеть и чувствовать себя превосходно или она будет быстро стареть, выглядеть старше своих лет и столкнется с такими серьезными недугами, как рак, диабет, заболевания сердца или болезнь Альцгеймера?

Конечно, не все подобные установки обязательно бывают сознательными. Но в любом случае к ним причастен мозг Сьюзен. И если бы только Сьюзен знала, как заботиться о своем мозге, как дать ему биологическую, психологическую, социальную и духовную заботу, в которой он нуждается, то у нее, скорее всего, был бы здоровый и красивый мозг. И он, в свою очередь, помог бы ей чувствовать себя потрясающе, иметь энергию для наслаждения жизнью и повышения эффективности во всех ее областях.

> Здоровье мозга необходимо для всех моих пациентов: мужчин, женщин и детей. Но за многие годы практики я заметил, что мои пациентки сталкиваются с особыми трудностями.

Как мы увидим в главе 2, женский мозг имеет пять особых преимуществ: интуицию, сопереживание (эмпатия), сотрудничество, самоконтроль и здравую бдительность. Сопереживание позволяет женщинам быть любящими и заботливыми. Интуиция позволяет им быстро схватывать не вполне очевидные признаки проблемы. Самоконтроль дает им власть над своими импульсами. А склонность женщин к сотрудничеству помогает им работать с другими. Наконец, свойственный женщинам умеренно повышенный уровень здравого беспокойства — бдительности, не выходящей за разумные рамки, — помогает им сосредоточиваться на возможных проблемах и быть готовыми к потенциальным решениям.

Все это хорошо. Но, как и все особенности, перечисленные имеют свои темные стороны.

Сопереживание может превратиться в непреодолимое ощущение того, что вы держите на себе весь мир, что вы должны заботиться обо всех, прежде чем когда-нибудь дойдете до удовлетворения собственных потребностей. Интуиция может пробудить вызывающие тревогу страхи, когда вы будете то и дело перепроверять, чтобы убедиться, что все в порядке.

Мозг часто может воспринимать мир неверно. Высокий самоконтроль рискует превратиться в тенденцию строго контролировать и других. Склонность к сотрудничеству чревата ощущением, что вы не вправе ничего делать, пока не получите согласия остальных, например ваших коллег, семьи или супруга. А тревожность, полезная в малых дозах, может измотать вас настолько, что повредит вашему мозгу и телу и не даст вам передышки.

Сьюзен тоже пожинала плоды особенностей женского мозга. Как и многие женщины, она чувствовала себя виноватой, что бы она ни делала. Когда Сьюзен была дома, она думала о работе, а на работе она думала о доме. Очень чуткий и заботливый человек, Сьюзен воспринимала проблемы каждого как свои собственные. Она беспокоилась о своей помощнице, которая ухаживала за пожилой матерью, о муже, поскольку результаты его клинических анализов показали повышенное содержание сахара в крови, о своих детях — один из них только что начал ходить на свидания. Сьюзен волновалась о студентах с ограниченными возможностями, для которых ее компания производила учебные материалы. И она тревожилась о своих собственных родителях, ибо ее мать, похоже, становилась все более рассеянной, а отец начал терять интерес к жизни.

Куда бы Сьюзен ни посмотрела, ей казалось, что нужно удовлетворить еще одно требование, решить еще одну проблему, облагодетельствовать еще одного человека. Она чувствовала, что никогда не сможет выиграть эту битву. Неудивительно, что когда ее мужу по вечерам хотелось секса или просто ласки перед телевизором, она никогда не могла отдаться ему полностью и насладиться их совместным времяпрепровождением. Она не могла отключить свой занятый мозг.

«Сьюзен, — сказал я ей, выслушав ее проблемы, — кажется, будто вы заботитесь обо всех людях вокруг. Но пора уже начать заботиться и о самой себе. Каждому, о ком вы заботитесь, станет лучше, если вы будете чувствовать себя превосходно».

Сьюзен посмотрела на меня, и спросила: «С чего мне начать?»

ПОЧЕМУ ТАК ВАЖЕН МОЗГ!

Наш мозг вовлечен во все, что мы делаем
Он принимает здоровые или нездоровые решения, которые заставляют человека чувствовать себя хорошо или плохо.

Когда мозг функционирует правильно, человек тоже поступает правильно
Здоровые реакции и решения приносят пользу.

Когда у мозга проблемы, в вашей жизни тоже проблемы
Опрометчивые и неверные решения все усложняют.

Вы можете изменить свой мозг и улучшить свою жизнь!
Следуя руководству для здорового мозга, вы вольны начать все заново.

ПОДХОД К ЖЕНСКОМУ МОЗГУ: «ЧЕТЫРЕ КРУГА»

В наших клиниках *Amen Clinics* мы разработали подход «Четыре круга». Он представляет собой всесторонний «заточенный под мозг» подход к оценке и лечению пациентов.

Человек всегда больше, чем его симптомы. И чтобы быть здоровой, следует обязательно принимать во внимание все аспекты своей биологии, психологии, социальных связей и духовного состояния. Высокая степень выздоровления наших пациентов объясняется тем, что мы применяем комплексный подход к пониманию и исцелению мозга. Если любая из этих областей не оптимизирована, ваш мозг будет страдать так же, как и ваше здоровье, благополучие, внешний вид, настроение и отношения.

Беседуя со Сьюзен, я подошел к доске в моем кабинете и нарисовал четыре больших круга. В первом круге я написал слово «Биология» и начал с набора вопросов, чтобы оценить биологические факторы, влияющие на ее мозг. Я выяснил, что ни у кого в ее большой семье не было болезни Альцгеймера и других заболеваний, связанных с ухудшением познавательных процессов, но в их роду страдали депрессией. Сьюзен не принимала никаких препаратов. Ее питание было не оптимальным, а это, как мы увидим в главе 5, неблагоприятно для мозга. Кроме того, она часто ела на бегу, потому что была слишком занята, — а это тоже вредно для мозга.

Еще одна большая проблема биологического профиля Сьюзен заключалась в том, что она спала по пять и менее часов в сутки. Я понимал ее дилеммы. С четырьмя детьми и энергозатратной работой было трудно успеть все за один день. Однако неполноценный сон — одна из наихудших вещей для мозга, так что это была большая проблема.

Как вы узнаете в главе 4, гормоны играют огромную роль в здоровье мозга, и гормоны Сьюзен были не в лучшей форме. По результатам ее анализов показатели гормонов щитовидной железы были у Сьюзен низкими. И был дисбаланс гормонов, вырабатываемых надпочечниками (кортизол и дегидроэпиандростерон, или ДГЭА), скорее всего из-за хронического стресса. Дабы поддержать работоспособность в течение дня, Сьюзен в основном полагалась на кофе, а вечером, чтобы расслабиться, она выпивала несколько бокалов вина, что отнюдь не помогало ее гормонам, уровню сахара в крови, весу, сну и функциям мозга. Восстановление баланса гормонов Сьюзен стало одним из ключевых аспектов улучшения биологического здоровья ее мозга. Мне очень хотелось посмотреть на сканы ее мозга (подробнее об этом я расскажу позднее), чтобы увидеть, что происходит.

Однако сначала я хотел посмотреть на то, что происходило в других трех кругах. Во втором круге я написал слово *Психология*. В психологическом отношении мышление Сьюзен было неупорядоченным и негативным; ее занятый мозг продолжал возвращаться к одним и тем же заботам, неприятностям и самокритичным заключениям: *Я должна была сделать это по-другому. Наверное, я ей не нравлюсь. Я не делаю достаточно для него. Да что же со мной не так?* Как и мозг многих женщин, мозг Сьюзен был склонен к своего рода перфекционизму[1] — она преувеличивала свои недостатки и минимизировала свои достоинства. Несколько набранных ею лишних килограммов казались ей главным свидетельством того, что она стара и уродлива. Проблемы ее детей (свойственные всем детям) служили для Сьюзен доказательством того, что она недостаточно хорошая мать. А недовольство мужа ее вспыльчивостью мнилось ей знаком того (как выяснилось, совершенно неверным), что их брак испытывает проблемы.

Эти психологические проблемы были одновременно результатом дисбаланса функций мозга Сьюзен и других сопутствующих факторов. Неупорядоченное и негативное мышление вредит здоровью нашего мозга! Вот почему в главе 6 я научу вас не верить всякой глупой негативной мысли, которая пришла вам в голову. Я называю такие провокации *автоматическими негативными мыслями*, или сокращенно АНЕМами, и далее покажу вам несколько простых, эффективных способов избавления от них.

В третьем круге я написал *Социальные связи.* Там тоже мозг Сьюзен сталкивался со множеством проблем. Сьюзен чувствовала себя изолированной от самых значимых людей в своей жизни, отдаленной от своего мужа и раздражительной в общении со своими детьми. На работе она ощущала себя перегруженной. Поддержка, которую она могла бы получить от друзей или от своей церковной общины, казалась ей недосягаемой, потому что Сьюзен чувствовала себя слишком опустошенной, чтобы общаться с людьми.

В последнем круге я написал *Духовное здоровье.* Оказалось, что в этой сфере мозг Сьюзен был в хорошем состоянии. У нее было глубокое ощущение смысла и цели ее жизни, которое поддерживало ее даже в это непростое время. Она знала, что

---

[1] Перфекционизм — чрезмерное стремление к совершенству. Перфекционист постоянно стремится сделать все идеально и потому очень критичен к себе и результатам своей деятельности. — *Прим. ред.*

ее работа важна для других и что ее присутствие дома очень важно для ее мужа и детей. У нее было глубокое ощущение связи с миром, планетой и будущим. Мозг Сьюзен определенно выигрывал от осознания ею своего предназначения.

Оценив каждый из четырех кругов Сьюзен, я провел *однофотонную эмиссионную компьютерную томографию* (ОЭКТ) мозга Сьюзен. Одним из уникальных аспектов нашей работы, который отличает нас от большинства психиатров, является наша убежденность в том, что мы должны оценить состояние органа, который мы лечим. Мы делаем сканирование мозга под названием ОЭКТ, которое показывает степень кровоснабжения разных областей мозга и, соответственно, уровень их активности. Это сканирование оценивает функционирование отдельных регионов мозга. В *Amen Clinics* мы выполняем сканирование ОЭКТ вот уже в течение 22 лет и накопили базу данных из более чем 78 000 сканов, и мы очень хорошо знаем,

СКАН ОЭКТ ЗДОРОВОГО МОЗГА

Поверхностный вид

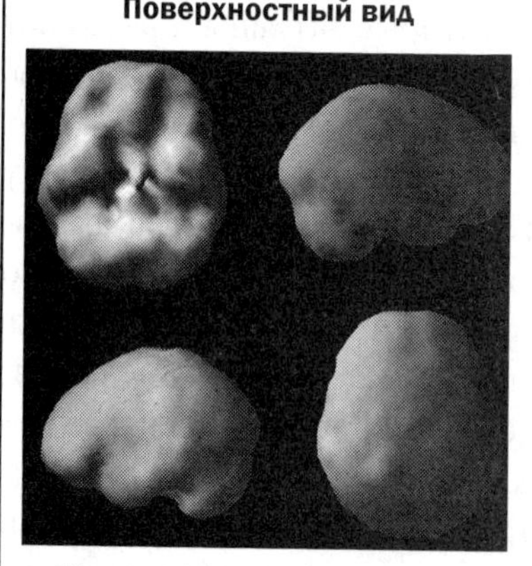

Полная, даже, симметричная активность. Поверхностный вид показывает верхние 45% мозговой активности. Там, где активность ниже, мы видим на скане как бы отверстие или вмятину

Активный вид

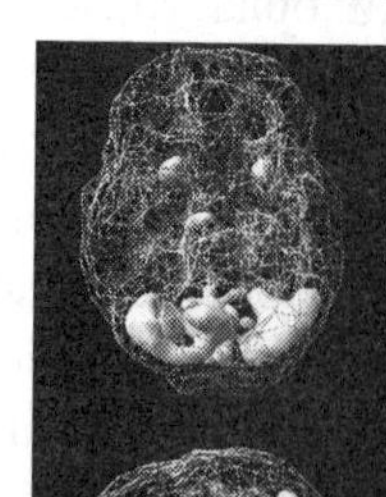

Задняя часть мозга является наиболее активной. Серая область обозначает среднюю активность; белые зоны — самые активные

СКАН ОЭКТ СЬЮЗЕН

Поверхностный вид

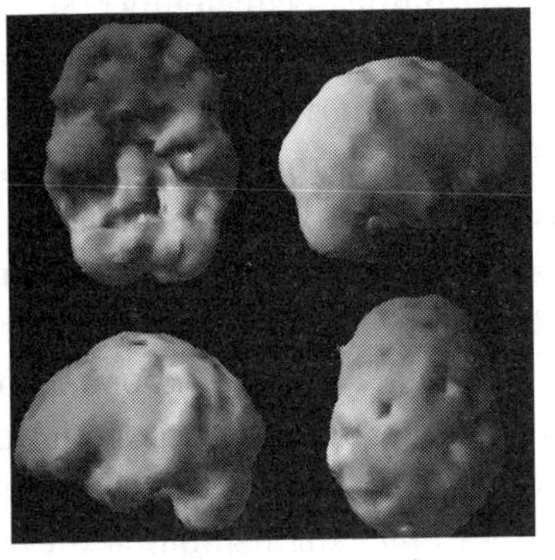

Снижена активность в области лобных и височных долей. Низкая энергетика по сравнению со здоровым мозгом

Активный вид

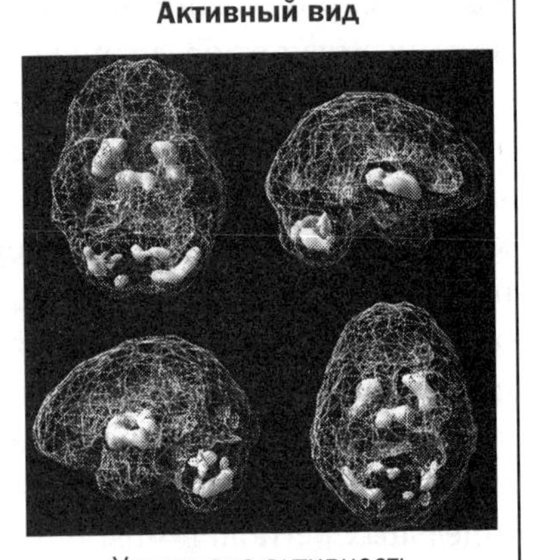

Увеличена активность лимбического, или эмоционального, мозга

как использовать их. Сканы ОЭКТ в основном демонстрируют нам три вещи: области мозга, которые активны и работают хорошо, малоактивные области мозга и, наконец, те его зоны, что чересчур активны, то есть перевозбуждены.

Сканы ОЭКТ Сьюзен помогли мне прояснить картину того, что с ней происходит. Я смог увидеть низкую активность ее височных долей — зон, связанных с памятью, и это объясняло ее забывчивость. Кроме того, у нее наблюдалась низкая активность коры лобных долей[1] — «центре управления мозга», ассоциируемом с вниманием, концентрацией и контролем за импульсами. Снижение активности височных и лобных долей бывает при недостаточности функции щитовидной железы. Я подозревал, что эти проблемы будут в значительной степени устранены, как только Сьюзен нач-

---

[1] Автор здесь использует принятый на Западе термин «префронтальная кора», он здесь и далее заменен на принятый у нас научный термин — «лобная кора», или «кора лобных долей». — *Прим. ред.*

нет лучше заботиться о мозге: сбалансирует свои гормоны, питание, сон, физическую активность и получит нужную ей психологическую помощь, а также начнет получать больше социальной поддержки со стороны близких и других окружающих ее людей.

У Сьюзен были проблемы и в области лимбической системы — «эмоциональном мозге». Там наблюдалась повышенная активность, вероятно, связанная с хроническим стрессом, который она ощущала на работе, дома и повсюду. Успокоить эту часть мозга Сьюзен помогло бы устранение АНЕМов, а также медитация, самогипноз и другие методы релаксации. Здоровая пища, сон, мультивитамины, рыбий жир, оптимизация уровня витамина D и других нутриентов, а также физические упражнения могли бы ей помочь.

Я показал Сьюзен ее скан и для сравнения — снимок здорового мозга, указав ей на области, которые могут потребовать помощи. Как только Сьюзен увидела свой скан и поняла то, что он означает, она спросила, можно ли как-то помочь ее мозгу. Это вопрос, на который я люблю отвечать. Последние 22 года моей жизни были посвящены оптимизации работы мозга моих пациентов и изменению их жизни.

«Да, — сказал я. — Если вы будете следовать программе, которую я вам дам, ваш мозг станет гораздо более здоровым и вы будете чувствовать себя намного лучше».

Это очень заинтересовало ее.

«Вы хотите сказать, что, если я буду заботиться о своем мозге, это состояние пройдет, верно? — спросила она меня. — Если я буду делать все правильно, у меня может быть лучший мозг».

«Верно, — уверил я ее. — Вы должны начать думать и заботиться о своем мозге».

«Начну прямо сейчас, — сказала она, — я хочу лучший мозг и лучшую жизнь». Ее лицо озарила улыбка. «Это самые приятные новости, которые я услышала за очень долгое время, — добавила она. — Что я должна делать?»

Так у Сьюзен появилась зависть к здоровому мозгу.

КАК ПОЛЮБИТЬ СОБСТВЕННЫЙ МОЗГ

То, что произошло со Сьюзен, происходит со многими нашими пациентами, когда им показывают скан ОЭКТ их мозга: они перестают быть равнодушными к своему мозгу. Когда они видят снимки, это дает им надежду и помогает начать делать все по-другому. У них появляется зависть к здоровому мозгу и желание оздоровить свой мозг.

Сьюзен приступила к переменам сразу же. Она сказала мне, что скорректирует свою диету, начнет заниматься физкультурой, будет спать больше и начнет вместе со мной работать над проблемами своей щитовидной железы и надпочечников.

Она узнала, как устранить АНЕМы и установить определенные границы в отношениях с любимыми людьми так, чтобы не взваливать на свои плечи все их проблемы.

В то же время Сьюзен решила проводить больше времени со своими детьми — скорее не в плане количества, а в плане качества. Как мы увидим в главе 11, матери часто испытывают неоправданное чувство вины и поэтому слишком перетруждают и истощают себя.

Я сказал Сьюзен, что, для того чтобы быть хорошим родителем, не обязательно тратить много времени на выполнение своих родительских обязанностей; нужно лишь делать это постоянно. Я предложил ей действенное упражнение, с которым вы познакомитесь в главе 11. Она согласилась и, начав делать его, обнаружила, что стала лучше ладить со своими детьми.

Сьюзен начала играть с ними в «Игру Хлои». Это упражнение-игра, которое я опробовал на своей дочери Хлое, когда ей было два года. Выполняя его, играющий спрашивает себя: «Хорошо ли это для моего мозга или плохо?» Я предложил Сьюзен при осуществлении каких-то дел в течение дня задавать себе этот простой вопрос. Ответы на него помогли Сьюзен и ее детям принимать решения, полезные для мозга. У меня есть близкая подруга в Гонконге, которая играет в эту игру со своей четырехлетней дочерью Кейтлин. Ей нравится называть эту игру «Игра Кейтлин».

Я увидел Сьюзен снова приблизительно месяц спустя и сразу заметил улучшения. Она сбросила 4 кг и, смеясь, рассказала о том, как во время занятий в тренажерном зале у нее чуть не спали штаны — настолько она похудела. «Хорошо еще, что там занимались одни девушки», — сказала она. Ее кожа выглядела моложе, и сама она стала более жизнерадостной. Ее энергия, настроение и внешний вид заметно улучшились.

Я люблю истории успеха! Самое замечательное в случае Сьюзен — это то, что такая история может быть и у вас. Но первый шаг на пути к успеху — полюбить свой мозг.

ЧЕМ ХОРОША ЗАВИСТЬ К ЗДОРОВОМУ МОЗГУ

Наш мозг вовлечен во все, что мы делаем. Он причастен к принятию решений, когда нам жениться, а когда разводиться, управлению нашими деньгами и успеху в работе. И поэтому очень важно, насколько вы здоровы и находятся ли ваши желания под контролем. Когда мозг работает исправно, вы тоже в норме. Когда у вашего мозга проблемы, в вашей жизни тоже, скорее всего, будут проблемы. Однако большинство людей на самом деле никогда не думает о своем мозге, что является досадной ошибкой.

Вы не думаете о мозге, потому что не можете видеть его

Вы волнуетесь о морщинах на вашей коже, потому что вы можете ежедневно наблюдать их. Вы переживаете по поводу своей талии, потому что вам все труднее застегивать брюки. Вас начинает заботить седина в волосах, и вы договариваетесь о встрече с парикмахером, потому что корни ваших волос смотрят на вас в зеркале. Ваш организм сообщает вам о своих недомоганиях. С другой стороны, ваш мозг дает вам лишь неясный намек на то, что что-то не в порядке, когда у вас портится настроение, вы не можете спать или начинаете забывать слова, которые раньше сами слетали с языка.

> Я не особенно заботился о собственном мозге до тех пор, пока не начал заниматься клинической томографией.

Когда мне было десять лет, я без проблем кувыркался на своем велосипеде и падал головой вниз. Так поступали крутые мальчишки. Я просто снова вставал. Я играл в контактный американский футбол, используя шлем. Шлем заставлял меня чувствовать себя неукротимым. Я не обратил внимания ни на первый приступ вирусного менингита (мозговая инфекция), который был у меня на начальном этапе службы в армии США, ни на второй подобный приступ — он случился со мной во время прохождения медицинской практики. Я не видел проблемы в том, чтобы выпивать полгаллона содовой каждый день, иметь лишний вес и испытывать постоянный стресс. Я был крутым! Даже по окончании своей учебы и после начала частной практики я никогда по-настоящему не думал о мозге. Если врач, который специализируется на заболеваниях мозга, не думает о мозге, то почему вы должны думать?

Все это изменилось весной 1991 года. В то время я был директором отделения двойного диагноза в больнице Северной Калифорнии и лечил пациентов, злоупотреблявших психоактивными веществами и имевших психиатрические проблемы. Работы было очень много. Каждую неделю врачи больницы собирались на «летучку» — нашу еженедельную образовательную конференцию. Однажды доктор Джек Полди, главный врач местной больницы общего профиля, прочитал доклад о практическом применении новой технологии томографии мозга под названием

ОЭКТ, которая исследует кровоснабжение мозга и шаблоны его активности.

Если компьютерная томография (КТ) и магнитно-резонансная томография (МРТ) показывают анатомию мозга, то ОЭКТ демонстрирует функциональную активность мозга. Доктор Палди сказал, что ОЭКТ и подобные исследования произведут революцию в психиатрии. Вместо того чтобы строить обоснованные предположения о состоянии пациентов, у нас наконец появится более полезная информация об органе, который мы лечим, — о мозге. Он показал нам сканы ОЭКТ обычных людей и сравнил их со сканами страдающих болезнью Альцгеймера, пациентов, перенесших инсульт, травмы мозга и приступы эпилепсии.

Я был потрясен. Я ждал этого дня в психиатрии очень долго. Наша область медицины была единственной, где врачи никогда не смотрели на орган, который они лечили, и поэтому я часто не имел полного представления о том, что происходит с моими пациентами. Я чувствовал, что мне нужно больше информации, чтобы лучше определить свою стратегию лечения. Та лекция изменила траекторию моей личной и профессиональной жизни.

В течение следующих нескольких месяцев я заказал множество сканов ОЭКТ своих пациентов и нашел их чрезвычайно полезными. Они были так ценны, что я начал подвергать ОЭКТ членов собственной семьи. Провел сканирование мозга моей тети, у которой был панический синдром, кузена, склонного к суициду и депрессии, своих детей и, наконец, своего собственного. Как и многие мужчины, я был убежден, что я на 100% здоров. Несмотря на мою историю игры в футбол и менингит в анамнезе, я ожидал увидеть очень здоровый мозг. В конце концов, я никогда не принимал никаких запрещенных наркотиков, не курил и редко выпивал.

И тем не менее мой мозг не был здоровым. Он выглядел старше меня. У него был токсичный вид.

«Фу, — подумал я. — Я должен добиться большего успеха».

Мой «не такой уж здоровый» скан ОЭКТ

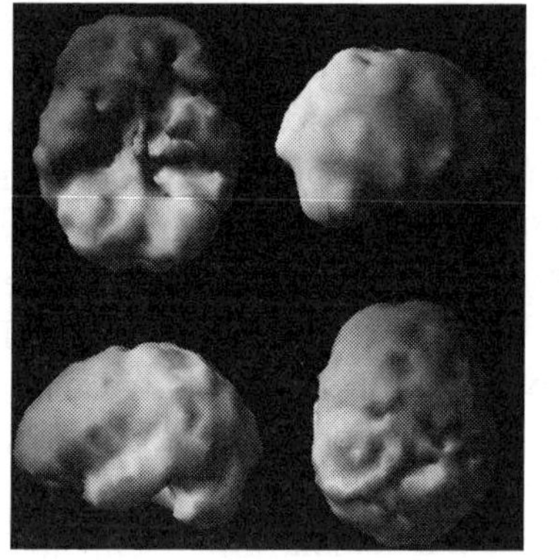

Бугорчатость, отравление

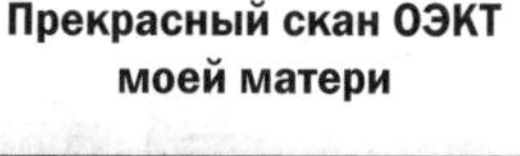

Прекрасный скан ОЭКТ моей матери

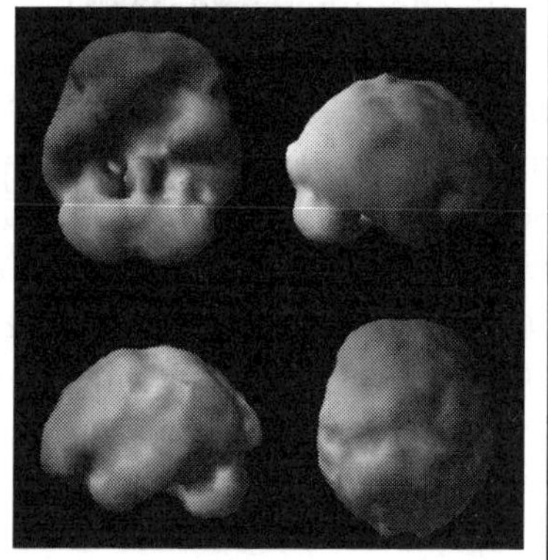

Полный, даже симметричный, здоровый вид

На той же неделе я сделал скан мозга своей 60-летней матери Дори. У нее оказался невероятно красивый мозг. И позже она стала нашим примером человека со здоровым мозгом. Ее мозг был цельным, даже симметричным, и демонстрировал здоровую активность. Отличное функционирование ее мозга отражалось в бесчисленных здоровых действиях и взаимоотношениях с людьми.

Она всегда была лучшей подругой своим семерым детям, двадцати двум внукам и десяти правнукам. Я завидовал ее мозгу. Я хотел, чтобы мой мозг был таким же, как у нее.

С того момента я начал думать о том, как оптимизировать свой мозг и мозг своих пациентов, читателей, родственников и друзей. Гармонизируя функционирование мозга, я в конечном счете оздоровил и свое тело. Когда улучшилось функционирование лобных долей мозга, отвечающих за оценки и контроль импульсов, я стал принимать более взвешенные решения и стал более дальновидным.

Зависть к здоровому мозгу сделала мою жизнь лучше, и я хочу, чтобы то же самое произошло и с вами.

Ясно, что наше общество неправильно подходит к здоровью женского мозга

Большинству людей просто плевать на свои мозги. Мы позволяем своим маленьким дочерям ударять по мячу головой, делать опасные гимнастические упражнения и совершать акробатические прыжки, участвуя в представлениях групп поддержки на спортивных состязаниях, где их мозг гораздо более уязвим для травм. Большинство людей никогда не видели свой мозг и не думают о нем. Естественно, они и понятия не имеют, есть ли у их мозга проблемы.

Когда наши пациенты видят сканы собственного мозга, у них часто появляется зависть к здоровому мозгу и возникает желание совершенствовать свой собственный. Мне приходилось лечить 19-летнюю девушку, которая злоупотребляла кокаином. Так вот, когда на скане она увидела, что кокаин делает с ее мозгом, она тут же прекратила его употреблять! Она была очень умной молодой особой и, увидев снимок ОЭКТ, сказала: «Ммм, мой мозг управляет моей жизнью, и он не справляется, потому что я повреждаю его!» А когда я сказал ей, что мозг человека продолжает развиваться до 25 лет и ее злоупотребление наркотиками рискует надолго задержать его развитие, она воскликнула: «О, я не хочу этого!» — и прекратила принимать кокаин. Я так гордился ею, и я был еще более горд, когда несколько лет спустя она стала медицинским работником.

В свое время я лечил удивительную женщину, мать и бабушка которой умерли от болезни Альцгеймера. В ее семье у женщин была явная склонность к болезни Альцгеймера, и она хотела знать свою собственную подверженность этой болезни. Когда ей сделали скан мозга, она увидела развивающуюся тенденцию и поняла, что у нее проблемы. В результате она полностью изменила все в своей жизни — диету, физическую активность, сон и отношение к стрессу, чтобы лучше заботиться о себе. Сегодня ей далеко за семьдесят, и она находится в здравом уме и твердой памяти. Я очень горжусь и ею.

Женщины сталкиваются с некоторыми особенными трудностями, но они наделены и уникальными способностями, одна из которых состоит в признании необходимости помощи и ее поиске, когда это требуется. Если вы не особенно заботитесь о мозге, вы, возможно, столкнетесь с большими проблемами сейчас или в недалеком будущем. Однако, развив в себе зависть к здоровому мозгу, полюбив его, вы станете лучше заботиться о нем и можете все изменить.

ВАЖНО ПОВЫШАТЬ РЕЗЕРВ СВОЕГО МОЗГА

Одно из самых важных открытий, сделанных мной благодаря работе со снимками активности мозга, следующее. Я пришел к понятию резерва мозга. Это своего рода дополнительная подушка для здорового функционирования мозга, которую мы используем, когда нам приходится иметь дело со стрессом.

> Чем больше резерв вашего мозга, тем успешнее вы можете справиться со взлетами и падениями своей жизни.

Чем меньше резерв мозга, тем тяжелее справляться со стрессом, гормональными колебаниями, старением и травмами. Без достаточного мозгового резерва вы с большей вероятностью съедите пачку печенья или опрокинете несколько бокалов спиртного, пытаясь справиться с проблемами. Поэтому важно развивать резервы своего мозга, и излагаемая в этой книге программа поможет вам в этом.

Резерв мозга — это не статичный ресурс. Он постоянно изменяется в зависимости от трудностей, с которыми мы сталкиваемся, и от нашей заботы о самих себе. С момента зачатия, если здорова окружающая человека среда («среда» — в комплексном смысле слова), его мозг развивается с большим запасом резерва, который помогает ему справляться с постоянными жизненными стрессами. Скажем, если ваша мать была здорова, когда была беременна вами, если она получала все витамины, жила в экологически чистой среде и не испытывала чрезмерный стресс, то вы, скорее всего, родились с хорошим мозговым резервом. Но если она не желала иметь ребенка, испытывала хронический стресс, не высыпалась, выпивала, курила или употребляла наркотики, плохо питалась или подвергалась воздействию токсинов (таких как ртуть, свинец, плесень или синтетические химикаты), то вы, вероятно, родились с меньшим резервом и гибкостью.

Подобным же образом и вся ваша взрослая жизнь либо увеличивает, либо уменьшает этот резерв. Если в детстве вас лелеяли, стимулировали ваши познавательные способности, заботились и бережно растили в благоприятной среде, вашему мозга был дан шанс создать и усилить свой резерв. Но если вас били, не уделяли вам внимания или кормили нездоровой пищей, или, допустим, вы занимались контактными видами спорта (вроде бокса), или у вас был мононуклеоз, или вы испытывали постоянный стресс, то резерв вашего мозга истощался.

В юности и молодости человек может продолжать наращивать резерв своего мозга, если он правильно питается, живет в стимулирующей, здоровой и социально благоприятной среде.

Но если он курит «травку», пьет алкоголь, питается фастфудом, испытывает недостаток сна, пережил сотрясение мозга, и/или страдает от перепадов настроения или изоляции, его резерв исчерпывается.

На протяжении всей нашей жизни мы либо накапливаем, либо снижаем резерв своего мозга. Когда у человека появляются какие-то симптомы, например когда он борется с перепадами настроения, плохой памятью или рассеянностью, это означает, что резерв его мозга исчерпан. Многие люди ошибочно полагают, что возрастные проблемы с памятью, депрессия и рассеянность являются нормой. Это не так. Налицо лишь признаки того, что резерв мозга исчерпан.

Необходимо беречь резерв своего мозга, заботясь о нем. Следует избегать всего, что вредит мозгу, и прививать себе здоровые привычки. К концу этой книги будет абсолютно ясно, как нужно заботиться о вашем мозге. Но сначала вы должны захотеть начать о нем заботиться. Вот почему я хочу, чтобы вы развили у себя зависть к здоровому мозгу. Она будет мотивировать вас на защиту резервов вашего мозга.

ЗАЩИТИТЕ РЕЗЕРВ СВОЕГО МОЗГА

Подумайте о своих знакомых, друзьях и коллегах. Когда наступает какой-то кризис, одни полностью разваливаются — бегут к коробке с леденцами, тянутся к пачке сигарет или ищут утешение в наркотиках и алкоголе, в то время как другим удается обойтись без этого. Вы когда-либо задавались вопросом, почему так происходит? Я задавался. В моей работе я заметил, что стрессовые события, такие как утрата любимого человека, увольнение с работы или развод, могут привести к депрессии, изменениям в весе, нехватке мотивации для физической активности и появлению вредных повседневных привычек. Но далеко не у всех. Отчасти эта разница в реакции на кризис вызвана уровнем мозгового резерва, который каждый человек развил за прожитые годы.

Увеличение мозгового резерва может даже быть более важным фактором для женского мозга, потому что согласно некоторым исследованиям женщины чаще мужчин подвержены таким болезням слабоумия, как болезнь Альцгеймера.

Я помню свою пациентку Кимико, прекрасную молодую японку, которая боролась с проблемой плохой успеваемости. В результате она всегда чувствовала себя глупой, особенно потому, что в ее культуре образование считают важным, и ее вынуждали хорошо учиться. В результате Кимико начала действительно ненавидеть себя.

ОЭКТ ее мозга показала общую пониженную его активность. Я обнаружил, что результаты известного теста, оценивающего здоровье новорожденного по внешности, пульсу, гримасам, активности и дыханию, были у нее очень низкими. Это указывало на то, что, вероятно, Кимико пережила кислородное голодание при рождении. Когда я поделился с ней этой информацией, она была настолько потрясена, что неко-

СКАНЫ МОЗГА КИМИКО ДО И ПОСЛЕ ЛЕЧЕНИЯ

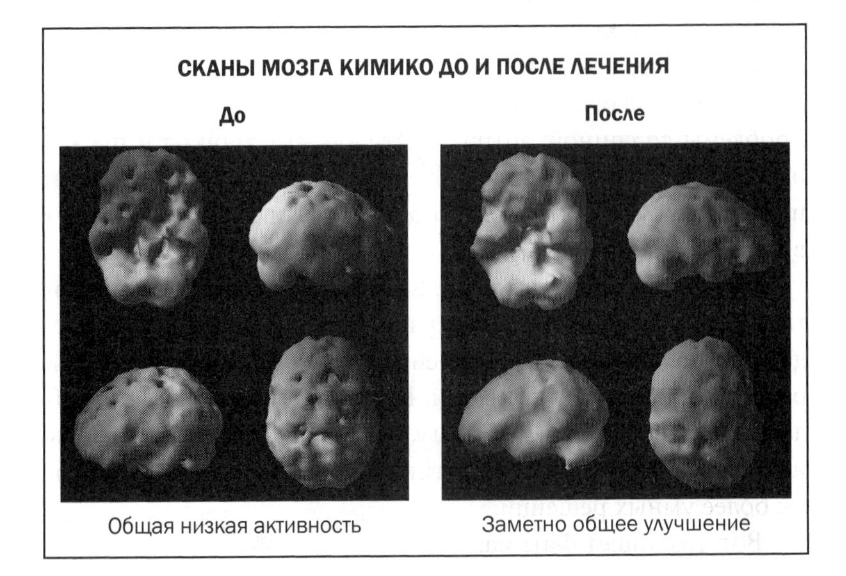

торое время не могла говорить. Затем она сказала, так тихо, что я едва смог ее расслышать: «Проблема не во мне. Проблема в том, что произошло со мной». Эти сканы фактически помогли смыть ее позор!

Мгновение спустя Кимико спросила меня: «Мы можем улучшить это?»

И я объяснил ей те шаги по оздоровлению мозга, которые она могла предпринять. О них вы узнаете в этой книге. Я увидел, как у нее начал пробуждаться интерес. Ее беспокойство превратилось в энтузиазм, а ее ненависть к себе уступила место открытому духу. Ниже приведены сканы ее мозга до и после лечения.

КАК ЗДОРОВЬЕ МОЗГА ИЗМЕНЯЕТ ВСЕ ДЛЯ ВАС И ТЕХ, КОГО ВЫ ЛЮБИТЕ

Любовь к своему мозгу не просто изменит вашу жизнь. Она может полностью преобразовать жизни всех, кого вы любите. Посмотрите на историю Фатимы, которая помогала мне знакомить с моими наработками корпорации по всему миру.

В то время она неоднократно призывала своего мужа стать здоровым, но, как и многие мужья, Роб не обращал на эти призывы никакого внимания. Ему было 44 года, и у него были проблемы со спиной, артрит в коленях, бессонница и плохая память. После операции на колене его врач сказал ему, что он никогда не сможет бегать. Его отец пережил первый инфаркт в 40 лет и умер в 58.

Фатима была обеспокоена. Кроме того, их мальчики, десяти и тринадцати лет, с трудом учились в школе. Однажды, когда Фатима смотрела DVD моей программы, Роб и мальчики решили присоединиться к ней. В результате в их доме появилась зависть к здоровому мозгу, и все в их семье изменилось, начиная с питания, уровня активности и заканчивая принятием более умных решений.

Вот что пишет Фатима:

После просмотра вашей программы мы все влюбились в мозг, особенно Роб. Он начал согласно вашему плану питаться полезной для мозга пищей и всего за несколько коротких месяцев сбросил 19 кг. Он чувствует себя превосходно! Роб фактически полностью отказался от рафинированного сахара; от всех соков и сладких напитков, существенно сократил потребление молочных продуктов и глютена и существенным образом увеличил потребление овощей. Кроме того, он начал принимать рыбий жир, витамин D, высококачественные поливитамины и биологически активные добавки для мозга, и теперь он говорит, что его память и общее функционирование мозга, креативность и настроение улучшились. Роб теперь намного лучше спит, и он избавился от синдрома беспокойных ног. Он говорит, что действительно понимает, что такое здоровье мозга в вашем понимании. Он считает, что вы очень логичны и вас легко понять. Благодаря вам он стал внимательнее при выборе своей еды, соотнося каждый выбор с расходом своих калорий. У Роба исчезли боли, и он только что закончил свой второй триатлон в этом году, оба раза став победителем в своей возрастной группе. А во время недавнего совещания на работе он смог вспомнить имя клиента, с которым они работали двенадцатью годами ранее.

Тринадцатилетний Кейден учился с трудом. Он получал в основном тройки и двойки, что вызывало тревогу, потому что он умный мальчик. Все его учителя говорили, что, несмотря на то, что он вежливый ребенок, ему трудно сосредоточиться на задачах и подолгу решать их и часто он «пропускает» домашние задания. Дома Кейден любил спорить, жаловался на неспособность сосредоточиться на домашней работе и искал ссор со своим младшим братом, который был не похож на него характером.

Десятилетний Сейдж чуть более сумасброден, но учился на «четыре» и «пять», хотя мог иметь одни пятерки. Его учителя говорили, что он торопится при выполнении школьных заданий и не проверяет свою работу.

Мы последовали вашим рекомендациям для каждого и ограничили для детей время просмотра ТВ и видеоигр до получаса в день. Мы позаботились об увеличении их физической активности и стали давать им рыбий жир, мультивитамины и L-тирозин, а также богатый белками завтрак и регулярные белковые закуски в течение дня.

Когда месяц спустя мы пришли на родительское собрание, все семь учителей Кейдена заявили, что он «добился значимого прогресса», а некоторые уверяли нас: «Что бы вы ни делали для этого, продолжайте в том же духе». Кейден теперь единственный круглый отличник в классе, хорошо ведет себя дома и гораздо лучше ладит со своим братом.

Сейдж учится на одни пятерки, он сумел успокоиться и способен лучше концентрироваться на проверке своей работы. Он стал намного дружелюбнее дома, когда не играет в видеоигры.

Теперь, когда виден такой большой прогресс у Роба, на эту программу подписались его мама и родные братья.

Благодаря таким изменениям в семье я тоже стала испытывать меньше стресса и чувствую себя более счастливой. Большое вам спасибо за наши меняющие жизнь озарения! Наша семья действительно получила пользу от ваших программ!

Я делюсь с вами этим письмом, потому что хочу, чтобы вы увидели силу, которой наделена женщина — она может изменять не только свой мозг, но и тех, кого она любит. Обратное тоже верно: если у вас нездоровые привычки, невелика вероятность того, что они будут здоровыми у членов вашей семьи.

Я пишу это не для того, чтобы заставить кого-то почувствовать себя виноватым; множество женщин на самом деле не знают, как поступать правильно. Я рассказываю эти истории, чтобы побудить вас измениться и помочь мне изменить мир теперь, когда у вас есть новая информация. Женщины обычно подходят ко мне и рассказывают о том, что они делают все не то по дому, и что они беспокоятся за детей, которые весят больше нормы или имеют проблемы с поведением.

Они чувствуют огромную вину и тревогу. Однако негативные чувства не полезны для вас, если только вы не используете новую информацию, чтобы эффективно изменить себя и тех, кого вы любите.

Когда вы усвоите послание этой книги, вы, как и Фатима, можете преобразовать все в своей жизни и в жизни тех, кого любите. Мари — еще один пример этому.

Мари

Мари 44 года, она заслуженный генеральный директор быстро растущей компании, производящей листовую сталь. Она — редкая женщина в брутальном, мужском мире бизнеса. И ее дорога к вершине не была легкой.

Мари росла ребенком-непоседой в семье без отца, у ненадежной матери, в хаотической, непредсказуемой атмосфере, которая подчас вызывала у нее ощущение беспокойства, стресс и одиночество. Желая показать дочери свою любовь, мать кормила ее фастфудом, леденцами или печеньем. Возможно, пытаясь получить некоторое подобие контроля над своей жизнью, в подростковом возрасте Мари заболела булимией (общее расстройство пищевого поведения с приступами обжорства; причем после переедания страдающие булимией нередко стремятся избавиться от съеденного с помощью самовызванной рвоты, слабительных и чрезмерной физической активности). Пытаясь успокоить себя, Мари курила марихуану и пила алкоголь. Учитывая ее воспитание, неудивительно, что у ее первого мужа, Джо, поставщика листовой стали, была своя собственная борьба с алкоголем и наркотиками.

Когда у них появились дети, материнские инстинкты Мари заставили ее покончить с наркотиками и алкоголем. «Вечеринка закончена», — сказала она Джо. Но для него это не было очевидно. Напряженность и отчуждение в их браке возросли, и несколько лет спустя она подала на развод. Они попытались как-то наладить отношения, но это не сработало, и Мари к тому же еще завязала роман на стороне. Когда Джо узнал об этом, мир вокруг него обрушился. Он рассказал всем их друзьям и соседям, в том числе и психиатру, с которым они встречались, о том, что Мари шлюха. Ее замучило чувство вины и стыда.

Год спустя Джо стал принимать успокоительные и антидепрессанты, которые снижают активность мозга, и все это время он по-прежнему пил (что тоже подавляет активность мозга). И ему становилось все хуже и хуже. Интуиция Мари подсказывала ей, что Джо либо причинит боль себе, либо кому-то еще. Она рассказала об этом страхе психиатру на их последнем сеансе. «Он не слушал меня, потому что я была шлюхой, которая вызвала все эти страдания». День спустя Джо позвонил Мари и стал умолять ее прийти к нему в офис, но ее интуиция подсказала ей, что это было опасно, и Мари не пошла. Позже тем вечером Джо убил себя. Полиция потом сообщила, что, если бы она пришла к нему в офис, Джо, вероятно, убил бы и ее тоже.

Последующие несколько лет Мари прожила как в тумане. Перед смертью Джо прекратил платить налоги, и их бизнес пошел наперекосяк. Ей пришлось разбираться с подавленными детьми, завещанием, проблемами с бизнесом, налогами и собственным чувством вины. Однако благодаря вере и друзьям она смогла простить себя и начала восстанавливать бизнес. Она обнаружила в себе предпринимательский талант, и через три года ее бизнес начал приносить прибыль. Теперь ее дело процветает, и под ее руководством работает более сотни сотрудников. В 2011 году Мари получила две награды: от округа — как выдающемуся бизнесмену и от национальной ассоциации женщин-бизнесменов — за новаторство.

Однако Мари по-прежнему боролась с булимией и чувством беспокойства и незащищенности. Она узнала о моей работе через свою церковь, а затем увидела мои программы на общественном телевидении. Она хотела быть лучше. Однажды мне позвонила моя сестра Мэри, которая была одной из лучших подруг Мари. Мари оставила Мэри голосовое сообщение о том, что она хочет улучшить свой мозг. «У меня полностью развилась зависть к здоровому мозгу, и я хочу сделать все, что в моих силах, чтобы стать действительно здоровой физически и эмоционально и сделать здоровыми моих детей и мой бизнес».

После этого Мари стала посещать занятия одной из групп, которые вела в нашей клинике моя жена Тана. Тана показала ей, как правильно питаться, тренироваться, принимать некоторые простые добавки и делать все необходимое для того, чтобы сбалансировать состояние мозга и тела. Эта программа касалась и управления шаблонами негативного мышления и поведения. Через несколько недель Мари сказала, что ее мозг стал намного более острым и она стала лучше работать. Действительно, когда она занималась в группе, ей даже удалось заключить миллионную сделку на работе. Мари сказала, что это случилось отчасти благодаря оптимизации работы ее мозга. «Если бы я не стала здраво мыслить, я, возможно, упустила бы возможность заключения этой сделки». После начала занятий в группе по оздоровлению мозга Мари уверяет, что она стала более сосредоточенной, меньше отвлекается и менее остро реагирует на неурядицы, возникающие в течение дня.

Привычки Мари повлияли на ее детей, и на свою работу она распространила перемены. Мари хочет, чтобы ее сотрудники извлекли выгоду из этой программы, и она мечтает создать компанию, где все сотрудники нацелены на здоровье мозга.

Женщины, подобные Мари, способны изменить свой мозг... свою жизнь... свой мир.

УПРАЖНЕНИЕ 1. ЗАВИСТЬ К ЗДОРОВОМУ МОЗГУ

Раскрытие потенциала мозга начинается с появления зависти к здоровому мозгу. Вы должны захотеть совершенствовать мозг. Когда я говорю это на лекциях, люди смеются: это такое чуждое, забавное понятие. Однако, чтобы вы могли принимать правильные решения относительно своего мозга, у вас должно быть острое желание оздоровить его. Почему стоит заботиться о мозге? Запишите это и смотрите на свои доводы каждый день.

Запишите по крайней мере пять важных причин стать здоровым. Например:

- Увеличить продолжительности жизни
- Обрести моложавый вид
- Ощущать жизнерадостность
- Научиться сохранять спокойствие и расслабляться
- Принимать оптимальные решения
- Повысить энергичность
- Обрести ясность ума
- Стать образцом подражания для своих детей
- Повысить самооценку
- Желание отлично выглядеть в джинсах или купальном костюме
- Участвовать в спортивных состязаниях и других действиях, которые мне нравились
- Улучшить отношения с супругом
- Проводить профилактику диабета, заболеваний сердца и др.
- Уменьшить риск заболеть болезнью Альцгеймера и другими старческими болезнями
- Ощутить уверенность, чтобы устроиться на работу своей мечты

1. ____________________

____

2. ____________________

____

3. ____________________

____

4. ____________________

____

5. ____________________

____

Как только вы все запишете, разместите эти записи там, где вы сможете видеть их каждый день. Осознание своих мотивов очень важно для того, чтобы захотеть делать то, что нужно вашему мозгу.

ЯКОРНЫЕ ИЗОБРАЖЕНИЯ

Почти 50% структур мозга связано со зрением, поэтому визуальные подсказки и напоминания о зависти к мозгу являются очень эффективным поддерживающим инструментом. У меня тоже есть изображения, которые напоминают мне о том, почему мне нужен отличный мозг и почему я хочу его. Я везде ношу с собой фотографии моей жены, четырех детей и пяти внучек. Плюс к этому у меня есть специальные якорные изображения, которые сразу же напоминают о том, почему я хочу иметь отличный мозг.

Когда я пишу об этом, одна из моих внучек болеет. У Эмми очень редкий генетический синдром делеции, который ведет к конвульсиям и задержке в развитии. На первом месяце ее заболевания за один день у нее было 160 конвульсий. Я должен быть здесь и быть здоровым, чтобы помочь Эмми и моей дочери Брианн, пока я могу. Если я не буду здоров, то я не смогу помочь людям, которые нуждаются во мне. Я не хочу быть бременем для своих детей. Я хочу быть лидером моей се-

МОИ ЯКОРНЫЕ ИЗОБРАЖЕНИЯ ЭММИ

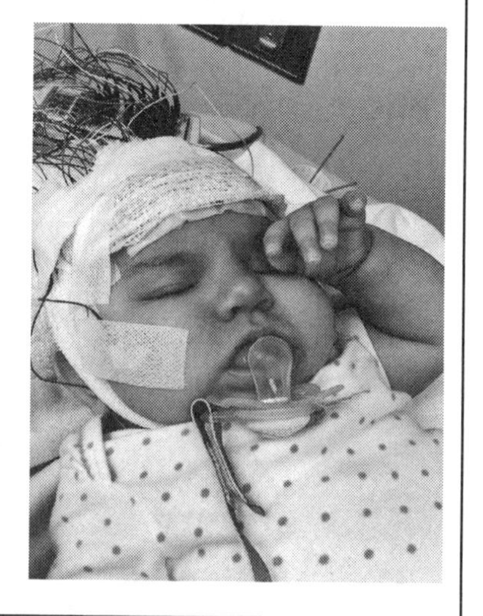

мьи, но для этого надо иметь здоровый мозг. Я размещаю свои якорные изображения там, где могу видеть их каждый день, напоминая себе о том, почему я должен остаться здоровым. Я советую вам сделать то же самое.

УПРАЖНЕНИЕ «РАЗВИЛКА ДОРОГ»

Одно из моих любимых упражнений, которое я люблю делать с моими пациентами, я называю «Развилка дорог». Представьте себе перепутье. Левая дорога ведет к больному будущему. Если вы не заботитесь о своем мозге и продолжаете делать то, что вы делали всегда, то какой будет ваша жизнь через год? Через пять лет? Через десять лет? Я хочу, чтобы вы поняли, что ваш мозг продолжает стареть, и последует все, что с этим связано: спутанность сознания, усталость, депрессия, потеря памяти и физические недуги.

Правый поворот на перепутье ведет к здоровому будущему. Если вы заботитесь о своем мозге и делаете упражнения, которые я рекомендую, какой будет ваша жизнь через несколько дней, через год? Через пять лет? Через десять лет? Я хочу, чтобы вы представили, как ваш мозг здоровеет и молодеет, и все, что с этим связано: умственную ясность, энергичность, улучшенное настроение, отличную память, стройное здоровое тело, здоровую кожу и помолодевший мозг.

Глава 2

ИСПОЛЬЗУЙТЕ ПРЕИМУЩЕСТВА ЖЕНСКОГО МОЗГА

ВРОЖДЕННАЯ ИНТУИЦИЯ, СОПЕРЕЖИВАНИЕ, СОТРУДНИЧЕСТВО, САМООБЛАДАНИЕ И БДИТЕЛЬНОСТЬ

Забота о ваших сильных сторонах и защита от уязвимостей — второй шаг на пути раскрытия потенциала женского мозга.

Если вы хотите услышать слова, попросите об этом мужчину.
Если вы хотите увидеть дела, попросите об этом женщину.

Маргарет Тэтчер

Мужской и женский мозг разные. Я знаю, что некоторым людям не понравится эта фраза. Они хотят, чтобы мы все были одинаковы. Но, просмотрев за последние 22 года почти 80 000 сканов ОЭКТ, я могу сказать, что это именно так.

При выполнении научно-исследовательской работы мы сравнили сканы ОЭКТ 26 000 здоровых мужчин и женщин одинакового возраста и увидели, что в 70 из 80 тестируемых областей активность женского мозга была существенно выше. На приводимых далее изображениях белые области показывают области женского мозга, активность в которых выше, чем в мозге мужчин. Это совпадает с нашими данными, полученными за долгие годы работы. Женщины имеют подвижный мозг; мозг мужчины гораздо спокойнее. И один паттерн активации не лучше другого; они просто непохожи.

Мы, конечно, не различаемся абсолютно, но различаемся еле заметными склонностями, которые могут оказывать большое влияние. Эти различия часто отражаются в том, как два пола взаимодействуют друг с другом; и отсюда ясно, почему мы порой неправильно понимаем и раздражаем друг друга.

Предупреждение: это измеримые различия, которые всегда находятся в пределах диапазона ответов с большим полем пересечения между группами. Очевидно, не все женщины одинаковы. И не все мужчины. У некоторых женщин низкая активность мозга, у иных мужчин (у меня, например) высокая. Иногда женский мозг функционирует как мозг среднего мужчины, а мозг мужчины близок к женскому типу активации. Есть данные

СРАВНЕНИЕ МОЗГА 26 000 МУЖЧИН И ЖЕНЩИН

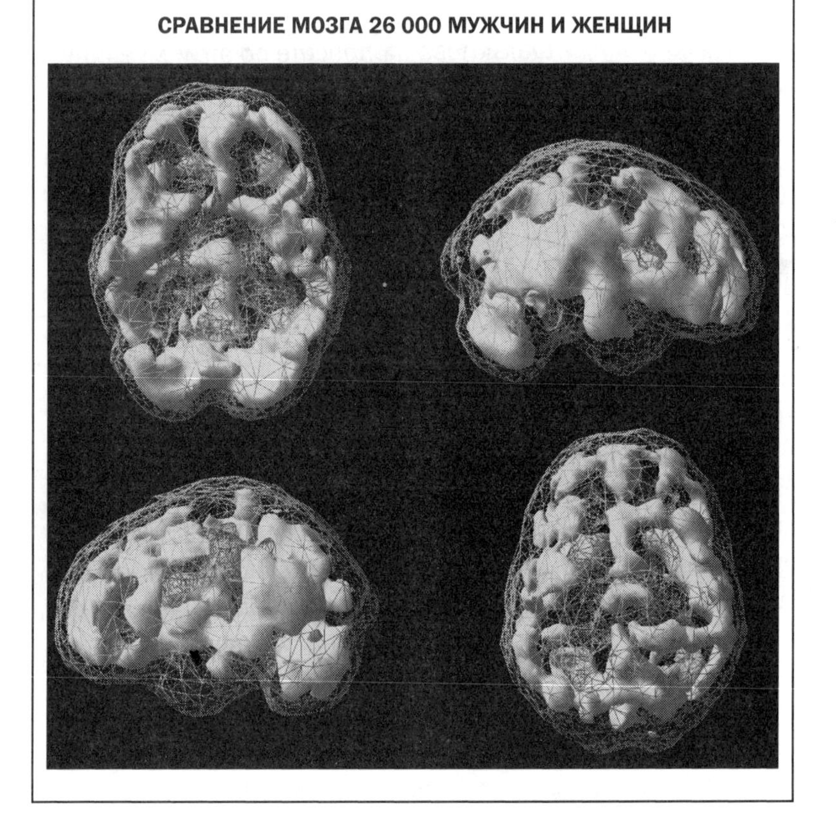

о том, что мозг гомосексуалов находится где-то посередине между двух типов. Как мужчины, так и женщины могут быть великими математиками, инженерами, врачами, адвокатами, астронавтами, поварами, риелторами, родителями и опекунами.

Но в целом между полами имеются существенные различия, которые могут быть измерены, замечены на сканах мозга и наблюдаются в нашей повседневной жизни. Даже когда мужчины и женщины преуспевают при решении одной и той же задачи, они обычно при этом задействуют разные способности и области мозга.

ПОЧЕМУ СУЩЕСТВУЮТ ЭТИ РАЗЛИЧИЯ?

В самом начале жизни ребенка различия между мужским и женским мозгом не наблюдаются. Фактически на ранних стадиях развития в матке у мужских и женских зародышей женский тип мозга. Но это продолжается недолго благодаря хромосоме *Y*.

Мы все рождаемся с планом, где содержатся инструкции для нашего развития. Индивидуальные инструкции находятся в наших генах, а гены сгруппированы в хромосомы. У человека 23 пары хромосом, причем одна в каждой паре — женская, другая — мужская.

Пол ребенка определяется одной особой парой, составленной либо из двух хромосом *XX*, либо из *XY*. Если в этой паре две хромосомы *X*, то ребенок будет девочкой. Если одна хромосома *X*, а другая *Y*, то это мальчик. От матери ребенок всегда получает одну *X*-хромосому. А отцы могут внести либо *X*-хромосому, либо *Y* (у них есть и та, и другая), таким образом именно отец определяет пол ребенка.

Хромосома *Y* в мужском зародыше очень важна, потому что, помимо прочего, она заставляет проснуться мужские яички, которые начинают производить большое количество тестостерона на половине срока беременности. В результате между 18-м и 26-м месяцем с плодом мужского пола происходят необратимые преобразования, которые делают его мозг узнаваемо мужским.

Тем временем гормон эстроген окутывает мозг будущей девочки, влияя и феминизируя его развитие. Различия так глубоки, что на 26-й неделе беременности с помощью УЗИ уже можно различить мужской и женский мозг.

Психолог Саймон Барон-Коэн изучает влияние эмбрионального тестостерона на мозг и развитие ребенка. В конце 1990-х он начал Кембриджский проект «Эмбриональный тестостерон» (ЭТ). В рамках данной программы у матерей во время беременности проводили амниоцентез. Это процедура взятия жидкости из маточной сумки, позволяющей оценить концентрацию ЭТ и его долгосрочное влияние. Исследование показало, что высокая концентрация ЭТ отрицательно коррелирует с последующим развитием речи и навыков общения.

> Пропорционально повышению концентрации эмбрионального тестостерона у плода понижались склонности к зрительному контакту, сопереживанию и способность понимать других в будущем.

Второй взрыв

Гормоны вступают в игру снова во время подросткового возраста, когда второй взрыв тестостерона преобразовывает мальчика в юношу и мужчину. В это время мозг девочки сообщает ее яичникам о том, что нужно произвести большое количество эстрогена и другие женские половые гормоны, которые начинают преобразовывать ее в женщину. Когда уровень этих гормонов повышается, юноши и девушки начинают всерьез интересоваться друг другом.

Как и в случае с мальчиками, избыток тестостерона у женщин может сказаться на их социальных навыках. Когда доктор Барон-Коэн и коллеги давали тестостерон группе из 16 молодых женщин, это привело к существенному снижению у них чувства сострадания, даже большему, чем при повышенном уровне ЭТ у плода. Подробнее о высоких уровнях тестостерона у женщин я расскажу вам, когда мы будем обсуждать поликистозный синдром яичников в главе 4.

ТАК ПОХОЖИ...

Понимание некоторых основных особенностей анатомии мозга поможет вам узнать свой мозг лучше и понять его отдельные элементы.

Человеческий мозг, как правило, весит около 1 кг и по своей консистенции напоминает мягкое сливочное масло. Наиболее значимой в человеческом мозге является кора больших полушарий, покрывающая их складками. Кору принято разделять на четыре основные области, или доли: лобные, височные, теменные, затылочные — соответственно по одной доле в каждом полушарии мозга, левом и правом.

Лобные доли включают моторную (двигательную) кору — она отвечает за движение; премоторную кору — связанную с планированием движений; и лобную кору, которая считается управляющим, или исполнительным, центром мозга. Лобная кора — самый высший отдел мозга. Это представительство внимания, предусмотрительности, суждений, организации, планирования, контроля за импульсами и сострадания. Кора лобных долей позволяет нам учиться на собственных ошибках. Она занимает до 30% всей площади мозга. Для сравнения: у наших ближайших родственников, шимпанзе, лобная кора занимает лишь 11% мозга; у собак — 7%, а у кошек — всего 3,5%. Хорошо, что у кошек девять жизней, потому что их лобная кора вряд ли поможет им избежать неприятностей!

Как мы увидим, у женщин кора лобных долей обычно больше, чем у мужчин, и это ассоциируется с повышенным сопереживанием, вниманием, контролем за импульсами и самоконтролем.

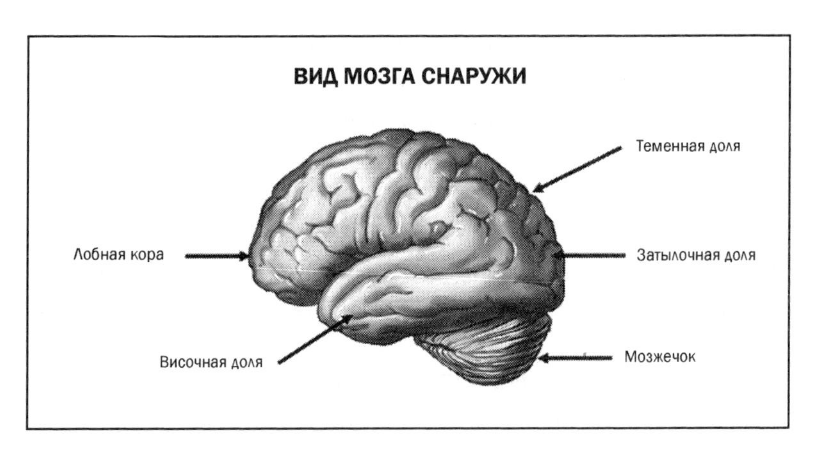

ВИД МОЗГА СНАРУЖИ

В височных долях находятся центры обработки слуховых сообщений, названий предметов, перевода воспоминаний в долговременную память, а структуры, лежащие в их глубине, связаны с эмоциональными реакциями. Это еще и центр речи, позволяющий называть вещи своими именами. Теменные доли связаны с обработкой сенсорной информации и руководят направлением движения.

Это «указательные пути», поскольку помогают нам определить направление. И, наконец, затылочные доли связаны в основном со зрением. В целом информация из окружающе-

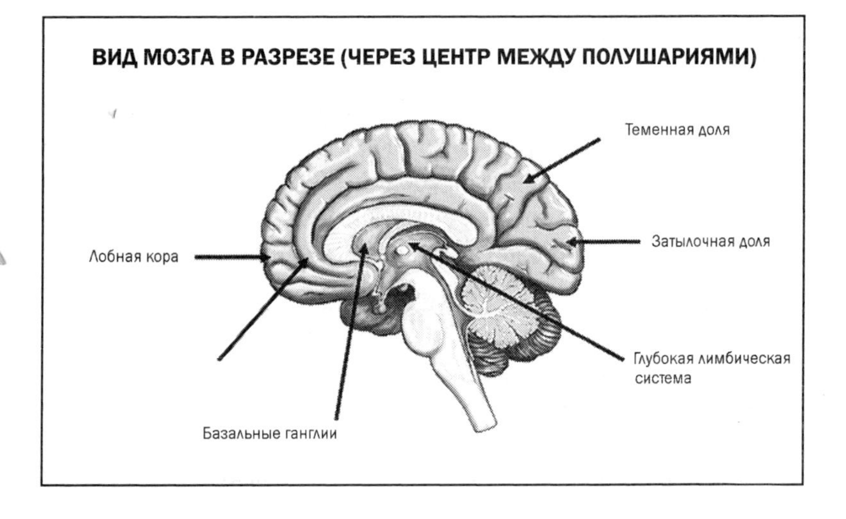

ВИД МОЗГА В РАЗРЕЗЕ (ЧЕРЕЗ ЦЕНТР МЕЖДУ ПОЛУШАРИЯМИ)

го мира поступает в заднюю часть мозга (затылочные, височные и теменные доли), там обрабатывается, а затем передается в переднюю часть мозга — лобные доли — для принятия решений.

Глубоко под корой головного мозга находится лимбическая (эмоциональная) система. Эта часть мозга связана с окраской наших эмоций и привязанностью, заботой и чувством обоняния. Считается, что у женщин структуры этой системы обычно крупнее.

Кора разделена на два полушария — правое и левое, хотя функции обоих полушарий пересекаются. Однако у правшей левое полушарие является доминантным. Левое полушарие, как правило, отвечает за речь, анализ, логику и внимание к деталям, связано с претворением в жизнь планов.

Правое полушарие — сфера поэзии и творчества внутри нас. Оно улавливает общую картину и смысл происходящего, помогает левому полушарию видеть лес за деревьями. Оно видит структуры в целом и связано с догадками и интуицией. Правое полушарие позволяет человеку осознать проблемы, которые необходимо решать. Оно отражает связи разных частей мозга, в том числе глубинных, поэтому может опираться на различные ресурсы для получения своих наитий.

В своей книге «Новый руководящий мозг» доктор Элконон Голдберг пишет о том, что новая деятельность обрабатывается преимущественно в правом полушарии, в то время как более рутинная деятельность управляется левым полушарием.

Правда, по сравнению с левым полушарием, правое полушарие, как правило, более «пугливо, беспокойно и пессимистично». Правое полушарие развивается раньше и быстрее, чем левое. Может быть, именно поэтому по умолчанию человек относится ко всему негативно (у него много АНТов — автоматических негативных мыслей). Когда мы молоды и беспомощны, мы склонны воспринимать мир скорее правым полушарием.

Повреждение правого полушария, как было показано, приводит к повышению у человека ощущения благополучия (снижая обычную тревожность), и некоторые пациенты склонны при этом отрицать серьезные проблемы. Я думаю, именно поэтому в *Amen Clinics* мы обычно видим людей, у которых больше проблем с левым полушарием, а не с правым.

Кажется, будто в человеке уживаются две личности, каждая из которых представлена одним из полушарий. Но, к счастью, в здоровом мозге обе эти части функционируют не по отдельности. Они всегда работают сообща, делая нас теми, кто мы есть. Это сотрудничество между разными сторонами мозга возможно благодаря трем пучкам нервных соединений, которые позволяют им обмениваться информацией; крупнейшее из них называют мозолистым телом.

ОДИНАКОВО УМНЫЕ, ПО-РАЗНОМУ УСТРОЕННЫЕ

Наиболее очевидное различие между мужским и женским мозгом состоит в том, что первый в среднем больше на 8–10%. Это и неудивительно, поскольку мужское тело в целом крупнее. Однако даже с поправкой на массу тела было подсчитано, что у мужчин на 4% больше нейронов, или глиальных клеток головного мозга, чем у женщин. Когда я был на радиошоу Кэролин Дэвидсон в Далласе, она спросила меня: «Почему мужчинам нужно 100 дополнительных граммов мозговой ткани для выполнения тех же вещей, что выполняют женщины?» Однако не все отделы мозга у мужчин больше, чем у женщин, некоторые части крупнее у женщин.

Доктор Джилл Гольдштейн из Гарвардской медицинской школы использовала магнитно-резонансную томографию (МРТ), чтобы сравнивать мужской и женский мозг. Она обнаружила, что *по сравнению с мужчинами женщины имеют больший объем лобной коры и лимбической коры.* Помните, что лобная кора головного мозга участвует во многих высших когнитивных функциях, в том числе в речи, суждении, планировании, контроле импульсов и добросовестности, в то время как лимбическая кора связана с эмоциональными реакциями.

Это может объяснить тот факт, что женщины обычно менее импульсивны, хотя и более эмоциональны, чем мужчины, а также то, что у них более «активный» мозг, который всегда бдителен. Возможно, здесь заключается и источник преимуществ женского мозга: развитой интуиции, сотрудничества, самоконтроля, сопереживания и бдительной тревожности.

Томография также последовательно показывает, что гиппокамп — один из основных центров памяти в мозге — больше у женщин, чем у мужчин. У мужчин, с другой стороны, крупнее другие парные структуры под названием «миндалевидное тело»[1]. Они связаны со страхом и гневом. Возможно, именно поэтому мужчины часто прибегают к такого рода реакциям в критических ситуациях. По сравнению с женщинами мужчины имеют более крупные теменные доли, которые связаны с восприятием пространства. Женщины прибегают к помощи речи (и сотрудничества), чтобы спросить дорогу, мужчины же используют для этого свои теменные доли. Кроме того, у мужчины, как правило, более объемный гипоталамус, причастный к сексуальному поведению. Неудивительно, что мужчины проявляют больший интерес к сексу.

> Мужчины и женщины в равной степени умны, но каждый пол склонен прилагать разные части мозга для решения проблем или достижения целей.

Например, исследователи из Института Кеннеди Кригера обнаружили, что мужской и женский мозг демонстрирует различные шаблоны латерализации — использования сторон мозга при выполнении различных типов задач. Во время решения речевой задачи мужчины, казалось, полагаются почти полностью на левое, «языковое», полушарие мозга. Однако при выполнении визуально-пространственных задач, таких

---

[1] Эти глубинные структуры мозга тоже принято относить к древней лимбической системе. — *Прим. ред.*

как построение чего-либо из составных блоков, у мужчин была выявлена активность в обоих полушариях мозга.

У женщин, напротив, обнаружилась большая активность в обоих полушариях мозга во время речевой задачи и опора скорее на правое полушарие при выполнении визуально-пространственной задачи. Это, возможно, объясняет тот факт, что женщины более искусны в языках (они используют для этого оба полушария своего мозга), а мужчины более успешны в оценке расстояния и умеют находить кратчайший путь к своей припаркованной машине.

СЕРОЕ ВЕЩЕСТВО, БЕЛОЕ ВЕЩЕСТВО: ТАК ЛИ ЭТО ВАЖНО?

Ну да, это важно. Процент серого вещества по сравнению с белым является еще одним ключевым различием между мужским и женским мозгом. Серое вещество состоит в основном из тел нейронов, а белое — из отростков нейронов (представьте себе кабели связи), которые обеспечивают связь между ними. Эти кабели, проводящие пути, кажутся белыми, потому что покрыты жирным веществом под названием «миелин». Миелин, как и изоляция на медных проводах, помогает нервным клеткам работать быстрее и эффективнее.

Считается, что женщины имеют более высокий процент серого вещества, а у мужчин больше белого вещества, чем у женщин. Но эти цифры относятся ко всему мозгу, и вещество — серое или белое — на самом деле сложнее, чем кажется на первый взгляд.

Оказывается, что в тех частях мозга, которые связаны с интеллектом, эти пропорции меняются местами: у мужчин здесь больше серого вещества (в 6,5 раза), тогда как у женщин в этих отделах обычно больше белого вещества (в 10 раз по сравнению с мужчинами). Таким образом, мужчины более склонны к локализированной обработке информации, используя лишь несколько ключевых областей для решения какой-то проблемы или задачи, в то время как женщины полагаются на множество областей одновременно[1].

Что это значит? Ричард Хайер из Университета Калифорнии в Ирвине отвечает на этот вопрос так: «Эти результаты свидетельствуют, что природа создала два различных типа мозга, в равной степени предназначенных для разумного поведения». Серое вещество «думает», а белое вещество соединяет различные области мозга так, чтобы мышление могло получить пользу от более широкого диапазона информации и связей между ее элементами.

Работа д-ра Хайера также показала гендерные различия в тех областях мозга, которые наиболее тесно связаны с интеллектом. У женщин 84% областей серого вещества и 86% областей белого вещества, используемых интеллектом, оказались расположены в лобных долях управляющей части мозга, которая регулирует, в частности, планирование, контроль импульсов, сопереживание и беспокойство. А в лобных долях мужчин выявлено всего 45% серого вещества и 0% белого вещества. Вместо этого у мужчин наиболее связанные с их интеллектом области мозга располагались в левом полушарии.

ИНТУИЦИЯ: ПОЧЕМУ ЖЕНЩИНЫ ПРОСТО «ЗНАЮТ» О ЧЕМ-ТО

Как и у всех живых существ, у нас есть встроенные защитные механизмы. Мы не самые быстрые и не самые свирепые, зато у нас большой мозг! И интуиция, или знание о чем-то непосредственно без возможности объяснить, откуда мы знаем это, является одним из самых сильных наших активов. Уникальная структура и функциональные особенности женского мозга могут дать вам здесь преимущество.

Мы говорили, что мозг женщины обычно задействует более широкие связи в мозге, а у мужчин соответствующие про-

---

[1] Другими словами, можно сказать, что мужчины более склонны к анализу, а женщины к синтезу — целостному взгляду на вещи (который одновременно ассоциирован с правым полушарием). — *Прим. ред.*

цессы, как правило, имеют более локальный характер. Большая плотность белого вещества в областях мозга, связанных с интеллектом, означает, что у вас больше шансов создать множество разнообразных связей между разными отделами своего мозга. По сравнению с мужчиной, вы обращаетесь чаще к правому полушарию, которое признают творческим и духовным кладезем мудрости. Такие особенности позволяют вам полагаться на более широкий спектр сигналов и соединять их, даже не осознавая, как вы это делаете.

Женщина, кроме того, воспринимает нечто, исходя из *предчувствия*. Она понимает, когда друг или коллега находится в депрессии, когда ребенку бывает трудно или когда встреча становится напряженной. Исследования мозга показывают, что большие области мозга женщин посвящены отслеживанию предчувствий, в частности области, находящиеся в глубине лобных долей, называемые островковой и передней поясной извилиной. Женский мозг обычно быстрее оценивает чужие мысли, состояние и ситуацию на основе ограниченной информации, предчувствия и догадок.

Некоторые не признают реальность интуиции. Скептики часто называют ее мнительностью, эмоциональными выдумками, необоснованной чепухой. Но Альберту Эйнштейну, наверное, было виднее. Вот что он писал:

> Интуитивный разум — это священный дар, а рациональный разум — верный слуга. Мы создали общество, которое почитает слугу и забыло о даре.

Интуиция в сочетании с рациональным разумом позволяет нам делать прогнозы, которые поражают нас. «Я знал это», — говорим мы позже, когда наша интуиция приносит свои плоды.

Во все времена и в разных культурах люди считали, что женщины способны подключаться к особым и таинственным источникам знания. У моей мамы, похоже, были глаза на затылке, и она инстинктивно знала, когда я не был с ней до конца честен.

Научные исследования подтверждают эту мудрость культурных традиций, показывая, что женщины полагаются больше на невербальные сигналы, что позволяет им проявлять развитую интуицию и сопереживать. Еще женщины лучше мужчин распознают лица и изменения интонаций голоса. Рубен Гур, доктор наук, психолог и нейробиолог из Университета штата Пенсильвания, сообщил, что «женщины быстрее и точнее определяют оттенки эмоций».

Почему женщины развили этот вид взаимосвязи, которая привела к возникновению у них более выраженной интуиции? Исследователи предположили, что этот навык мог развиться благодаря особым условиям роли женщины, в частности из-за их уникальной роли в человеческой семье. Во-первых, в качестве мам и воспитателей детей женщинам всегда были необходимы специальные навыки, позволяющие удовлетворить нужды человека, не умеющего выразить их словесно. Значит, обладающая интуицией женщина эффективнее помогала своим детям выжить. В то же время она должна была распознавать и правильно реагировать на более мощные и, возможно, более опасные сообщения — сообщения, исходящие от мужчин. Так что развитие интуиции, скорее всего, требовалось для выживания.

Правда, не все исследователи считают, что женщины обладают более развитой интуицией, чем мужчины. В одном увлекательном эксперименте ученые обнаружили, что мужчины, которым платили за то, чтобы они обращали внимание на свои интуитивные догадки, смогли выполнять задачи на интуицию так же хорошо, как и женщины. Однако проблема в том, что интуиция должна сработать в нужное время, а не только тогда, когда кто-то платит нам за то, чтобы мы обратили внимание на ее знаки.

Темная сторона интуиции

Как и у всех даров, у интуиции есть своя оборотная сторона. Иногда обладающие интуицией женщины «знают» о том, чего нет в реальности. Вместо того чтобы проверить возникшие ощущения другими способами, они цепляются за свои первоначальные догадки, а это может привести к серьезным проблемам для них и их близких.

Конечно, лучше стремиться принимать решения с помощью обоих полушарий мозга. Если вы принимаете решения только на основе интуиции, вы можете попасть в беду! Я видел женщин, которые были замужем за жестокими мужчинами и, желая верить, что эта травма больше не повторится, называли свое желание интуицией. Когда у вас появляется интуитивная догадка, спросите себя: «Какие есть для этого доказательства?»

Женщины насторожены больше мужчин, и поэтому они лучше распознают потенциальные проблемы. Но эта особенность порой делает их жертвой напрасного беспокойства и негативных мыслей. Когда вы позволяете АНЕМам выйти из-под контроля, они засоряют ваше сознание и сеют беспокойство и депрессию. Если у вас есть предчувствие чего-то, проверьте это ощущение.

Глава Lindora — обладатель интуиции

Моя хорошая подруга Синтия Графф является генеральным директором *Lindora* — успешной сети клиник в Южной Калифорнии, занимающихся проблемами лишнего веса. Это в первую очередь женская организация. Синтия высоко ценит интуицию, которая, по ее мнению, дает ее компании конкурентные преимущества. «Если вы подключите свою интуицию, — говорит она, — вы можете найти решение проблемы быстрее, чем если бы вы просто анализировали ее на основе всех имеющихся у вас данных».

«Конечно, важно проверять женскую интуицию», — предупреждает Синтия, поскольку иногда она может завести слишком далеко. Так, женщина, пройдя мимо сотрудницы по работе и заметив, что та понурила голову и выглядит мрачно и озабоченно, может решить, что коллега злится на нее. Но эта «интуитивная догадка» может быть и неверной. Возможно, у ее коллеги сегодня плохой день, какие-то проблемы дома или у нее болит живот! В результате наша героиня напрасно пострадает, если она «знает» худшее и не удосужится проверить эти «знания».

С подобной проблемой у женщин я сталкивался и в собственной жизни. Мне часто приходится говорить жене, дочерям и сестрам: «*Пожалуйста*, не читайте мои мысли. Мне самому трудно их читать!»

Интуиция может зависеть от целого ряда различных биологических факторов, например от того, выспались ли вы, от периода вашего менструального цикла и от уровня сахара в крови.

Интуиция является гораздо более надежной тогда, когда вы отдохнули, поели и расслабились. И вы не всегда знаете, когда голод, истощение или гормональные колебания искажают ваши оценки. Задействуйте оба полушария своего мозга. Если вы недооцениваете свою интуицию, вы лишаете себя особого дара, но, если вы переоцениваете ее, вы рискуете совершить очень серьезные ошибки.

ФАКТОРЫ, КОТОРЫЕ МОГУТ ИСКАЗИТЬ ВАШУ ИНТУИЦИЮ

- Голод (низкое содержание сахара в крови)
- Недостаток сна
- Постоянно повышенный уровень стресса
- Особенные стрессовые события (больной ребенок, ссора с партнером, беспокойство за родителей, жесткие сроки)
- Болезнь или боль (грипп, головная боль, расстройство желудка)
- Фаза вашего менструального цикла
- Непрерывный или неприятный шум
- Недостаток личного пространства
- Ощущение того, что вас недооценивают или не слушают, которое часто усиливается до необходимости «доказать» правильность своей интуиции, вместо того чтобы быть более открытой душой

ПОЧЕМУ ИЗ ЖЕНЩИН ПОЛУЧАЮТСЯ ЛУЧШИЕ НАЧАЛЬНИКИ

- Развитое сопереживание
- Склонность к сотрудничеству
- Обеспокоенность социальной сплоченностью группы
- Менее рискованное поведение
- Больший объем лобной коры (руководящей части головного мозга)

ЭМПАТИЯ И СОТРУДНИЧЕСТВО: ПОЧЕМУ ЖЕНЩИНЫ БЫВАЮТ ЛУЧШИМИ НАЧАЛЬНИКАМИ

Другая ключевая сила женского мозга — это *сопереживание,* способность признавать и разделять чувства других людей, умение поставить себя на место другого и почувствовать то, что чувствует он. И в мужском, и в женском мозге есть *зеркальные нейроны*, которые активируются, когда мы сопереживаем или сочувствуем другому человеку. Зеркальные нейроны позволяют нам на самом деле чувствовать то, что чувствует другой человек, и именно поэтому мы пугаемся во время просмотра страшных фильмов и грустим или даже плачем, будучи свидетелями каких-то печальных сцен. Исследования демонстрируют, что женщины более склонны к сопереживанию (эмпатии), чем мужчины, что, скорее всего, объясняется бóльшим объемом их лобных долей. Повреждение этой части мозга снижает навык сопереживания в человеке.

По данным исследования, опубликованного в журнале Neuroscience в 2009 году, у женщин значительно больше серого вещества в области систем зеркальных нейронов, чем у мужчин.

В июне 2011 года в Harvard Business Review была опубликована статья с интригующим названием: «Что делает команду умнее? Больше женщин». В ней сообщалось об исследовании, где перед командами поставили ряд задач, подразумевавших мозговой штурм, принятие решений и решение проблем. В зависимости от показанных результатов оценивался коллективный интеллект команды.

Угадайте, какие команды показали лучшие результаты? Если вы подумали, что те, где у участников были выше индивидуальные показатели IQ, вы ошиблись. Более высокий показатель «группового IQ» дали команды с преобладанием женщин.

Объяснение этому можно найти в работе Саймона Барон-Коэна. Он выявляет два типа мозга. Мужской мозг опирается на систематизацию, чтобы выяснить механизм работы чего-либо. Мужчина ищет скрытые правила, регулирующие поведение системы. Его цель — понять систему таким образом, чтобы предсказать, что будет дальше. Женский мозг лучше всего характеризуется сопереживанием, которое задействуется, чтобы определить, что думает и чувствует другой человек, и сформировать нужную реакцию. Цель женщины в этом случае — понять другого человека, дабы спрогнозировать его поведение и сформировать соответствующую эмоциональную связь.

СОГЛАСНО ДАННЫМ САЙМОНА БАРОН-КОЭНА, ВЫСОКИЙ УРОВЕНЬ ЭМБРИОНАЛЬНОГО ТЕСТОСТЕРОНА АССОЦИИРУЕТСЯ С:

- Уменьшением зрительного контакта
- Употреблением меньшего количества слов
- Сниженнием навыка сопереживания
- Большей склонностью к систематизации или собиранию вещей
- Усилением интереса к конструированию объектов
- Снижением объема ассоциируемой с языком области мозга в височных долях
- Снижением объема зоны лобной коры, участвующей в контроле импульсов

Эти различия могут появиться очень рано. Исследования младенцев, которые проводил доктор Барон-Коэн, поддерживают предыдущие выводы других исследователей о том, что девочки более «ориентированы на людей». В родильном отделении он изучал новорожденных одного дня от роду, показывая им либо дружелюбное лицо студентки, либо подвижный манекен, цвет, размер и форма лица которого напоминали аналогичные черты этой студентки. Экспериментаторы, не зная пол младенцев, обнаружили, что девочки обычно смотрели дольше на студентку, а мальчики — на подвижный манекен. С первого дня жизни у мальчиков и девочек наблюдалась значительная разница в социальном интересе.

Мужчины больше сосредоточены на решении проблем и не склонны беспокоиться по поводу эмоциональной сплоченности группы. Они обычно меньше обращают внимание друг на друга, будучи замкнуты внутри себя. Женщины, как правило, более чувствительны к эмоциональной атмосфере и чаще думают о других. С другой стороны, женщины бывают чересчур эмоциональными и порой теряют способность функционировать при возникновении негативных эмоций.

Повышенное сопереживание женщин может дать им преимущество в достижении консенсуса в группе. Многие женщины-лидеры поощряют сотрудничество, а не индивидуальные способности. И все это может сделать из них отличных руководителей.

Подобно тому как женщины должны быть осторожны с темной стороной интуиции, им стоит следить и за темной стороной сопереживания — созависимостью или склонностью делать слишком много для других. Еще одной оборотной стороной этого чувства является то, что называется усталостью от сострадания, или, по-научному, «синдромом выгорания». Эмоциональное выгорание распространено среди представителей так называемых помогающих профессий: врачей и опекунов, социальных работников, медсестер, спасателей, помощников на дому. Этот синдром может возникать и у тех, кому приходится постоянно иметь дело с больным родственником (например, у матери ребенка с ограниченными физическими возможностями или имеющего трудности в обучении, страдающего аутизмом либо СДВГ). Заботясь по несколько часов ежедневно о больном человеке, сострадающий человек начинает чувствовать себя разбитым, у него развивается тревога или депрессия[1]. Поэтому важно отводить себе время на восстановление сил, чтобы можно было продолжать заботиться о себе и других.

Конечно, многие мужчины обладают интуицией, состраданием, сопереживанием и умеют сотрудничать с другими. Просто для проявления всего этого им нужно постараться, а иногда и иметь больше стимулов.

Сильные и слабые стороны работы в женском коллективе

В клиниках, занимающихся проблемами лишнего веса, 99% персонала составляют женщины и 85% пациентов — тоже женщины, поэтому Синтия вполне осознает то, как женский мозг работает в коллективе. Я спросил ее о сильных и слабых сторонах работы в женском коллективе, и вот что она ответила:

> В наших клиниках царит атмосфера домашней заботы. Мы заботимся друг о друге, чтобы помогать как своим сотрудникам, так и нашим пациентам. Когда я разговариваю о нашей корпоративной культуре с некоторыми из моих коллег-мужчин, они смотрят на меня так, будто я прилетела с другой планеты. Я говорю о том, как вдохновлять персонал на достижение цели. Они говорят о цифрах и финансовых последствиях плохой работы персонала. Я говорю о том, что нужно быть позитивным, чтобы негативные нейрохимические реакции не мешали производительности. Они рассказывают о том,

[1] Кроме того, основные признаки психологического синдрома выгорания — эмоциональная выхолощенность, раздражительность и эмоциональная бесчувственность, склонность к формализации отношений с людьми, которым приходится все время сострадать. Лучший пример — врачи в наших поликлиниках. — *Прим. ред.*

что говорят своим сотрудникам, чтобы те выполняли свою работу, иначе их уволят. Они не понимают, что если они говорят подобным образом с работником системы здравоохранения, то в последующие несколько часов этот человек не сможет позаботиться о своих клиентах на прежнем уровне.

В Lindora мы понимаем, что каждый человек является неотъемлемой частью успеха Lindora. И именно поэтому каждая клиника называется командой. Мы все знаем, что команда сильна настолько, насколько силен самый слабый ее член. Сегодня сильная я, завтра сильный кто-то еще, и мы все стараемся помогать друг другу.

Синтия объяснила, что в ее компании настолько силен дух сотрудничества и сопереживания, что члены команды всегда ищут того, кто нуждается в помощи в данный момент. Например, сегодня у одной сотрудницы заболел ребенок, и тогда другие подменяют ее. А завтра пожилым родителям другой сотрудницы понадобилась дополнительная забота, и эта сотрудница получает дополнительную поддержку.

«Наши сотрудники создают сеть неформальной поддержки, и даже без просьб со стороны непосредственного начальника они добровольно замещают друг друга! — сказала Синтия. — Мужчины смотрят на нашу организацию и не могут понять ее!»

Но Синтия согласна с тем, что выгорание, усталость от сопереживания тоже является проблемой. «Людям, постоянно помогающим другим, иногда трудно устанавливать границы», — говорит она.

Кроме того, сопереживание может быть проблемой, поскольку начальники не будут просить своих сотрудников делать то, чего они сами не хотели бы делать. Это совсем не похоже на нисходящие директивы, которые говорят: «Этот человек будет делать это, и мне все равно, что он об этом думает и как это повлияет на остальную часть его дня».

Синтия считает свой успех совместным. «Я стремлюсь победить, но я хочу, чтобы это была победа всех, — говорит она. — Вы получаете радость от победы — и от того, что помогаете другим людям победить!»

САМОКОНТРОЛЬ: ЖИТЬ УМНЕЕ И ДОЛЬШЕ

Рубен Гур, как и другие ученые, обнаружил, что лобная кора — область мозга, участвующая среди прочего в управлении гневом и агрессией, — у женщин больше, чем у мужчин. Как показали исследования, женщины успешнее контролируют сильные негативные эмоции. Возможно, причина в том, что способность женщин улавливать эмоциональные подсказки от других дает им возможность разрядить напряженную ситуацию. Кроме того, их более сопереживающий мозг может ответить на беду других желанием успокоить ситуацию. Агрессия подавляет естественную реакцию сопереживания. Когда женщина действительно становится агрессивной, то она, скорее всего, начнет нападать словесно, а не физически. В конце 2004 года среди всех заключенных в Соединенных Штатах только 7% были женщины. Таким образом, женщины, видимо, лучше контролируют свое поведение.

В серии удивительных экспериментов Адриэнн Рейн с коллегами изучали функционирование мозга у людей с асоциальным расстройством личности (АРЛ). Это люди, которые хронически нарушают общественный порядок. Распространенность АРЛ значительно выше у мужчин, что подтверждает и приведенная выше статистика преступлений.

По сравнению с группой здоровых людей объем лобной коры у страдающих АРЛ был на 9–18% меньше. У женщин с антисоциальным поведением или склонностью к такому поведению объем этой части мозга тоже оказался меньше.

Большой объем лобной коры может быть секретом долгой и здоровой жизни. Еще в 1920-х годах американский психолог Льюис Терман начал долгосрочное исследование 1548 одаренных детей. Хотя Терман умер в 1956 году, его ученики в Стэнфордском университете, а затем их ученики продолжили наблюдать за испытуемыми по мере их старения, вплоть до сегодняшнего дня. И они по-прежнему пишут о своих выводах, которые дают захватывающее представление о том, какие жизненные факторы увеличивают успех, здоровье и долголетие.

Два современных исследователя, Говард Фридман и Лесли Мартин, опубликовали новые результаты этого исследования в своей последней книге «Проект «Долголетие»: удивительные открытия по поводу здоровья и долгой жизни из эпохального 80-летнего исследования».

Что удивило больше всего? Вывод о том, что секрет долголетия не имеет ничего общего со счастьем, отсутствием стресса или уклонением от тяжелой работы. Они обнаружили, что секрет долголетия в том, чтобы жить по совести, быть предусмотрительным, планировать и быть настойчивым во всех аспектах своей жизни. Но главным предиктором продолжительности жизни была совестливость.

Фридман предлагает целый ряд причин, объясняющих, почему совестливые (добросовестные) люди остаются здоровыми дольше и живут дольше своих более легкомысленных ровесников. С одной стороны, они реже курят, реже злоупотребляют алкоголем, не употребляют наркотиков и не рискуют напрасно, например не ездят слишком быстро на автомобиле. Они с большей вероятностью принимают свои витамины, пристегиваются ремнями безопасности и выполняют предписания своих врачей.

Фридман также предполагает, что совестливые люди, видимо, участвуют в более здоровых ситуациях и отношениях. Что касается взаимоотношений, то, оказывается, любовь не так важна, как наличие многих других людей в твоей жизни и уход за ними, а также помощь другим. Подтверждается, что на самом деле лучше давать, чем получать.

Большая, сильная кора лобных долей помогает женщинам жить дольше, потому что она связана с совестливостью, принятием решений и контролем над импульсами (побуждениями). Любой ценой защищайте свою лобную кору и качество ваших решений.

НАСТОРОЖЕННОСТЬ: ПРЕИМУЩЕСТВО, КОТОРОЕ ДЕРЖИТ ЖЕНЩИНУ НА ПЛАВУ

Благодаря более активному мозгу женщины, как правило, бывают более беспокойными и мнительными. Они беспокоятся по поводу того, что едят, как они выглядят, что другие думают о них, что произойдет, и так до бесконечности. Это имеет смысл. Их мозг продолжает поставлять им страшные сценарии. В нашем исследовании мы установили, что в женском мозге более активна область передней поясной коры. Эта часть мозга связана с переключением внимания и признанием ошибок. Она бывает чрезмерно активна у тех, кто склонен зацикливаться на негативных мыслях или негативном поведении и видеть во всем лишь плохое.

Выполняя томографические исследования мозга, доктор Мирко Диксич из Университета Макгилла обнаружил, что у мужчин производится на 52% больше серотонина, чем у женщин. Серотонин является одним из самых мощных успокаивающих нейротрансмиттеров в мозге, он связан с настроением, сном, болью и аппетитом. В наших клиниках мы видели на ОЭКТ-сканах, что недостаток серотонина связан с гиперактивностью в зонах мозга, отвечающих за беспокойство и настроение.

Учитывая, что в организме женщин производится меньше серотонина, мы можем понять, почему им свойствен более высокий уровень тревоги, депрессии и беспокойства. Исследователи продемонстрировали, что женщины лучше мужчин реагируют на медикаменты, повышающие уровень серотонина. Более подробно об этом чуть позже.

Конечно, это не означает, что мужчины не волнуются или не видят проблем. Однако мужчины и женщины склонны беспокоиться по-разному. Когда женщины волнуются, включается их напряженный мозг и ассоциативное мышление, а это означает, что одна тревожная идея быстро соединяется с другими, чтобы создать импульс, который может выйти из-под контроля.

> Женщина склонна к тревожности, поэтому она чаще видит в своем будущем негативные последствия, а не позитивные. Заботы мужчины обычно локализованы. Он, скорее всего, разложил свои проблемы по полочкам.

Мозг женщины, похоже, никогда не отдыхает, даже когда она спит. Для многих женщин режим сна кардинально меняется после рождения первого ребенка. Женщина знает, что теперь она несет ответственность за кого-то еще, поэтому становится слишком чувствительной к ответственности. Она всегда должна заботиться о безопасности своего младенца и своей собственной. Это заставляет ее приспосабливаться к тому, что происходит вокруг нее, — она воспринимает любые сигналы и оценивает их значимость для своего выживания и выживания своих детей.

Но женщине нет нужды страдать от беспокойства. Она может использовать свою бдительность на благо себе и другим. Осознание женщиной проблем и ее желание сохранить свою семью в безопасности способствует ее ориентации на здоровье. Если она направит свою настороженность в действие, она будет следить за здоровьем своих близких и обезопасит свой дом. Ее восприимчивость заставит ее обратиться за помощью, когда это необходимо. Мужчины часто чрезмерно оптимистичны и порой не видят проблемы, которая находится прямо перед ними. Вот почему мужчины не спрашивают дорогу. Они не знают, что они заблудились! И это проблема не только вождения. Она касается и взаимоотношений. Мужчины часто просто не понимают, что в их отношениях с кем-то есть проблемы. Может быть, поэтому женщины чаще подают на развод или первыми разрывают связь.

Признать, что вы заблудились или у вас сложные взаимоотношения, означает признать поражение, а многим мужчинам трудно это сделать. Признать, что вы заблудились, означает то, что нужно обратиться за помощью, и женщины это умеют прекрасно делать как для себя, так и для тех, о ком они заботятся.

Иметь недостаток серотонина не так уж и плохо. Избыток серотонина ассоциирован с недостатком мотивации и синдромом беззаботности.

СИЛЬНЫЕ И СЛАБЫЕ СТОРОНЫ ЖЕНСКОГО МОЗГА

Сильные стороны

- Долголетие
- Серьезное отношение к физическому и психическому здоровью
- Быстрое признание проблем
- Склонность искать помощи и поддержки со стороны общества
- Беспокойство о своем здоровье
- Бдительность, настороженность
- Добросовестное соблюдение рекомендаций по оздоровлению мозга (как показывают исследования, проведенные в клиниках Амена)
- Женщины реже принадлежат к группе беззаботных людей, которые умирают преждевременно
- Меньше рискуют и поэтому имеют более здоровый мозг
- Имеют более сильную лобную кору, ассоциируемую со здравомыслием, сопереживанием и самоконтролем
- Реже страдают СДВГ, аутизмом, менее склонны к токсикомании и антиобщественному поведению

Слабые стороны

- Относительный недостаток серотонина
- Склонность к беспокойству
- Трудности с расслаблением, отключением мозга
- Женщины постоянно думают, думают, думают
- Повторяют тот же вопрос снова и снова
- Слишком много внимания уделяют проблемам, даже несуществующим
- Испытывают больше проблем со сном и чувствуют боль острее[1]
- Чаще предаются беспокойству и впадают в депрессию
- Чаще имеют проблемы с представлением о собственном теле и страдают от расстройства питания, физических симптомов стресса и перфекционизма

---

[1] Весьма спорное утверждение: по данным многих исследований, наоборот, у мужчин обычно более низкий болевой порог. Женщин, которым приходится рожать детей и выносить много других естественных физических недомоганий, природа обезопасила от лишних мук, создав менее восприимчивыми к боли. — Прим. ред.

Я иногда выписываю пациентам лекарства, которые повышают серотонин (селективные ингибиторы обратного захвата серотонина, или СИОЗС). С 1988 года на рынке США появился прозак. Вскоре я заметил существенный побочный эффект прозака — значительное снижение мотивации и способности добиваться цели, особенно у мужчин. Один владелец бизнеса сказал мне, что он чувствовал себя менее тревожно, но не выполнял вовремя работу с документами, и это вызывало серьезные проблемы. Кроме того, на ОЭКТ-сканах мы видели, что СИОЗС снижают функционирование лобной коры и потенциально способны растормозить поведение, иногда приводя к сексуальным или агрессивным проявлениям.

Мужчины обычно меньше беспокоятся и, как следствие, чаще попадают в неприятные ситуации. В своих лекциях я нередко говорю о пользе умеренной настороженности. Например, если кто-то подумал: «А пойду-ка я ограблю продуктовый магазин», то следующей его мыслью должна быть: «Это очень плохая идея, за это придется ближайшие двадцать лет просидеть в тюрьме». Некоторое беспокойство сохраняет вас от неприятностей. Чрезмерное беспокойство, конечно, может сделать вас больным.

УПРАЖНЕНИЕ 2. СОЗДАВАЙТЕ СВОЮ КОМАНДУ И ЗАСТАВЬТЕ СВОЮ НАСТОРОЖЕННОСТЬ РАБОТАТЬ НА ВАС

1. Создавайте свою команду

Склонность к совместной деятельности является существенным преимуществом женщин. Именно поэтому вам не помешает группа женщин-единомышленниц, которые тоже хотят оптимизировать функции своего мозга. В первой половине этого часа ваша задача состоит в том, чтобы найти двух женщин и убедить их пройти эту программу вместе с вами. Предложите им почитать эту книгу. Если вы делаете эти упражнения с небольшой группой женщин-единомышленниц, вы увеличите шансы на успех. В медицинской школе мы часто говорим: «Увидьте одного, сделайте одно, научите одного». Ведь во время обучения кого-то вы и сами всегда узнаёте больше.

2. Заставляйте свое беспокойство работать на вас

Исследования свидетельствуют, что ведение журнала — мощный инструмент, помогающий контролировать беспокойство и выбросить его из головы. Это действительно очень простое, но действенное упражнение.

Всякий раз, когда у вас появляется беспокойство (негативная мысль, которая не уходит), запишите его суть. Запись помогает распознать беспокойство и избавиться от него. Запишите его на бумаге, планшете, компьютере или телефоне. Как только тревожные мысли записаны, оцените их. Реальны они или не реальны? Если нет, улыбнитесь, пусть они остаются на бумаге, и не думайте об этом больше. Если беспокойство оправданно, запишите три или четыре способа, которые помогут вам избавиться от него, и, что не менее важно, запишите то, что вы не сможете сделать с этим беспокойством.

Например, у Джин была дочь Нина с отклонениями в развитии и множеством проблем со здоровьем. Запись на бумаге ее тревог по этому поводу и работа над обозначенными проблемами очень помогла ей.

- *Я волнуюсь, что Нина не будет развиваться нормально, что она будет болеть и умрет и что я не буду достаточно хорошей матерью.*

Что я могу сделать с этими проблемами?

- *Обеспечить Нине надлежащую медицинскую помощь.*
- *Отслеживать по Интернету новые ресурсы, которые могут ей помочь. Как можно лучше заботиться о ней.*
- *Заручиться поддержкой окружающих (муж, семья и члены церкви).*

Что я *не* могу с этим поделать?

- *Я не могу ее исцелить.*
- *Я не могу приказать ей выздороветь.*
- *Я не могу позволить себе болеть, поскольку тогда я не смогу помочь Нине.*

Глава 3

ИСПОЛЬЗУЙТЕ МЕТОД КЛИНИК АМЕНА ДЛЯ ОПТИМИЗАЦИИ ЖЕНСКОГО МОЗГА

ЗНАЙТЕ СВОЙ МОЗГ, СВОИ ВАЖНЫЕ ПОКАЗАТЕЛИ И ЧЕТЫРЕ КРУГА ДЛЯ ДОСТИЖЕНИЯ УСПЕХА

Наличие очень четкого плана «Четыре круга» для усиления вашего мозга — это третий шаг к раскрытию потенциала женского мозга.

Истина сделает вас свободными.
Но сначала она разозлит вас.

Глория Стейнем

Аннет позвонила в нашу клинику, потому что ее 23-летняя дочь Кэти получила низкие оценки на вступительных экзаменах в юридический вуз. Кэти мечтала быть юристом, как и ее старшая сестра, но она не очень хорошо сдавала экзамены из-за чрезмерного беспокойства, которое испытывала всякий раз при сдаче экзаменов. Кэти ощущала тревогу и в другое время. Сталкиваясь с любой серьезной проблемой, такой как экзамен или собеседование, она предчувствовала провал. Часто ее беспокойство заставляло терять самоконтроль во время учебы, что мешало ей воспринимать информацию, которую она была способна усвоить. Она постоянно чувствовала напряжение и боролась с многочисленными симптомами стресса, в том числе головной болью, болью в спине и проблемами с желудком.

Все эти симптомы беспокоили Аннет, которая узнала о нашей клинике от подруги, чью дочь чуть не выгнали из баскетбольной команды из-за ее взрывного характера. С нашей помощью эта молодая женщина научилась контролировать свой темперамент и привела свою команду к победе в чемпионате штата.

Мать Аннет надеялась, что мы сможем помочь и Кэти, хотя она уже водила ее к трем психиатрам, паре психологов и школьному психологу-консультанту. Ни один из этих специалистов не смог добиться значительных успехов, и Кэти смотрела в свое будущее без надежды. Используя очень четкий метод, нам удалось усилить мозг Кэти и улучшить каждый аспект ее жизни. В конечном счете она смогла гораздо лучше сдать экзамен в юридический вуз и поступила туда. Этот же подход можете использовать и вы, чтобы сбалансировать свой мозг, даже если вы никогда не страдали от беспокойства или других проблем психического здоровья. Этот подход клиник Амена изменит ваш мозг и вашу жизнь.

МЕТОД КЛИНИК АМЕНА

Больше всего рекламируют наши клиники наши собственные пациенты и их семьи. За последние 22 года в клиниках Амена мы видели десятки тысяч пациентов из всех 50 штатов и из 90 стран. Почему люди приезжают к нам со всего мира за помощью? Наше лечение сильно отличается от лечения, которое практикуют коллеги в области психического здоровья. Мы считаем, что необходимо тщательно оценить мозг, прежде чем пытаться его изменить. «Как вы узнаете, если не посмотрите?» — это мантра, которую мы повторяем на протяжении вот уже более двух десятилетий.

В большом шестимесячном исследовании пациентов, выписавшихся из наших клиник, которое мы провели, 83% сообщили о том, что качество их жизни существенно улучшилось, и многие сообщили о том, что уровень депрессии и беспокойства у них существенно снизились. Цифры были еще выше у тех пациентов, которые строго следовали нашим рекомендациям.

Конечно, не все, кто приходит в одну из наших клиник, выздоравливают. Нам еще многому нужно учиться, но, по сравнению с опубликованными результатами исследований в области психического здоровья, наши успехи выглядят впечатляюще.

Знания, которые мы получили, чтобы помочь нашим пациентам, могут помочь и вам достичь своего оптимального состояния, неважно, страдаете вы от черепно-мозговой травмы, посттравматического стрессового расстройства или просто хотите оптимизировать здоровье вашего мозга. Раскрытие потенциала вашего мозга начинается со следования нашему очень четкому методу, ведущему к успеху. Он подразумевает следующее:

- *Понимание вашего нынешнего состояния с помощью подхода «Четыре круга», который оценивает ваше биологическое, психологическое, социальное и духовное здоровье*
- *Сбор текущей информации о том, как функционирует ваш мозг, выполнив ОЭКТ или компьютеризированные тесты и опросники*

- *Знание результатов ваших анализов, в том числе стандартных лабораторных анализов. Так вы убедитесь в том, что ваш организм функционирует нормально (мозг и тело взаимосвязаны)*
- *Направление помощи на ваши уязвимые области*
- *Постоянное использование привычек здорового мозга*

Давайте разберем этот метод и как поучительный пример применим его к жизни Кэти. Приложите его и в своей жизни тоже.

ЧЕТЫРЕ КРУГА — ПОДХОД КЛИНИК АМЕНА: БИОЛОГИЧЕСКАЯ, ПСИХОЛОГИЧЕСКАЯ, СОЦИАЛЬНАЯ И ДУХОВНАЯ ОЦЕНКА

Когда я учился на первом курсе медицинского факультета Университета Орала Робертса в городе Талса, штат Оклахома, наш декан, доктор Сид Гарретт, прочитал нам одну из наших первых лекций о том, как помочь человеку любого возраста решить любую проблему. Эта лекция остается со мной последние 35 лет. Доктор Гаррет сказал нам: «Всегда думайте о человеке как о целостном существе, а не только о симптомах его болезни». Он настаивал на том, что всякий раз, когда мы оцениваем кого-либо, мы должны принимать во внимание четыре круга:

- **Биология**: *как работают физические функции организма*
- **Психология:** *вопросы развития и стереотипы мышления*
- **Социальные связи:** *социальная поддержка и текущая жизненная ситуация*
- **Духовное здоровье:** *смысл жизни*

В наших клиниках мы используем четыре названных круга, практикуя сбалансированный, комплексный подход к исцелению. Эти принципы повлияли на мою собственную жизнь и карьеру. Если вы по-настоящему поймете их, они помогут вам добиться сбалансированности в своей жизни.

ПОНИМАНИЕ ВАШИХ УЯЗВИМЫХ МЕСТ

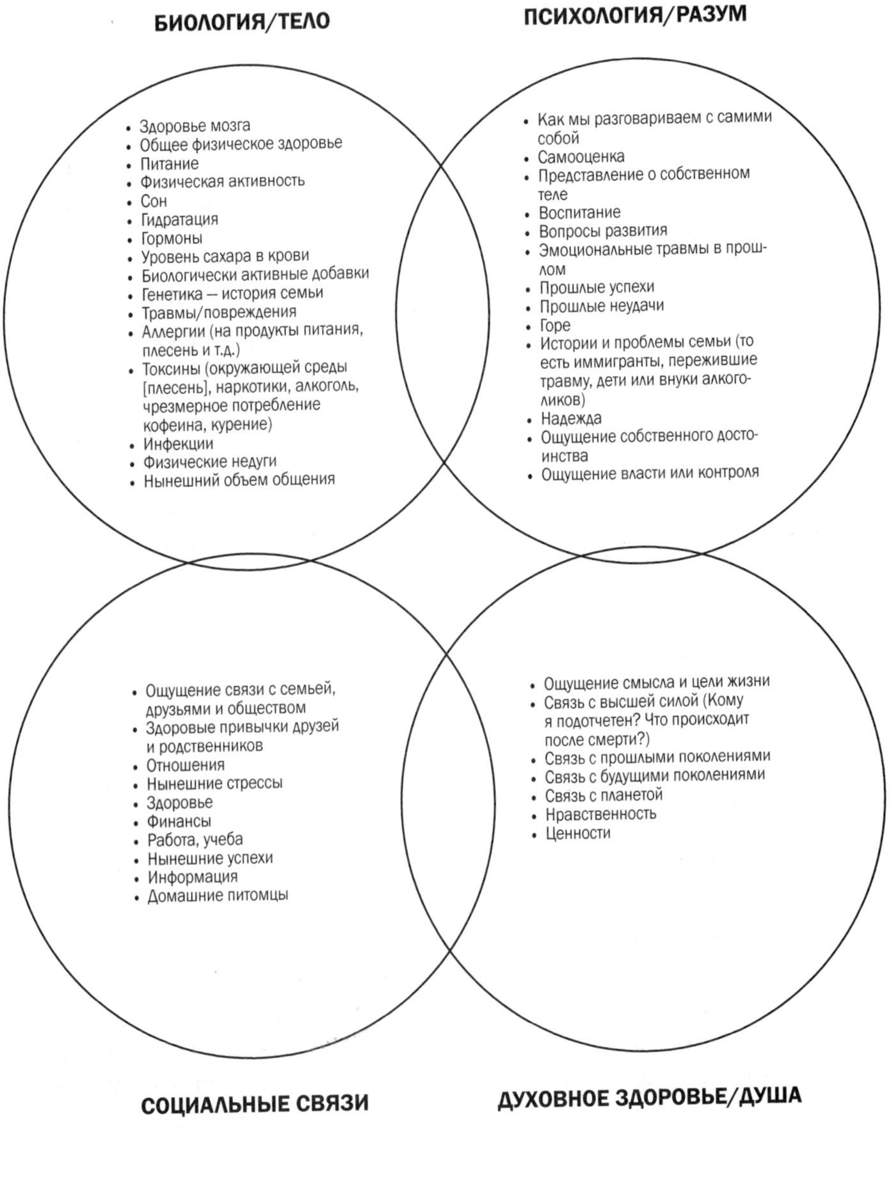

БИОЛОГИЯ/ТЕЛО

- Здоровье мозга
- Общее физическое здоровье
- Питание
- Физическая активность
- Сон
- Гидратация
- Гормоны
- Уровень сахара в крови
- Биологически активные добавки
- Генетика — история семьи
- Травмы/повреждения
- Аллергии (на продукты питания, плесень и т.д.)
- Токсины (окружающей среды [плесень], наркотики, алкоголь, чрезмерное потребление кофеина, курение)
- Инфекции
- Физические недуги
- Нынешний объем общения

ПСИХОЛОГИЯ/РАЗУМ

- Как мы разговариваем с самими собой
- Самооценка
- Представление о собственном теле
- Воспитание
- Вопросы развития
- Эмоциональные травмы в прошлом
- Прошлые успехи
- Прошлые неудачи
- Горе
- Истории и проблемы семьи (то есть иммигранты, пережившие травму, дети или внуки алкоголиков)
- Надежда
- Ощущение собственного достоинства
- Ощущение власти или контроля

СОЦИАЛЬНЫЕ СВЯЗИ

- Ощущение связи с семьей, друзьями и обществом
- Здоровые привычки друзей и родственников
- Отношения
- Нынешние стрессы
- Здоровье
- Финансы
- Работа, учеба
- Нынешние успехи
- Информация
- Домашние питомцы

ДУХОВНОЕ ЗДОРОВЬЕ/ДУША

- Ощущение смысла и цели жизни
- Связь с высшей силой (Кому я подотчетен? Что происходит после смерти?)
- Связь с прошлыми поколениями
- Связь с будущими поколениями
- Связь с планетой
- Нравственность
- Ценности

Биология

Первый круг здоровья — наша биология. Это физические аспекты нашего мозга и тела и способ их совместного функционирования. Чтобы биология работала по максимуму, ее механизмы (клетки, связи, химикаты, энергия, кровоток и обработка отходов) должны функционировать правильно. Мозг похож на суперкомпьютер, имеющий как аппаратное, так и программное обеспечение. Наша биология — это аппаратные средства. В круг биологии индивида входят такие факторы, как его генетика, общее физическое здоровье, питание, физическая активность, сон и гормоны, а также состояние окружающей среды (загрязненность токсинами). Когда биология мозга здоровая, все эти факторы позитивным образом работают сообща, чтобы максимизировать ваш успех. Если же на вашу биологию влияют токсины, травма, болезнь или какие-то дефекты, вы чувствуете себя разбитым и дезориентированным (несбалансированным).

Например, когда вы не получаете достаточно сна, у вас снижается мозговое кровообращение, что нарушает мышление, память и мысленную концентрацию. Аналогичным образом травма головного мозга повреждает его механизмы, заставляя вас бороться с депрессией, проблемами памяти и характера. Когда вы едите пищу с высоким содержанием сахара или других простых углеводов, баланс сахара у вас в крови часто становится нерегулируемым, заставляя вас чувствовать себя вялым и растерянным.

Биология Кейти

Биология организма Кейти играла существенную роль в ее беспокойстве и низких результатах ее тестов. В ее роду были люди, которые страдали от панического расстройства, а оно очень часто передается по наследству и ассоциировано со склонностью к беспокойству. Очень тревожными были ее мать и дедушка, а ее тетя, страдавшая от панического расстройства, выражавшегося в форме агорафобии, не выходила из своего дома в течение 15 лет.

Тревожность Кейти усугублялась другими биологическими факторами. Кейти редко спала больше 6 часов ночью, что, как доказывают многие исследования, пагубно влияет на обучение и настроение. Кроме того, рацион питания Кейти, как и у многих 23-летних, изобиловал нездоровой пищей и содержащими кофеин напитками, поскольку с их помощью она старалась сохранять бодрость.

Она мало двигалась, пила больше алкоголя, чем признавалась своей матери, и страдала от проблем с кишечником.

Когда Кейти было 5 лет, ее мать попала в автомобильную аварию: ее автомобиль пять раз перевернулся. Кейти была в машине и почти наверняка получила травму головного мозга, повлиявшую на ее развитие. Важно отметить, что ее суперуспешной сестры в том автомобиле не было.

Я объяснил Кейти и ее матери, что, для того чтобы Кейти проявила свои лучшие способности, важно сбалансировать такие биологические факторы, как: исцеление прошлых травм и защиту от будущих; достаточный сон; избегание токсинов (таких как наркотики или чрезмерный алкоголь); здоровое, сбалансированное питание; занятия физкультурой; употребление рыбьего жира, мультивитаминов и любых адресных пищевых добавок или медпрепаратов, которые требуются. Я сказал им, что без биологического вмешательства Кейти никогда не сможет проявить себя в полной мере. Конечно, с помощью одного только биологического вмешательства (особенно если бы я просто лечил беспокойство Кейти медпрепаратами) она не смогла бы так поправиться — ей помогли еще и упражнения из всех четырех кругов.

Психология

Психологические факторы попадают во второй круг здоровья. Этот круг включает то, как мы мыслим и говорим сами с собой — постоянный диалог, который проходит в нашей голове, — а также наше представление о самих себе, образ нашего тела, прошлые травмы, общее воспитание и существенные события, связанные с нашим развитием. Психологическому здоровью способствуют воспитание в достаточно счастливой семье, получение позитивных сигналов во время взросления и признание собственных способностей и собственного тела. Когда у человека имеются проблемы в любой из этих областей, он с меньшей вероятностью будет успешным. Если человек считает себя непривлекательным или менее способным, чем его сверстники, то это приведет к проблемам.

Если ваши шаблоны мышления чрезмерно негативны, резки или критичны, это будет оказывать негативное воздействие на ваше настроение, уровень беспокойства и, в конечном счете, на вашу способность успешно функционировать.

Проблемы, связанные с развитием, например усыновление, серьезная потеря или душевная травма в детстве, тоже играют существенную роль. Дети часто считают, что они — центр вселенной и что если происходит что-то плохое, например мама заболевает раком, в этом виноваты они и всю оставшуюся жизнь потом мучаются чувством вины. Прошлые успехи и неудачи — это часть этого круга, равно как надежда, ощущение собственной значимости и управления своей жизнью.

Истории рода тоже немаловажны для развивающегося мозга. Дети иммигрантов или оставшихся в живых после холокоста часто получают совсем другие психологические установки, в отличие от тех детей, чьи семьи в течение нескольких поколений были стабильными. Например, многие из переживших холокост, никогда не будут говорить со своими детьми или внуками о том, что произошло. Тем не менее сообщения о пережитых ужасах могут быть переданы невербально последующим поколениям, и у молодых может развиться беспокойство и даже посттравматический стресс, хотя они никогда не слышали сами эти истории. Травмирующие душу сообщения могут быть переданы подсознательно через взгляды и жесты.

Психология Кейти

У Кейти был недисциплинированный ум. Ее негативные мысли о приближающейся неудаче управляли ее настроением и постоянно пугали ее. Казалось, будто в ее голове действует бродячая группа хулиганов, которая насмехается над нею, предсказывая ей все самое худшее.

Мозг Кейти был заражен АНЕМами. Кроме того, она считала себя неспособной к учебе, потому что учебные занятия давались ей с трудом. Поскольку Кейти не сознавала проблему беспокойства и потенциальную травму головы, она считала себя ленивым человеком, который к тому же не очень умен, даже при том, что она старалась больше всех своих братьев и сестер.

Поскольку ее родители не понимали ситуации, они были убеждены, что Кейти просто не прилагала достаточно усилий. Они часто говорили ей, чтобы она была более старательной, что, конечно, не помогало.

На самом деле, чем больше давления ощущала Кейти, тем хуже она училась. Соревнование с ее старшей сестрой было болезненным, и Кейти всегда считала, что никогда не сможет угнаться за ней.

Что касается всех нас, понимание ее психологических проблем и обучение тому, чтобы не верить каждой негативной мысли, приходящей в голову, были основой пути Кейти к восстановлению и ключевым аспектом плана лечения, который я ей дал.

Социальные связи

Социальные связи представляют собой третий круг здоровья. Это текущие взаимоотношения и события в нашей жизни. Когда мы находимся в хороших отношениях, чувствуем себя благополучно, любим свою работу или школу, имеем достаточно денег, наш мозг обычно функционирует лучше, чем в тех случаях, когда любая из этих областей проблемна или беспокоит нас.

Стресс негативно воздействует на функционирование мозга, а соприкосновение с тяжелыми событиями делает нас более уязвимыми для болезни. Депрессия часто вызывается текущими стрессовыми событиями в жизни, такими как проблемы в браке, разлад в семье, финансовые затруднения, проблемы со здоровьем, неудачи на работе или в школе или какие-то потери.

Кроме того, здоровье и привычки людей, с которыми вы проводите время, оказывают драматическое влияние на ваше собственное здоровье и привычки.

Социальные связи Кейти

Мы говорили, что Кейти чувствовала постоянное напряжение по поводу вступительных экзаменов в юридическую школу. Кроме того, она поссорилась со своим другом, который, по ее мнению, не понимал ее. Родители пытались успокоить ее, но это никогда не помогало. Фактически, чем больше они пытались успокоить ее, тем более беспокойной и взвинченной становилась Кейти.

Иногда Кейти казалось, что все вокруг вызывает у нее стресс: ее семья, ее друг, экзамены и перспектива обучения в юридической школе. Кейти работала помощником по административным вопросам, чтобы сэкономить деньги на школу, но эта работа тоже вызывала у нее стресс, поскольку подчас ей приходилось работать сверхурочно, а это непредсказуемым образом влияло на ее социальную и учебную жизнь. Кейти беспокоилась о том, что ее могут уволить, и она не найдет другую работу. *«Как я найду работу, если моя начальница не даст мне рекомендацию?»* — спросила она меня. Кейти с трудом различала свои худшие страхи (*меня уволят, и моя начальница не даст мне рекомендацию)* и действительность (*иногда моя начальница мной недовольна, но в основном она ценит то, что я делаю для нее, не уволит меня и не станет давать мне плохую рекомендацию).*

Как и в случае со всеми тревожными людьми, постоянное беспокойство Кейти, казалось, было трудно устранить. После многочасовых разговоров с родителями, бойфрендом или подругой у нее наступало временное облегчение, но обычно уже спустя час или два Кейти снова начинала беспокоиться.

Оптимизация существующей жизни Кейти, включая помощь в управлении стрессом и эффективное налаживание ее отношений, было важной частью плана ее лечения.

Поскольку снижение ежедневного стресса в жизни человека улучшает и функционирование мозга, я сказал Кейти, что регулярные методы управления стрессом крайне важны для общего здоровья и раскрытия потенциала ее мозга.

Духовное здоровье

Помимо биологических, психологических и социальных аспектов нашей жизни, мы являемся еще и духовными существами. И чтобы полностью исцелиться и восстановиться, мы должны признать, что мы представляем собой нечто большее, чем просто тело, психика и социальные связи.

Человек призван задавать себе глубоко духовные вопросы. Например, такие:

- *Каков смысл моей жизни?*
- *Какова моя цель?*
- *Почему я здесь?*
- *Каковы мои ценности?*
- *Есть ли Бог или какая-то Высшая Сила?*
- *Как это проявляется в моей жизни?*
- *Как я связан с прошлыми и будущими поколениями и планетой в целом?*

Ощущения цели, а также связей с прошлыми и будущими поколениями, позволяет человеку выходить за свои рамки, подтверждая тем самым, что его жизнь имеет значение. Без духовного равновесия человек испытывает всепоглощающее чувство отчаяния.

Этика, ценности и духовная связь с другими и вселенной важны для многих людей, чтобы испытать чувство цельности и связи и повод встать утром и хорошо о себе позаботиться.

Духовное здоровье Кейти

Кейти действительно никогда не спрашивала себя, почему она здесь или каков смысл ее жизни. Она даже не думала о том, какой бы могла быть ее жизнь через пять, десять или пятьдесят лет. Для Кейти, как и для многих молодых людей, главным было настоящее, а не будущее. Однако заставить ее задуматься не только о сегодняшнем моменте и войти в контакт с ее ощущением цели и значением было крайне важно для раскрытия потенциала ее женского мозга. И это первостепенно и для вас.

ОЦЕНИТЕ СВОЙ МОЗГ

Вы можете сделать большую работу, оценив ваши четыре круга, и при этом не до конца оптимизировать свой мозг. Вы также должны понять, как функционирует ваш мозг. В клиниках Амена у нас есть три способа оценить функционирование мозга:

1. ОЭКТ мозга
2. Опросники
3. Оценка онлайн

ОЭКТ МОЗГА

Как упоминалось ранее, мы делаем сканирование мозга с помощью *однофотонной эмиссионной компьютерной томографии* (ОЭКТ), которая показывает локальную активность кровообращения в разных его отделах и, соответственно, шаблоны мозговой активности. Напрямую демонстрирует, как работает мозг. Получаемые сканы ОЭКТ действительно легко понять, потому что мы в основном оцениваем три вещи:

- *Области мозга, функционирующие хорошо (нормальная активность)*
- *Перевозбужденные области мозга (чрезмерно высокая активность)*
- *Малоактивные области мозга (недостаточная активность)*

Для здорового мозга характерна цельная, даже симметричная, активность разных отделов, и наивысшая активность наблюдается при этом в мозжечке (он расположен позади больших полушарий, внизу). Когда я показываю ОЭКТ-сканы на лекциях, я обычно демонстрирую два их вида: внешний *поверхностный* вид, помогающий нам увидеть области низкой активности, и *активный* вид — он выявляет чрезмерно активные области мозга. Как я уже упоминал, у женщин обычно мозг более активный, чем у мужчин.

> Сканы ОЭКТ помогают нам увидеть уязвимые области, которые должны быть оптимизированы даже за годы до того, как проблема сможет проявиться фактически.

Есть данные, что функциональные исследования вроде ОЭКТ выявляют развитие болезни Альцгеймера (формы слабоумия) за годы до того, как у человека появляются какие-то симптомы этого заболевания.

Причем ОЭКТ помогает нам не только в этом. В нашей практике обследование ОЭКТ изменяло диагноз либо план лечения у почти 80% пациентов.

Наличие скана помогает нам увидеть более ясно, что происходит в мозге, найти причину эмоциональных проблем или проблем в обучении.

Это могут быть, например, невыявленные травмы головного мозга (22%) или соприкосновение с каким-то ядовитым веществом (22%).

Сканы ОЭКТ, кроме того, помогают нам видеть сильные и слабые места человека.

Например, если у человека проблемы с контролированием своих импульсивных желаний, то мы, скорее всего, увидим низкую активность лобной коры. Если человек обычно ведет себя негибко и консервативно, мы увидим повышенную активность в передней части поясной извилины (которая тоже относится к лобным долям).

> Исследователи из Японии обнаружили, что усиленное кровообращение в определенных областях мозга ассоциируется с интеллектом и творческим потенциалом. Чтобы иметь здоровый разум, нужно заботиться о мозговом кровообращении.

ОЭКТ не только помогает нам делать более точные диагнозы, но и приводит нас к прямому лечению в контексте био/психо/социально/духовной оценки.

Без скана или другого способа измерения функционирования мозга это походит на бросание дротиков в темноте… в чей-то мозг.

Если вы зайдете на сайт клиник Амена (www.amenclinics.com), вы можете увидеть сотни ОЭКТ-сканов и перечитать более чем 2600 научных резюме об ОЭКТ, касающихся самых разных проблем, связанных с поведением, настроением, обучением и психическим здоровьем.

Девять аспектов, благодаря которым ОЭКТ изменит все, что вы делаете

1. У вас появится зависть к здоровому мозгу. Увидев свой скан, 45-летняя Бетси поняла, что должна стать здоровой. Она перенесла эмоционально травмирующие отношения, и у нее были проблемы с алкоголем и злоупотреблением наркотиками.

Однако после того как она увидела скан своего мозга, у нее появилась зависть к здоровому мозгу, которая полностью изменила ее привычки. Год спустя ее мозг выглядел намного лучше.

2. Вы будете осторожны в применении психотропных препаратов. Я – психиатр с классическим медицинским образованием и в течение многих лет прописываю своим пациентам разные лекарственные препараты.

БЕТСИ

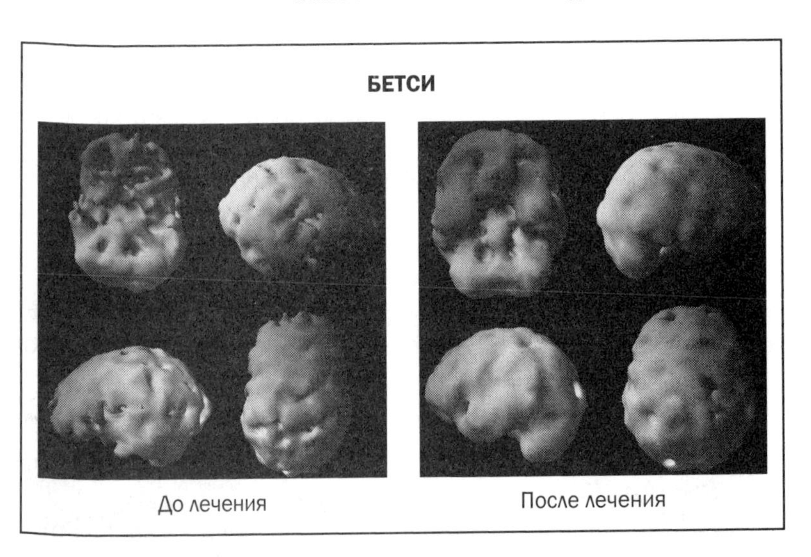

До лечения / После лечения

Однако когда я начал заказывать сканы головного мозга, я увидел, что некоторые типы препаратов, например бензодиазепины (успокоительные) и седативные болеутоляющие, заставляют мозг выглядеть токсичным, как у алкоголиков. Вот тогда я начал искать естественные способы лечения мозга.

СКАН ЗДОРОВОГО МОЗГА И СКАН «БЕНЗОДИАЗЕПИНОВОГО» МОЗГА

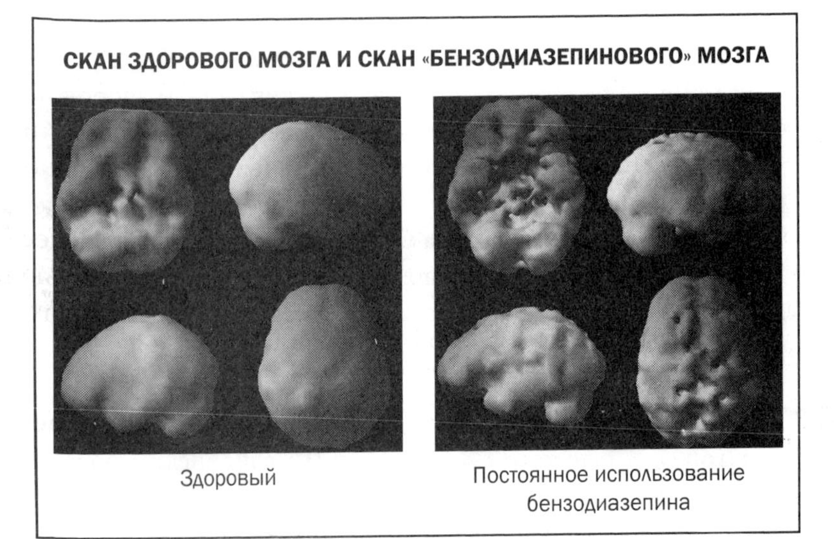

Здоровый / Постоянное использование бензодиазепина

3. Вы не позволите своим детям толкаться во время игры в футбол или бить по мячу головой.

Мозг мягкий, а череп твердый и с множеством острых выступов. Травма головы — это очень серьезный недуг, она может разрушить жизнь человека.

Игрок НФЛ

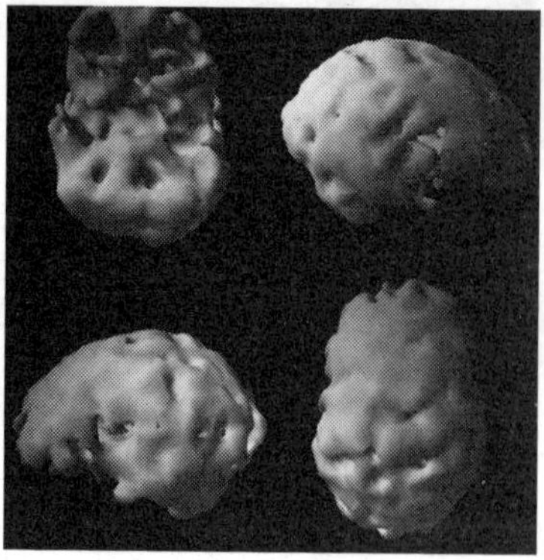

Общая низкая активность

Сонное апноэ

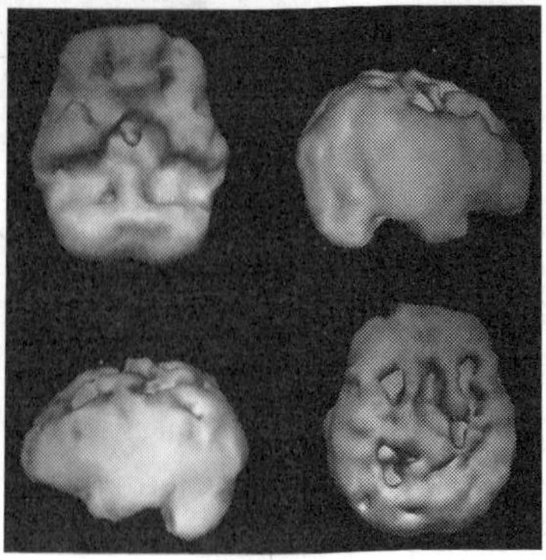

Общая низкая активность, особенно в задней части мозга, которая первой поражается при болезни Альцгеймера

4. Вы станете более серьезно относиться к сонному апноэ. На скане ОЭКТ показан мозг при апноэ — состояние, при котором человек во время громкого ночного храпа на мгновение прекращает дышать (и потому хронически устает в течение дня). Во время этого состояния мозг выглядит крайне малоактивным.

> Апноэ во сне удваивает риск появления болезни Альцгеймера. Если у вас есть какие-нибудь симптомы апноэ, попросите своего врача провести анализ вашего сна.

Скан мозга при ожирении

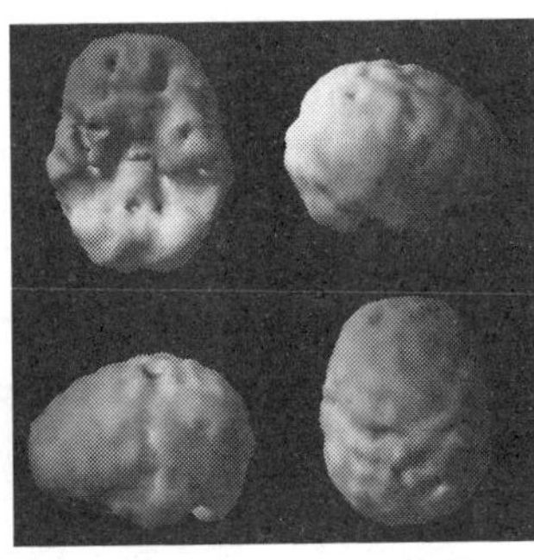

Низкая активность кровообращения

5. Вы станете более ответственно относиться к своему весу. Существует 18 исследований, которые говорят: когда масса тела повышена, фактический размер и функционирование мозга у человека уменьшаются. Это должно напугать любого. Выше приводится скан мозга одного из моих пациентов, страдающего ожирением.

6. Вы увидите, что не может быть универсального лечения депрессии и других болезней. Базируясь на наших томографических исследованиях, мы обнаружили, что такие заболева-

Низкоактивная депрессия

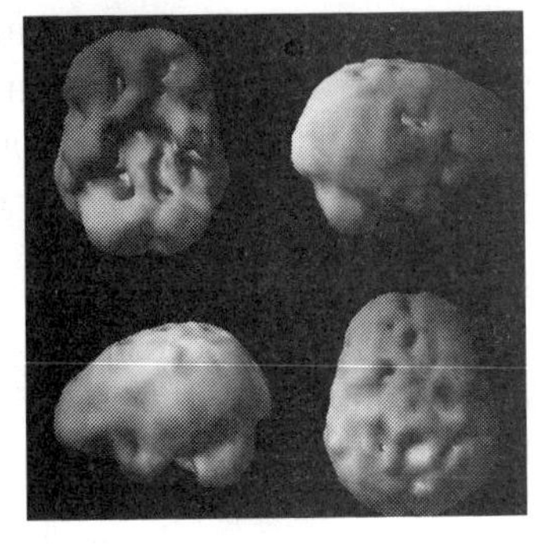

Высокоактивная депрессия

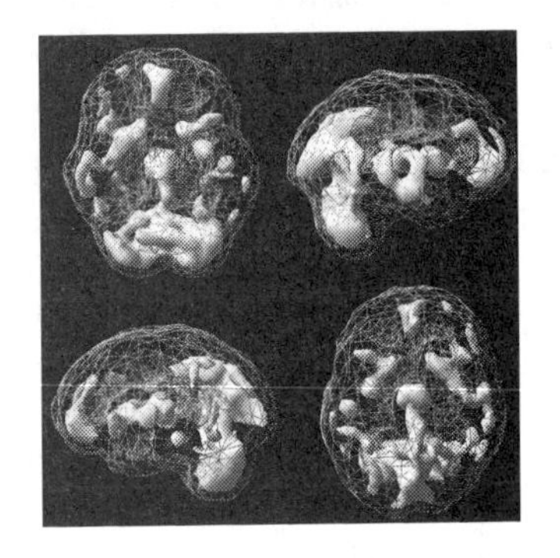

ния, как СДВГ, беспокойство, депрессия и зависимости имеют многочисленные подтипы, и, следовательно, лечить их нужно по-разному.

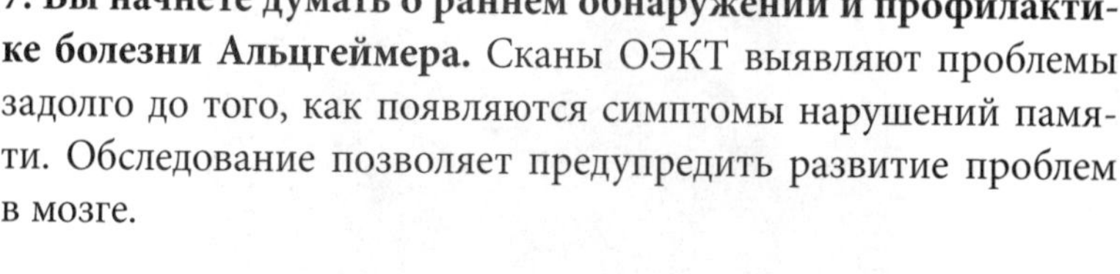

7. Вы начнете думать о раннем обнаружении и профилактике болезни Альцгеймера. Сканы ОЭКТ выявляют проблемы задолго до того, как появляются симптомы нарушений памяти. Обследование позволяет предупредить развитие проблем в мозге.

Ранняя стадия болезни Альцгеймера

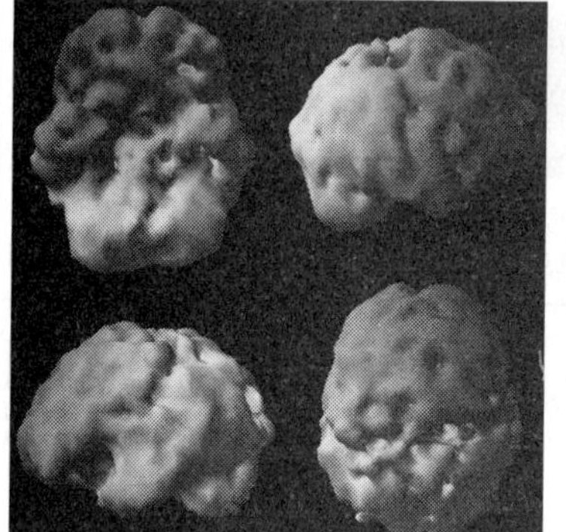

Низкая активность, наиболее отчетливо выражена в задней части мозга

Отравление мозга

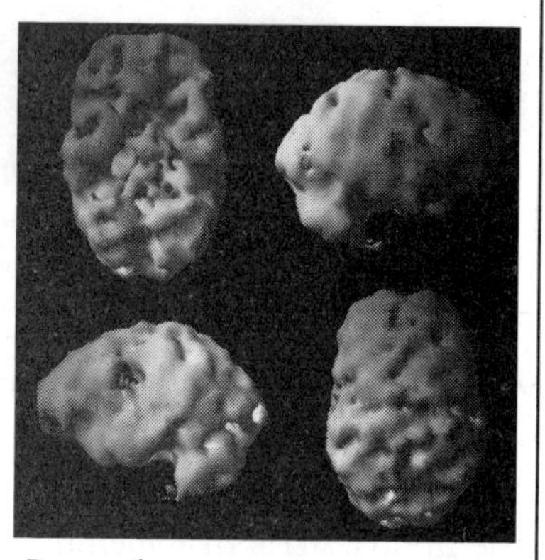

Вот изображение мозга женщины с расстройством личности. У нее был явно отравленный мозг оттого, что она подвергалась воздействию плесени, появившейся в ее доме после затопления.

8. Вы станете меньше осуждать людей. Когда кто-то ведет себя ужасно, очень легко скатиться на грубость по отношению к этому человеку. Но когда вы посмотрите на скан его мозга и поймете, что, возможно, он поврежден или отравлен, вы станете относиться к нему с большим пониманием и состраданием.

Повреждение мозга

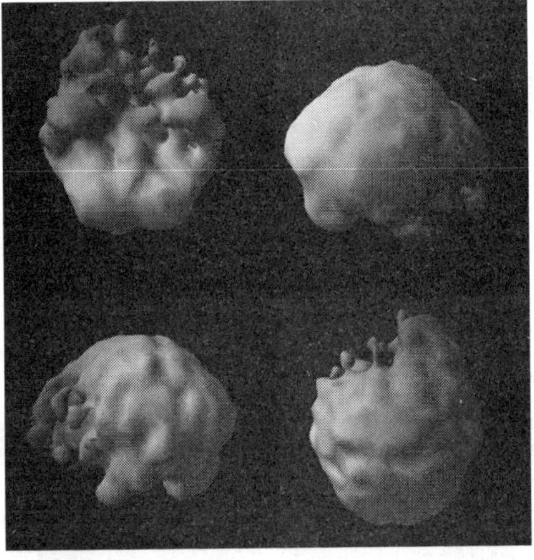

Скан мозга мужа, у которого была мозговая травма.
В браке трудно жить и со здоровым мозгом

9. Если у вас проблемы в отношениях, вы подумаете о том, что, возможно, их причиной является состояние мозга. Я видел сканы мозга более тысячи пар, у которых есть серьезные проблемы в отношениях. Зачастую у одного или у обоих партнеров были проблемы с мозгом, которых они не осознавали.

> Если помочь человеку исцелить мозг и оптимизировать его функции, это поможет улучшить и общение с другими.

Сканы головного мозга Кейти показали несколько важных результатов, включая умеренное повреждение левого полушария, которое, вероятно, появилось после автомобильной катастрофы. Кроме того, у нее отмечена высокая активность

СКАНЫ ОЭКТ КЕЙТИ

Низкая активность

Высокая активность

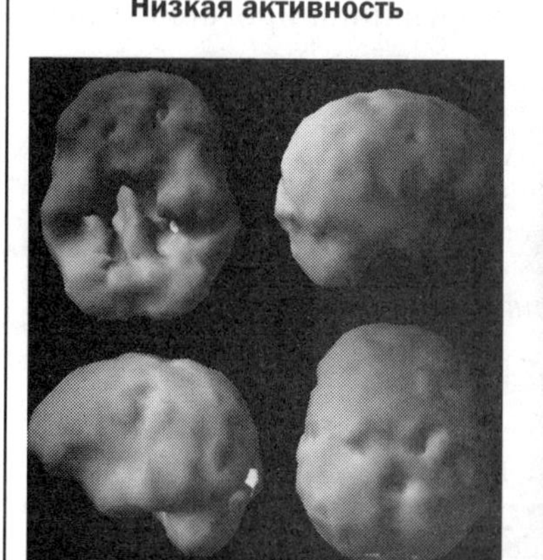

Низкая активность слева, спереди и сзади на поврежденных участках

Высокая активность в центрах беспокойства и настроения

в центрах беспокойства и тревожности, что объяснялось проблемами с тревожностью, о которых она рассказала.

Эти результаты сделали еще более явной потребность излечить прошлую травму мозга и вылечить ее беспокойство.

Опросник Клиники доктора Амена «Узнайте свой тип мозга»

К сожалению, не все в состоянии получить скан мозга, либо из-за стоимости, либо из-за его недоступности там, где вы живете. Мои книги переведены на 30 языков. И если вы читаете изданную в Китае или Бразилии, вероятно, вы не сможете приехать в одну из наших клиник для сканирования и оценки. Вот почему на основании тысяч сканов я создал серию опросников, чтобы помочь людям увидеть, какими бы могли быть их сканы. Опросники не настолько точны, как сканы, особенно если имеются какие-то сложные привходящие проблемы. Однако многие считают их полезными, и тысячи психиатров по всему миру используют их.

Вы можете взять наш опросник на нашем обучающем веб-сайте, *Amen Solution @ Home (www.amensolution.com)*. Этот опросник поможет вам оценить функционирование вашего мозга в следующих областях:

- *Гибкость мышления*
- *Контроль за сосредоточенностью/импульсивностью*
- *Настроение*
- *Напряжение и беспокойство*
- *Память*
- *Сон*
- *Желания*
- *Привычки, полезные для мозга*

На основании ваших ответов мы даем индивидуальные рекомендации, включая научные естественные способы совершенствовать работу вашего мозга. Конечно, любые рекомендации нужно обсудить с вашим лечащим врачом.

Круглосуточный тренажерный зал для мозга

Кроме того, на сайте *Amen Solution @ Home* у нас есть «круглосуточный тренажерный зал», где вы можете проверить и потренировать свой мозг в любое время. Вы можете начать со сложной 30-минутной компьютеризированной оценки состояния здоровья вашего мозга. Здесь измеряются настроение, внимание, контроль импульсов, память, время реакции и многое другое. Основываясь на ваших показателях, программа даст вам упражнения, призванные сбалансировать работу именно вашего мозга.

> Проводить 10 минут в день в круглосуточном тренажерном зале для мозга — отличный способ раскрыть потенциал женского мозга, повысив его силу!

Опросник Кейти и результаты тренировки в круглосуточном тренажерном зале для мозга

Опросник Кейти выявил вероятные проблемы со стрессом, тревогой и негибкость мышления. Результаты оценки ее мозга также показали наличие тревоги и стресса и согласовались с ее сканированием. Интерактивная программа дала ей конкретные упражнения, позволяющие успокоить ее тревогу и скорректировать негативные шаблоны мышления. Например, была рекомендована одна из моих любимых игр «Поймай ощущение». В этом упражнении для мозга в воздух выпускаются мыльные пузыри с позитивными понятиями вроде: *радость, счастье, успех* и *релаксация*, а также негативными, например: *отчаяние, гнев, разочарование* и *печаль*. Задача состоит в том, чтобы кликать на позитивные слова и игнорировать негативные. Эта игра, как оказалось, помогает людям сосредоточиться на позитивном. Помимо того Кейти было рекомендовано играть в еще одну игру — «Мой спокойный ритм». Кейти училась дышать таким образом, чтобы оптимизировать ощущение расслабленности и благополучия.

Я знал, что подход «Четыре круга», оценка мозга и другие инструменты должны помочь Кейти вернуться в норму.

ЗНАЙТЕ СВОИ ПОКАЗАТЕЛИ

Другая очень важная часть оптимизации вашего мозга состоит в том, что вам нужно знать показатели своего здоровья. Я часто говорю, что вы не можете изменить то, что вы не измерили. Вот список ключевых показателей, которые следует знать о себе.

1. Индекс массы тела (ИМТ)
2. Соотношение объема талии к росту (СТР)
3. Среднее количество часов, которое вы спите каждую ночь, и нет ли у вас сонного апноэ
4. Артериальное давление

1. Индекс массы тела (ИМТ) — это соотношение массы вашего тела и вашего роста. Нормальный ИМТ равен 18,5–24,9. При избыточном весе он составляет от 25 до 30. Если ИМТ больше 30, то ставят диагноз «ожирение». Вы можете найти простой калькулятор ИМТ в Интернете.

Знание своего ИМТ важно, потому что избыточный вес или ожирение связаны с уменьшением объема тканей мозга и снижением мозговой активности. При ожирении в два раза возрастает риск развития болезни Альцгеймера и депрессии. Существует, вероятно, несколько механизмов, которые создают этот результат, включая тот факт, что жировые клетки продуцируют химические вещества, вызывающие воспаление, и сохраняют токсины в организме. Следует знать свой ИМТ, поскольку это помешает вам лгать себе о своем весе.

2. Соотношение талии к росту (СТР) — еще один способ оценить состояние своего тела. Некоторые исследователи считают, что этот показатель еще точнее, чем ИМТ. СТР высчитывают путем деления обхвата талии на рост. Например, чтобы высчитать СТР женщины ростом 175 см и объемом талии 80 см, нужно 80 разделить на 175, тогда СТР будет равен 45,7%.

Чтобы быть здоровой, размер вашей талии (в см) должен быть меньше, чем половина вашего роста. Так, если ваш рост 165 см, размер вашей талии не должен превышать 82,5 см. Если ваш рост 180 см, размер вашей талии не должен превышать 90 см.

Считается, что СТР дает более точную оценку здоровья, поскольку опаснее всего жир на талии. Он метаболически активен и производит различные гормоны, которые могут вызвать вредные последствия, такие как диабет, повышенное артериальное давление, высокий уровень холестерина и триглицеридов.

Примечание: *Вы должны на деле измерить свою талию!* Смотреть на размер своих штанов не стоит, поскольку многие производители делают одежду на размер больше обозначенного на этикетке, чтобы польстить своим покупателям. Исходя из собственного опыта, могу сказать, что 90% людей недооценивают окружность своей талии. Не лгите себе.

3. Количество часов, которое вы спите каждую ночь. Один из самых быстрых способов повредить своему мозгу — это спать меньше 7–8 часов в сутки. У тех, кто обычно спит 6 часов или меньше, происходит уменьшение кровоснабжения мозга, что негативно сказывается на его функционировании. Исследователи из Военного института Уолтера Рида и Университета Пенсильвании обнаружили, что сон менее 8 часов приводит к снижению когнитивных способностей. Старайтесь каждую ночь спать по крайней мере 7 или 8 часов. На нашем сайте *Amen Solution @ Home* имеются аудиозаписи гипноза, помогающие заснуть.

> Хроническая бессонница утраивает риск смерти от любых причин.

4. Артериальное давление. Чтобы сохранять мозг здоровым, важно знать свое артериальное давление. Высокое артериальное давление ассоциируется с пониженным функционированием нижней части мозга, а это подразумевает принятие более неадекватных решений. Вот цифры, которые вы должны знать:

- *Оптимальное артериальное давление: ниже 120/80*
- *Прегипертония: 120/80–139/89*
- *Гипертония: 140 (или выше) / 90 (или выше)*

Проверяйте свое артериальное давление. Если у вас высокое давление, отнеситесь к этому серьезно. Снизить давление вам поможет нормализация веса, ежедневные физические упражнения, биологически активные добавки с рыбьим жиром и, если нужно, медицинские препараты.

ПОЛУЧИТЕ КОНТРОЛЬ НАД СВОИМ ВЕСОМ: ПИТАЙТЕ СВОЙ МОЗГ ПРАВИЛЬНО

Вы найдете подробное объяснение оптимального способа питания женского мозга для достижения и поддержания в норме вашего веса в главе 5. Кроме того, на нашем веб-сайте (www.amensolution.com) есть множество советов по поводу рациона, полезного для мозга, равно как и огромное количество восхитительных рецептов еды, способствующей сохранению здоровья мозга.

Важные цифры Кейти

Вес Кейти был в норме, и ее артериальное давление было прекрасным, но она плохо спала. Тревожность мешала ей спать, а нехватка сна делала ее более беспокойной. Это был порочный круг, который нужно было разомкнуть.

Получите ключевые лабораторные анализы

Лабораторные анализы — это еще один важный набор цифр, которые следует знать. Вот ключевые лабораторные анализы, которые вы должны учитывать:

1. Клинический анализ крови
2. Общий биохимический анализ крови с содержанием сахара и липидов в крови, взятой натощак
3. HgAIC
4. Витамин D
5. Исследование гормональной активности щитовидной железы
6. С-реактивный белок
7. Гомоцистеин
8. Ферритин
9. Свободный и общий тестостерон сыворотки

10. Кортизол и сульфатированный дегидроэпиандростерон (ДГЭА-S)
11. Эстроген и прогестерон

Эти анализы могут быть заказаны вашим медицинским работником или вы можете заказать их для себя на таких веб-сайтах, как *SaveOnLabs.com.*

1. Клинический анализ крови. Этот анализ проверяет здоровье вашей крови, в том числе красные и белые кровяные тельца. Человек с низким гемоглобином может чувствовать беспокойство и усталость, и у него могут быть проблемы с памятью.

2. Общий биохимический анализ сахара и липидов в крови, взятой натощак (анализ крови). Этот анализ проверяет здоровье печени, почек, сахар в крови, взятой натощак, холестерин и триглицериды. Особенно важен уровень сахара в крови, взятой натощак. Нормальный составляет от 70 до 90 мг/дл; при метаболическом синдроме (преддиабет) он находится между 91 и 125 мг/дл, а при диабете составляет 126 мг/дл или выше. По данным крупного исследования от *Kaiser Permanente*, для каждого балла показателя выше 85, у пациентов на 6% увеличивался риск развития диабета в ближайшие 10 лет (при 87 риск возрастает на 12%; при 88 — на 18% и т.д.). Свыше 90 указывает на то, что повреждение сосудов уже произошло, и пациент рискует повредить почки и глаза.

Почему высокий уровень сахара — это проблема? Высокий уровень сахара в крови приводит к сосудистым проблемам всего тела, включая мозг. С развитием заболевания кровеносные сосуды становятся хрупкими и уязвимыми для повреждений.

Это приводит не только к диабету, но и к болезням сердца, инсульту, нарушениям зрения, ухудшению заживления ран, морщинистой коже и когнитивным проблемам. Диабет удваивает риск развития болезни Альцгеймера.

Показатели холестерина и триглицеридов тоже важны. Известно, что ткани мозга на 60% состоят из жира. Очевидно, что высокий уровень холестерина — это плохо для мозга. Но и слишком низкий его уровень — тоже плохо, поскольку определенные виды липопротеинов холестерина необходимы для производства половых гормонов и помогают мозгу нормально функционировать.

По данным Американской кардиологической ассоциации, оптимальные показатели следующие:

- *Общий холестерин (135–200 мг/дл, все, что ниже 135 ассоциируется с депрессией)*
- *Липопротеины высокой плотности (ЛПВП) (> = 60 мг/дл)*
- *Липопротеины низкой плотности (ЛПНП) (<100 мг/дл)*
- *Триглицериды (<100 мг/дл)*

Если ваши липиды несбалансированны, начинайте контролировать свою диету, принимайте рыбий жир и регулярно занимайтесь физкультурой. Конечно, вы должны обратиться к врачу. Кроме того, важно знать, что холестерин высокой плотности (ЛПВП) принято считать хорошим, а низкой плотности (ЛПНП) — вредным.

3. ***IgAlC*** **(анализ крови)** — Этот анализ выявляет средний уровень сахара в вашей крови за последние 2–3 месяца и используется для диагностики диабета и преддиабета. Нормальный результат для человека без диабета находится в диапазоне 4–5,6%. Преддиабет — 5,7–6,4%. Более высокое значение *IgAlC* может указывать на диабет.

4. Витамин D (анализ крови). Недостаток токоферолов (витамина D) связан с ожирением, депрессией, когнитивными нарушениями, заболеваниями сердца, снижением иммунитета, раком, психозами и многими причинами смертности. Проверьте уровень 25-гидрокситокоферола и, если он низкий, постарайтесь получать больше солнечного света безопасным способом и/или принимайте БАДы с витамином D_3.

Нормальный уровень витамина D составляет от 30 до 100 нг/дл (нанограмм на децилитр), оптимально — от 50 до 100 нг/дл. Лично я никогда не хотел быть в нижней части любого класса, в котором я когда-либо был. Рацион двух третей населения беден витамином D, такой же процент жителей США имеет избыточный вес или страдает ожирением. По данным одного исследования, когда уровень витамина D низкий, гормон лептин, который посылает сигналы о сытости (о том, что нужно прекратить есть), неэффективен. Одна из причин резкого роста дефицита витамина D в том, что люди используют солнцезащитные кремы и проводят больше времени внутри помещений или перед телевизором или компьютером.

5. Исследование гормональной активности щитовидной железы (анализ крови). Аномальные уровни гормонов щитовидной железы нередко являются причиной состояния беспокойства, депрессии, забывчивости, спутанности сознания и вялости. Недостаток гормонов щитовидной железы снижает общую активность мозга, что может повлиять на ваше мышление, оценки и самообладание и сделает для вас почти невозможным хорошее самочувствие. Пониженное функционирование щитовидной железы (гипофункция) может мешать эффективному снижению веса. Чтобы узнать состояние гормонов щитовидной железы, вы должны знать следующие анализы:

- *Гормон гипофиза, стимулирующий деятельность щитовидной железы (тиреотропный гормон гипофиза) (ТТГ)*
- *Свободный Т3*
- *Свободный Т4*
- *Антитела щитовидной железы (пероксидазы щитовидной железы и антитела тиреоглобулина)*

Нет идеального способа, нет симптома или результата анализа, с помощью которого можно было бы безошибочно диагностировать гипофункцию щитовидной железы, или гипотиреоз.

Важно учитывать ваши симптомы и анализы крови и затем принять решение. Симптомами гипотиреоза являются: усталость, депрессия, затуманенность сознания; сухость кожи; выпадение волос, особенно возле бровей; ощущение холода, когда другие чувствуют себя нормально, запор; хриплый голос и увеличение массы тела. Многие врачи не проверяют антитела щитовидной железы до тех пор, пока ТТГ не ставится высоким. Это большая ошибка.

У некоторых пациентов развивается аутоиммунитет против своей щитовидной железы, что заставляет ее работать слабо, даже если ТТГ нормальный. Вот почему оценка антител должна быть частью рутинного обследования.

6. С-реактивный белок (анализ крови) — это маркер воспаления. Усиление воспаления ассоциируется с рядом заболеваний и состояний, которые связаны с проблемами настроения, старением и когнитивными нарушениями. Жировые клетки производят химические вещества, которые увеличивают воспаление. Здоровый диапазон — от 0,0 до 1,0 мг/дл. Это очень хороший анализ. Он измеряет общий уровень воспаления, хотя и не выявляет его причины.

Наиболее распространенной причиной повышенного показателя С-реактивного белка является метаболический синдром (включающий резистентность к инсулину). Вторая наиболее распространенная причина — какие-то реакции на пищу либо настоящая аллергия, чувствительность к пище или аутоиммунные реакции. Высокий показатель С-реактивного белка может также указывать на скрытые инфекции. Вы узнаете больше о том, как обнаружить и преодолеть реакции на пищу в главе 5.

7. Гомоцистеин (анализ крови). Повышенный уровень гомоцистеина (>10 ммоль/л, или мкмоль на литр) в крови связан с повреждением стенок артерий и атеросклерозом (затвердевание и сужение артерий), а также с увеличенным риском сердечных приступов, инсультов, образования тромбов и, возможно, болезнью Альцгеймера. Это чувствительный маркер недостатка витаминов группы В, в том числе фолиевой кислоты.

Прием этих витаминов часто помогает вернуть уровень гомоцистеина в нормальный диапазон.

8. Ферритин (анализ крови). Показатель запасов железа, количество которого возрастает с воспалением и резистентностью к инсулину. Для женщин идеален диапазон от 15 до 200 нг/мл. Женщины, как правило, имеют более низкие запасы железа, чем мужчины, из-за потерь крови в результате многолетней менструации (ведь гемоглобин содержат железо). Некоторые полагают, что это одна из причин того, что женщины живут дольше мужчин.

Тем не менее вам не нужен недостаток ферритина, поскольку он связан с анемией, синдромом беспокойных ног и СДВГ, а также низкой мотивацией и энергией. Большие запасы железа ассоциированы с затвердеванием кровеносных сосудов и сосудистыми заболеваниями.

Некоторые исследования свидетельствуют, что донорство крови ради снижения высокого уровня ферритина может повысить гибкость кровеносных сосудов и помогает уменьшить риск заболеваний сердца. Кроме того, всякий раз, когда вы сдаете кровь, вы поступаете альтруистически, что идет на благо вашей душе и телу.

9. Свободный и общий уровень тестостерона в сыворотке крови. И у мужчин, и у женщин заниженный показатель тестостерона связан с низкой энергией, сердечно-сосудистыми заболеваниями, ожирением, снижением либидо, депрессией и болезнью Альцгеймера.

Для взрослых женщин нормальными считаются следующие значения:

- *Общий тестостерон у женщин (30–95 нг/дл)*
- *Свободный тестостерон у женщин (0,4–1,9 нг/дл)*

10. Кортизол (анализ слюны) и сульфатный ДГЭА-S (анализ крови). Эти гормоны надпочечников связаны со стрессом, и ДГЭА является прекурсором других гормонов. Чтобы знать больше о кортизоле, следует делать анализ слюны 4 раза в день (утром, в полдень, в обед и перед сном).

11. Эстроген и прогестерон. Эти показатели измеряют в крови или в слюне в зависимости от обстоятельств. Во время пременопаузы их обычно оценивают на 21-й день цикла; а после менопаузы можно делать анализ в любое время. Эстроген отвечает за смазку влагалища, способствует либидо, улучшению памяти и т.д.

Прогестерон успокаивает эмоции, создает безмятежный сон и действует как мочегонное средство. Более подробную информацию о гормонах вы найдете в следующей главе.

Активизация вашего мозга

Если результаты любого из этих анализов у вас далеко не оптимальны, следуйте советам, приводимым в этой книге, а также обратитесь к своему врачу за конкретными рекомендациями.

Знайте свои 12 изменяемых факторов риска для здоровья

Оцените, сколько из 12 изменяемых факторов риска для здоровья у вас имеется, а затем постарайтесь уменьшить их число. Вот список этих факторов, собранных исследователями из Высшей школы здравоохранения Гарварда. Обведите кружком те, которые касаются вас.

1. Курение
2. Высокое артериальное давление
3. Избыточный вес или ожирение
4. Гиподинамия
5. Высокий уровень глюкозы в крови натощак

6. Высокий уровень холестерина и липопротеинов низкой плотности (ЛПНП)
7. Злоупотребление алкоголем (несчастные случаи, травмы, насилие, цирроз печени, заболевание печени, рак, инсульт, болезнь сердца, гипертония)
8. Низкое содержание в рационе питания жирных кислот омега-3
9. Высокое содержание насыщенных жиров в рационе
10. Низкое содержание в рационе полиненасыщенных жиров
11. Высокое содержание в рационе пищевой соли
12. Низкое содержание в рационе фруктов и овощей

Лабораторные анализы Кейти

Анализы Кейти показали, что ее рацион и выбор образа жизни почти наверняка способствовали проблемам с ее мозгом. Хотя ее вес был в рамках нормы, ей нечасто удавалось поспать 8 часов в день. У нее был низкий показатель витамина D, и она ела мало фруктов и овощей. Поскольку она часто питалась фастфудом, она потребляла много соли и насыщенных жиров и очень мало жирных кислот омега-3. Плюс к этому она вела сидячий образ жизни.

Я знал, что корректировка рациона Кейти и улучшение ее сна ослабят ее беспокойство и улучшат ее настроение. Изменение этих элементов ее биологии было существенно для улучшения состояния ее мозга и раскрытия его потенциала.

АДРЕСНАЯ ПОМОЩЬ ДЛЯ ВАШИХ УЯЗВИМЫХ ОБЛАСТЕЙ

Как только вы завершили этот подход «Четыре круга», проанализировали здоровье систем своего мозга, оценили свои важные показатели и сделали ключевые лабораторные анализы, вы готовы стать более здоровой, чем когда-либо в своей жизни, поскольку разработали персонифицированный, адресный план, который обращается к вашей биологии, психологии, социальным связям и духовному здоровью. Когда вы смотрите на людей через линзу сканирования мозга, вы понимаете, что универсальный подход к лечению не имеет никакого смысла. Программа должна быть настроена или подстроена именно для данного мозга и тела.

Адресная помощь для Кейти

Метод комплексного ухода клиники Амен был чрезвычайно полезен для Кейти. Основываясь на том, что мы узнали из оценки обстоятельств Кейти, сканов ее мозга, анкетных опросов, ключевых цифр и лабораторных анализов, мы создали ее персональный план лечения «Четыре круга».

Биология. Здесь мы сосредоточились на улучшении сна, питания и физической активности Кейти. Она согласилась исключить из рациона алкоголь и кофеиновые напитки, а также нездоровую пищу и сделать упор на питании, полезном для мозга, фильтрованной воде и зеленом чае — все это потрясающие ингредиенты для мозга.

Мы также обнаружили, что Кейти чувствительна к двум типам продуктов — молочным продуктам и глютену (клейковине, содержащейся в пшенице и некоторых других зерновых). Ей пришлось устранить из диеты молочные продукты, продукты, изготовленные из пшеницы, ячменя, макаронные изделия, хлеб и другие изделия из белой муки. Как вы увидите в главе 5, желудочно-кишечный тракт — это практически второй мозг. В нем больше нейротрансмиттеров, чем в мозге. (Нейротрансмиттеры — это ключевые биохимические вещества нервной системы, которые регулируют настроение и энергию.)

В течение двух недель Кейти стала более спокойной, чем она была за многие годы, и ее проблемы с кишечником практически исчезли. Кроме того, она чувствовала себя более сосредоточенной и бодрой.

Помимо прочего мы стремились реабилитировать травмы головы Кейти. Первым шагом здесь стало развитие у Кейти зависти к здоровому мозгу. Как только она смогла сравнить свой скан со сканом здорового мозга, она отреагировала на это так, как и многие другие люди — пожелала сделать все, что в ее силах, чтобы позаботиться о своем мозге. Она была готова придерживаться привычек здорового мозга, которые будут описаны в следующем разделе: избегайте всего, что вредит вашему мозгу (плохое питание, недостаточный сон, хронический стресс) и последовательно делайте то, что поможет вашему мозгу (хорошо питайтесь, высыпайтесь и корректируйте любые негативные шаблоны мышления).

Я также прописал для Кейти простые биологически активные добавки. Я считаю, что каждый должен принимать поливитамины (поскольку большинство людей не едят положенные 5 порций[1] овощей и фруктов в день) и примерно 2000 мг рыбьего жира в форме пищевой добавки. Анализы Кейти показали, что ей не хватает витамина D, как и большинству людей, поэтому я предложил ей принимать БАДы с витамином D. Я также предложил Кейти принимать пробиотики, которые поддерживают пищеварение, пополняя кишечник полезными бактериями. И я дал Кейти специальную, разработанную мной добавку, которая поддерживает нормальный уровень серотонина, чтобы помочь ей меньше беспокоиться, а также выписал ей еще одну пищевую добавку, которая помогает функционировать мозгу.

Психология. У Кейти были очень высокие показатели в опроснике, оценивающем уровень стресса и беспокойства, и в опроснике, оценивающем негибкость (ригидность) мышления. Поэтому было очень важно научить ее терапии АНЕМов, используемой в наших клиниках, чтобы помочь ей изгнать негативные мысли, которые автоматически возникали в ее голо-

---

[1] Одна условная порция примерно равна по объему чашке (200 мл) или одному плоду среднего размера (апельсин, яблоко, помидор и т.п.). — *Прим. ред.*

ве. Я научу вас избавляться от подобных мыслей в главе 6, или вы можете перейти на сайт в www.amensolution.com, чтобы получить дополнительные сведения по этому поводу.

Кроме того, я посоветовал Кейти начать практиковать медитацию и еще использовать аудиозапись гипноза с нашего сайта. Медитация и самогипноз[1] очень помогают при беспокойстве. Кейти обнаружила, что применение этих инструментов для оздоровления мозга сразу же сделали ее более спокойной и сосредоточенной. Помимо этого, Кейти узнала, что, ощущая стресс, она может успокоиться, сделав 10 медленных глубоких вдохов.

Наконец, я поговорил с Кейти о том, как принимать правильные решения. Люди часто спрашивают меня: «Какую одну вещь нужно сделать, чтобы усилить мой мозг?» Начните принимать обоснованные решения сегодня. Как это сделать? Просто посадите в своем сознании вот эти три коротких слова: «И что потом?»

«Я думаю, что сегодня вечером засижусь допоздна, отвечая на электронные письма». И что потом? «О, если я это сделаю, то завтра буду уставшим и раздражительным, и я не смогу насладиться семейным ужином, который мы запланировали. Лягу-ка я лучше спать и хорошенько высплюсь».

«Возьму-ка я кусочек шоколадного торта из буфета». И что потом? «Ну, двадцать минут спустя я буду чувствовать себя виноватым, пристыженным и глупым. Мне не нравится это ощущение, поэтому возьму-ка я яблоко и уйду подальше от соблазна». Берите эти три слова с собой повсюду: и что потом?

Социальные связи. Как все люди, испытывающие стресс и беспокойство, Кэти в трудные моменты своей жизни замыкалась в себе, изолируясь от других. Я предложил ей в такие моменты обращаться к другим людям, которым она доверяет, чтобы выговориться. Ее родители, бойфренд и подруги могли стать доверенными членами ее группы поддержки.

---

[1] По-другому самогипноз называют аутогенной тренировкой. — *Прим. ред.*

Духовное здоровье. Выше, в круге «Духовное здоровье», я перечислял несколько вопросов, которые люди должны задать самим себе. Я призвал Кейти действительно подумать об этих вопросах, спрашивая себя, что означает ее жизнь, почему ей важно то, что ей важно. На нашем сайте вы найдете раздел «Одностраничное чудо», где у вас будет возможность подумать о том, что вы действительно хотите в своей жизни, в своих отношениях, на своей работе, в финансовой и личных сферах. Кейти заполнила эту страницу, и это действительно заставило ее задуматься. Она начала сосредоточиваться на смысле своей жизни и на том, что она хочет от нее. Она начала ежедневно просматривать свое «Одностраничное чудо», чтобы сосредоточиться на вещах, которые действительно значимы для нее.

Суть психического здоровья в знании о том, чего вы хотите, и затем в возможности действовать в соответствии с этим знанием. Например, я спрашиваю себя: «Если я хочу добрых, заботливых отношений с женой, что мне нужно сделать, чтобы они возникли?» Кейти спросила себя: «Если я хочу поступить в юридический вуз, что мне нужно сделать, чтобы это произошло?»

Этот вопрос привел Кейти к пониманию того, что для попадания в юридический вуз нужно сдать экзамены, а для того, чтобы их сдать, нужно не заболеть во время экзаменов. Теперь она чувствовала больше мотивации, чтобы сбалансировать состояние своего мозга.

РЕГУЛЯРНЫЕ ПРИВЫЧКИ ЗДОРОВОГО МОЗГА

Разработка регулярных привычек здорового мозга — важнейшая веха в усилении вашего мозга и раскрытии его потенциала. Вы должны отнестись к своим привычкам серьезно и придерживаться тех, которые служат вам, а не обкрадывают вас. За многие годы я пришел к невероятно простому способу укрепить здоровье мозга. В нем всего три шага:

1. *Выработайте у себя зависть к здоровому мозгу.* Вам нужно действительно захотеть иметь более здоровый мозг.

2. *Избегайте всего, что вредит вашему мозгу.* Это подразумевает наркотики, алкоголь, токсины окружающей среды, ожирение, гипертонию, сахарный диабет, сердечно-сосудистые заболевания, сонное апноэ, депрессию, негативные шаблоны мышления, чрезмерный стресс и недостаток физических упражнений и новых знаний.

3. *Последовательно делайте то, что помогает вашему мозгу.* Питайтесь здоровой пищей, постоянно изучайте что-то новое, занимайтесь физкультурой, развивайте позитивное мышление, управляйте стрессом и принимайте несколько простых пищевых добавок для питания вашего мозга.

ВЫСОКИЙ УРОВЕНЬ УСПЕХА

Чтобы быть на высоте, необходимо соединить все эти вещи воедино. Использование интегрированного подхода к усилению своего мозга дает вам лучший шанс прекрасно себя чувствовать, отлично выглядеть и достичь нормального веса.

УПРАЖНЕНИЕ 3. ОЦЕНИТЕ СЕБЯ

Посмотрите «Четыре круга». Сделайте копию рисунка «Четыре круга» (он приведен выше) и отметьте те области в каждом круге, которые относятся к вам, чтобы увидеть свои сильные и слабые места.

Пройдите тест «Тип мозга». Зарегистрируйтесь на сайте www.amensolution.com, дабы выяснить, какие из систем вашего мозга нуждаются в помощи и какие именно биологически активные добавки могут быть полезными для вас.

Пройдите круглосуточную оценку здоровья мозга. На сайте www.amensolution.com вы найдете также индивидуальный комплекс упражнений в виде веселых игр для оптимизации вашего мозга.

Вы можете зарегистрироваться на этом сайте всего за доллар за две недели или остаться на более продолжительное время.

Знайте свои важные показатели. Запишите их там, где вы можете видеть их, и старайтесь их улучшить. Если у вас нет всех результатов анализов, которые я рекомендую сделать, то попросите своего врача провести лабораторные анализы, упомянутые ранее в этой главе. Если врач не сделает этого, обратитесь к другому врачу. Вы должны быть лидером своей медицинской команды.

Глава 4

СБАЛАНСИРУЙТЕ СВОИ ГОРМОНЫ, ЧТОБЫ ПОВЫСИТЬ АКТИВНОСТЬ МОЗГА

СБАЛАНСИРУЙТЕ ЭСТРОГЕН, ПРОГЕСТЕРОН, ТЕСТОСТЕРОН, ГОРМОНЫ ЩИТОВИДНОЙ ЖЕЛЕЗЫ, КОРТИЗОЛ, ДГЭА И ИНСУЛИН

Оптимизация ваших главных гормонов — это четвертый шаг на пути раскрытия потенциала женского мозга.

Я поняла, что со мной что-то не в порядке, когда я, обычно милая девушка, запросто стала показывать неприличные жесты тем, кто раздражал меня на автотрассе, — хорошо еще, что я не живу в Лос-Анджелесе или Нью-Йорке, иначе бы я вас убила!

(Одна из моих пациенток, во время ПМС)

Ниже приводятся частые жалобы, которые я получаю от своих пациенток, и все они могут быть связаны с гормонами. Знание о том, как проверить, сбалансировать и оптимизировать свои гормоны, крайне важно для раскрытия потенциала женского мозга.

- *«Я неважно себя чувствую».*
- *«У меня спутанность сознания».*
- *«Моя память стала работать хуже, чем когда-либо».*
- *«У меня все болит».*
- *«Я не могу спать».*

- *«У меня нет никакого интереса к сексу».*
- *«Я только что просто так накричала на мою дочь-подростка. Я ненавижу себя».*
- *«Я чувствую, что сейчас выйду из себя».*
- *«Я голоднее, чем когда-либо».*

Конечно, гормональные проблемы бывают не только у женщин. Посмотрите на любого подростка. Сегодня ученые говорят и о переменах в жизни мужчин среднего возраста, которые называются андропаузой.

Однако, имея пять сестер, трех дочерей и внучку-подростка, я знаю, что перепады в жизни мужчины — это ничто по сравнению с дикой пляской гормонов, с которой сталкиваются женщины.

У многих мужчин мужской гормон тестостерон достигает своего пикового уровня в возрасте около 18 лет, и затем медленно и долго снижается к старости. А у женщины гормональные изменения похожи на американские горки и не раз проходят через вершины, долины, быстрые повороты и резкие остановки.

Вступление женщин в период полового созревания начинается с шока. Наверное, каждая женщина помнит свою первую менструацию. И эти ежемесячные напоминания сохраняются в течение многих лет, подпитываемые гормональным циклом, который может повлиять на ваши ощущения и образ мышления и подарить вам в придачу и угри. А затем еще цунами гормонов, которое приходит вместе с беременностью, родами и послеродовыми изменениями. Наконец, после многих лет гормонального цикла вы сталкиваетесь со штормом перименопаузы и менопаузы.

Так что вы можете сделать?

Оказывается, много чего. Новые исследования и клиническая работа теперь предлагают эффективные решения для женщин, которые готовы вернуть себе контроль над своими гормонами и своей жизнью.

ВАШ МОЗГ УПРАВЛЯЕТСЯ ГОРМОНАМИ

Тело человека — это удивительный комплекс систем и органов. Когда все работает слаженно, ваш организм играет, как точно настроенный оркестр, где ваш мозг, яичники, надпочечники, поджелудочная и щитовидная железы делают то, что они должны делать в нужное для этого время.

Ваш мозг либо активен, либо молчит. Ваши органы совместно играют приятную мелодию, и ваше ощущение благополучия отражает гармонию внутри. Вы чувствуете себя счастливым и энергичным. Вы спите хорошо, и у вас хорошее пищеварение. Ваш стресс под контролем. Нет ни одной фальшивой ноты. Жизнь прекрасна.

Однако для того, чтобы сложилась такая гармония, различным частям этого оркестра нужно общаться друг с другом, чтобы они знали, когда им необходимо играть громко, мягко или вообще перестать играть. И вот тут в дело вступают ваши гормоны. Гормоны — это химические вестники, производимые определенными органами, которые распространяются через кровообращение, информируя все клетки и органы о том, что происходит, чтобы каждый из них мог внести свой вклад в общую музыку.

Ваши гормоны — это тонкие системы, которые могут зависеть от многих факторов, как внутри, так и снаружи вашего тела. Проблемы начинаются, когда гормоны выходят из состояния баланса. Возможно, щитовидная железа вырабатывает слишком много своих тиреоидов или чересчур мало, а все остальное выходит из строя. Женщины чаще мужчин имеют эти проблемы.

К счастью, наши знания о гормонах и о том, как их сбалансировать, расширяются. И известно множество средств, которые можно использовать для работы с гормональными проблемами и которые помогут снова обрести контроль над ними.

Но мы должны начать с того момента, в котором мы находимся, так что давайте посмотрим, что происходит, когда что-то работает неправильно.

Существуют две основные проблемы с гормонами у женщин: неприятные симптомы, способные изменять ваше мышление, ощущения, поступки, влияя на качество вашей жизни и повышая риск возникновения таких заболеваний, как депрессия, болезнь Альцгеймера, сердечно-сосудистые заболевания, остеопороз, диабет и некоторые виды рака.

Знаком ли вам один из следующих сценариев?

> Вы набираете вес и не знаете почему. Вы подозреваете, что это из-за пакетика чипсов и сальсы, которые вы едите каждую ночь с парой бокалов вина, но вы не понимаете, откуда у вас эта тяга к подобной еде и почему вы не можете отказаться от нее.
>
> Или, может быть, вы чувствуете депрессию, беспокойство, раздражительность без видимых причин. Очень заманчиво винить ваших непочтительных детей, или вашего безразличного мужа, или раздражающую вас свекровь. Но действительно ли они являются причиной? Почему они раздражают вас особенно сильно в определенное время месяца?
>
> Или вы просыпаетесь посреди ночи, объятая беспокойством и мучимая неприятными мыслями, которым тесно в вашей голове? Ваш муж счастливо храпит рядом с вами. Почему он не тревожится так сильно, как вы, по поводу сломанного водонагревателя?

Существует очень тесное взаимное влияние между гормонами и мозгом. Мозг вырабатывает сигналы для продуцирования гормонов. На мозг влияют гормоны и из других частей тела. Например, когда деятельность щитовидной железы низкая, активность мозга, как правило, тоже снижается. Вот почему гипотиреоз часто сопровождается депрессией, раздражительностью и затуманенностью сознания.

> Баланс гормонов очень важен для здоровья вашего мозга.

Действующие лица

Существуют сотни гормонов в организме, которые влияют на мозг. С практической точки зрения я покажу вам, как оптимизировать семь ваших самых важных гормонов:

- *Эстроген*
- *Прогестерон*
- *Тестостерон*
- *Гормоны щитовидной железы*
- *Кортизол*
- *Дегидроэпиандростерон (ДГЭА)*
- *Инсулин*

Ввиду важности и сложности темы я разделил эту главу на две части.

ЧАСТЬ ПЕРВАЯ: КАК СБАЛАНСИРОВАТЬ УРОВЕНЬ ЭСТРОГЕНА, ПРОГЕСТЕРОНА И ТЕСТОСТЕРОНА

> Когда у вас недостаток прогестерона и дисбаланс других гормонов, вам кажется, будто вас буквально лишили той части мозга, которая отвечает за принятие решений. Женщины описывают это чувство, говоря, что они гневаются и раздражаются так, будто это и не они.
>
> *Тами Меральья, доктор медицины,*
> *врач интеграционной медицины*

Эстроген и прогестерон: женские половые гормоны

Эстроген

Эстроген помогает вам ясно мыслить. Прогестерон позволяет вам расслабиться.

Два основных гормона, которые управляют менструальным циклом, — это эстроген и прогестерон. Они представляют собой нечто гораздо большее, чем просто репродуктивные гормоны. На самом деле они влияют на многие системы организма, в том числе костную, сердечно-сосудистую, репродуктивную и на мозг. И эти гормоны есть не только у женщин. У мужчины тоже, но только в гораздо меньших количествах (если мужчина не страдает ожирением или другими состояниями, связанными с повышенным производством эстрогена).

Менструальный цикл женщины отражает естественный рост и падение эстрогена и прогестерона в течение обычного 28-дневного цикла. Если все работает правильно, эстроген плавно поднимается и падает дважды на протяжении этого срока, а прогестерон поднимается и падает один раз. График, приведенный ниже, демонстрирует цикл *эстрадиола* — одной из ключевых форм эстрогена, и прогестерона. Подробнее о различных формах эстрогена чуть позже.

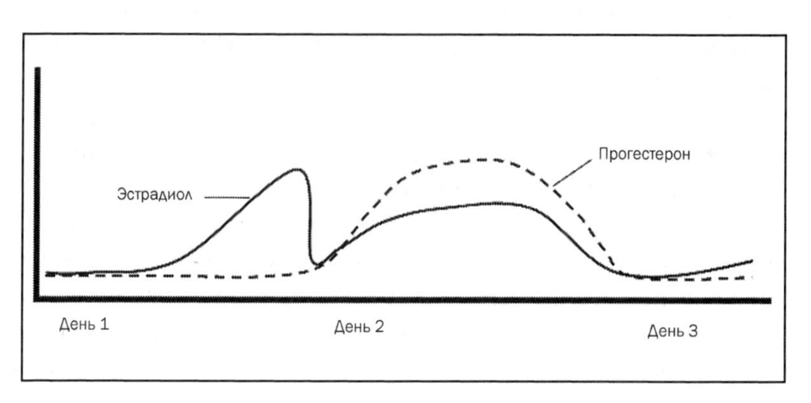

Нормальный уровень эстрогена помогает вам чувствовать себя хорошо. Избыток эстрогена может заставить вас чувствовать такое беспокойство и раздражительность, какие ощущает мокрая кошка. Недостаток эстрогена заставляет вас чувствовать себя подавленной и запутанной. Именно повышение и падение уровня эстрогена существенно влияет на ваше настроение, и чем беспорядочней эта чехарда, тем больше вы расстраиваетесь. Такие проблемы усугубляются во время перименопаузы и менопаузы, когда уровень эстрогена снижается.

Существуют три различных вида эстрогена: *эстрон, эстрадиол* и *эстриол*. По словам моего друга и коллеги доктора Джеймса Лавалля, автора книги «Метаболический код», эстрон — это эстроген, о котором стоит беспокоиться. Эстрон делает вас более склонной к раку.

Здоровье вашей печени, кишечника, надпочечников определяет тип производимых гормонов. В зависимости от того, как вы заботитесь о своем теле, вы можете побудить его производить здоровые или нездоровые эстрогены. С возрастом уровень эстрадиола и эстриола у женщин падает, а уровень эстрона возрастает.

Эстрон. Он является основным эстрогеном, производимым в организме женщины после менопаузы. Увы, эстрон способствует развитию рака груди и матки. До менопаузы организм женщины вырабатывает все три эстрогена и прогестерон. Большая часть эстрона производится в печени, надпочечниках и жировой ткани. После менопаузы уровень эстрадиола, эстриола, прогестерона резко падает, и их защитные последствия для здоровья исчезают. Неудивительно, что большинство случаев рака молочной железы возникает у женщин в постменопаузе. Женщины, страдающие ожирением, подвергаются более высокому риску. Потребление алкоголя тоже повышает уровень эстрона, что может быть причиной наличия связи между потреблением алкоголя и раком молочной железы. Выработка эстрона увеличивается и с избытком сахара, при применении антацидного циметидина (продается под маркой *Tagamet*), противозачаточных таблеток, гипотиреозе, курении и воздействии пестицидов.

Эстрадиол. Это сильнейший эстроген, он помогает вам ясно мыслить. Он вырабатывается в яичниках и имеет множество защитных эффектов, в том числе поддерживает плотность костной ткани, увеличивает количество гормонов роста, улучшает состояние сердечно-сосудистой системы, сохраняет вашу кровь от загустевания, поддерживает когнитивные функции и настроение и балансирует состояние липидов. Избыток эстрадиола ассоциирован с онкологическими заболеваниями, вызванными эстроном, но его недостаток может привести к остеопорозу, заболеваниям сердца, деменции и другим недугам старения. Эстрадиол заставляет вас выглядеть и чувствовать себя молодой и энергичной. Он обеспечивает антивозрастную защиту и для кожи. Кроме того, он даже помогает предотвратить увеличение веса. Исследователи из Йельского университета обнаружили, что эстрадиол подавляет аппетит, используя те же пути в мозге, что и лептин — один из регулирующих аппетит гормонов. Во время перименопаузы и менопаузы выработка эстрадиола начинает снижаться, что может быть одной из причин того, что женщинам в этот период так трудно контролировать массу своего тела. Они буквально все время хотят есть.

Эстриол. Он самый слабый из трех эстрогенов, но защищает ткани молочной железы. Считается, что он защищает и вагинальные ткани тоже.

Эстриол позволяет уменьшить приступообразные ощущения жара у женщин, оберегает мочеиспускательный тракт и помогает сохранению плотности костей. Он способствует увеличению количества «хорошего» холестерина (липопротеины высокой плотности) и снижению «плохого» холестерина (липопротеины низкой плотности). Одно замечательное исследование показало, что прием эстриола может полностью устранить повреждение мозга у женщин с рассеянным склерозом.

> Эстроген необходим женщинам и для того, чтобы серотонин наилучшим образом функционировал в мозге.

Серотонин относится к гормонам хорошего настроения. Без эстрогена ваше настроение может измениться и стать тревожным и подавленным. Когнитивные функции, такие как критическое мышление и кратковременная память, тоже ухудшаются при снижении производства эстрогена.

Ниже приводится список симптомов, связанных с низким и высоким уровнем эстрогена.

Недостаток эстрогена

- *Увеличение веса*
- *Недержание мочи и инфекции мочевого пузыря*
- *Перепады настроения/депрессия*
- *Бессонница*
- *Низкое либидо*
- *Учащенное сердцебиение*
- *Остеопороз*
- *Болезненный половой акт*
- *Затуманенность сознания*
- *Раздражительность*
- *Усталость*
- *Слезливость*
- *Приступообразные ощущения жара*
- *Боли*

Высокий уровень эстрогена

- *Отечность*
- *Сильное кровотечение*
- *Фиброзный кистоз груди*
- *Низкое либидо*
- *Тяга к углеводам*
- *Жировые отложения вокруг бедер*
- *Вагинальный грибок или грибок ротовой полости (молочница)*
- *Колебания настроения/раздражительность*
- *Чувствительная грудь*
- *Головные боли или мигрень*

У молодой здоровой женщины среднее соотношение эстрогена обычно выглядит так: 60–80% эстриола, 10–20% эстрадиола, и 10–20% эстрона. Поскольку эти показатели изменяются от одного человека к другому, цель биоидентичной гормональной восстановительной терапии (БГВТ), которая будет обсуждаться позже, — воссоздать более естественный баланс уровня эстрогена в сочетании со всеми другими половыми гормонами.

Эстрогены преобразовываются в несколько метаболитов. Эстрон, например, может преобразоваться в три различные формы:

- *2-гидроксиэстрон — защищает от рака*
- *4-гидроксиэстрон — способствует развитию рака*
- *16 альфа-гидроксиэстрон — способствует развитию рака*

Таким образом, 2-гидроксиэстрон считается «хорошим» эстрогеном-метаболитом, тогда как 4-гидроксиэстрон и 16 альфа-гидроксиэстрон ассоциированы с развитием определенных типов рака, таких как рак груди и яичников. Эти «плохие эстрогены» также связаны с миомой матки, яичниковой кистой и фиброзным кистозом груди.

Главные области расщепления эстрогена — печень и желудочно-кишечный тракт. *Пища, в которой много сахара и мало клетчатки, подкармливает патогенные бактерии в кишечнике, заставляя их нарушать метаболизм эстрогена.* Один из побочных продуктов патогенных бактерий в кишечнике — это неприятности, связанные с накоплением метаболитов-эстрогенов в ваших тканях из-за невозможности их выведения наружу.

Соотношение 2-гидроксиэстрона (хорошего эстрогена) и 16-альфа-гидроксиэстрона (плохого эстрогена) составляет 2:16. Чем выше первый показатель, тем лучше. Минимальное приемлемое значение — 2, а в идеале — 4. Более низкие значения ассоциированы с раком груди и яичников. Вы можете легко проверить это соотношение с помощью домашнего анализа мочи, информация об этом доступна в Интернете.

Изменения в питании, оптимизирующие соотношение 2:16

Есть отличные продукты, которые могут помочь интенсифицировать преобразования эстрогена в хорошие метаболиты и уменьшить количество плохих метаболитов. Это клетчатка, или *нерастворимые пищевые волокна,* такие как лигнин (содержащийся в зеленых бобах, горохе, моркови, семечках и бразильских орехах). Пищевые волокна могут связывать вредные эстрогены в желудочно-кишечном тракте и выводить из организма вместе с калом. Кроме того, благодаря растительной клетчатке улучшается состав кишечных бактерий. Клетчатка также замедляет превращение тестостерона в эстроген, поддерживая нормальный уровень тестостерона.

Сахар и простые углеводы заставляют развиваться в желудочно-кишечном тракте неблагоприятную флору, которая нарушает метаболизм эстрогенов. Эти продукты к тому же повышают уровень сахара и инсулина в крови, что приводит к неблагоприятным воздействиям на баланс половых гормонов. Избыток простых углеводов связан с риском возникновения рака молочной железы во время постменопаузы у полных женщин и у женщин с большой окружностью талии.

По возможности избегайте употребления мяса животных, выращенных на гормонах или антибиотиках. Европа не принимает американскую говядину, напичканную гормонами, — из-за рисков для здоровья. Ищите органическое (натуральное) мясо — мясо скота или птицы, пасшихся на траве, богатое омега-3 жирными кислотами, а, следовательно, снижающее воспаление и помогающее вашим рецепторам гормонов функционировать нормально. Ешьте органические (деревенские) овощи, фрукты, орехи, семечки, бобы и зерна.

Считается, что пестициды вызывают гормональный дисбаланс, и некоторые их виды действуют как «эндокринные разрушители», вмешиваясь в естественную систему гормонов организма и вызывая множество проблем со здоровьем. Хотя Агентство по охране окружающей среды обратило внимание на эту проблему в 1999 году, на рынке произошло еще мало изменений, и будет неплохо, если женщины займутся самообразованием по этому важному вопросу. (Мы рассмотрим его более подробно далее в этой главе.)

Изменения образа жизни, которые помогут сбалансировать соотношение 2:16

Ваш образ жизни может привести к тому, что природные эстрогены разрушат естественный баланс вашего организма. Вот несколько советов от доктора Лавалля.

1. Как можно реже пейте из пластиковых емкостей, а если пьете, то пейте только из таких емкостей, которые не содержат бисфенол А, более известный как ВРА.
2. Еду в микроволновой печи не стоит готовить в пластиковых контейнерах или закрытую пластиком.
3. Избегайте использовать такие кремы для лица, косметику, шампуни и туалетные принадлежности, которые содержат природные эстрогены и особенно фталаты. Фталаты — это синтетические вещества, содержащиеся во многих пластмассах. Они имеют эстрогенные свойства и запрещены как токсичные вещества в Европе.

Биологически активные добавки, улучшающие метаболизм эстрогенов

Дииндолилметан (ДИМ) — это фитохимикат, содержащийся в крестоцветных овощах вроде руколы, брокколи и цветной капусты. Он сдвигает метаболизм эстрогена в пользу благоприятных или безвредных метаболитов эстрогена. Всего за 4 недели ДИМ способен значительно увеличить выведение с мочой «плохих» эстрогенов. Обычная доза ДИМ составляет 75–300 мг в день.

Омега-3 жирные кислоты (рыбий жир). К ним, среди прочих, относится эйкозапентаеновая кислота (ЭПК). Она, как было доказано в ходе лабораторных исследований, помогает контролировать метаболизм эстрогена и снизить риск рака молочной железы. Мясо животных, откормленных травой, содержит жиры омега-3. Обычно я рекомендую 2000 мг в день.

D-глюкарат кальция. Это природное соединение содержится во фруктах и овощах, таких как яблоки, брюссельская капуста, брокколи и белокочанная капуста. D-глюкарат кальция ингибирует фермент, который способствует возникновению рака молочной железы, предстательной железы и толстой кишки. Он также снижает количество эстрогена, впитываемого из пищеварительного тракта. Обычная доза D-глюкарата кальция составляет 500–1500 мг в день.

Пробиотики. Это бактерии, помогающие поддерживать здоровую кишечную флору и нормальный уровень эстрогена. Принимайте 10–60 млрд единиц в день.

Растительные фитоэстрогены. Они обладают здоровой эстрогенподобной активностью. Полезны при различных состояниях, в том числе при симптомах менопаузы, ПМС и эндометриозе. Фитоэстрогены содержатся в сое, кудзу, красном клевере и гранатах.

Ресвератрол. Это биофлавоноидный антиоксидант, который содержится в винограде и красном вине. Согласно данным лабораторных исследований он подавляет рост клеток рака груди.

Воронец красный. Эта трава в течение столетий использовалась североамериканскими индейцами для гормонального баланса у женщин. В последние тридцать лет европейские врачи широко использовали ее для помощи женщинам, переживающим менопаузу. В исследованиях на людях было обнаружено, что воронец снимает приливы крови (приступообразное ощущение жара), связанные с менопаузой.

В отличие от обычного воздействия эстрогена на лиц, предрасположенных к раку молочной железы, воронец в лабораторных исследованиях показал способность ингибирования (подавления) раковых клеток. В большинстве исследований использовались дозы 20–80 мг, принимаемые дважды в день, которые обеспечивали 4–8 мг тритерпеновых гликозидов в течение 6 месяцев.

Мелатонин. Этот гормон вырабатывается в шишковидной железе, которая, наряду с другими функциями, вырабатывает вещества, способствующие хорошему сну. Уровень мелатонина снижается с возрастом и может привести к нарушениям сна, обычным во время менопаузы. Мелатонин, как продемонстрировали лабораторные исследования, тормозит рост клеток рака молочной железы. Мелатонин действует в качестве противовоспалительного и антиоксидантного средства в головном мозге и в других тканях, например тканях кишечника. Исследования показывают, что недостаток мелатонина увеличивает риск рака молочной железы у женщин. Так что если у вас возникли проблемы со сном, попробуйте принимать 3–6 мг мелатонина перед сном. Это может укрепить вашу иммунную систему и помочь заснуть.

Эстроген и боль

В ходе исследования, проведенного журналом *Journal of Neuroscience*, тестировалась болевая чувствительность у женщин в разное время менструального цикла — сначала во время менструации, когда уровень эстрадиола находится на самой низкой отметке, а затем, когда уровень эстрадиола был максимальным. Женщин в этом исследовании подвергали контролируемому количеству боли и просили их оценить уровень дискомфорта. При низком уровне эстрадиола женщины сообщили, что чувствуют гораздо больше боли, чем когда этого гормона было много. Таким образом, когда уровень эстрогена низкий, например во время менопаузы либо в предменструальной и менструальной фазе цикла, вы, скорее всего, чувствуете боль острее, что, вероятно, также относится и к эмоциональной боли. Еще одна причина того, почему умный мужчина должен быть особенно чувствительным в это время!

Прогестерон

Прогестерон — это нечто гораздо большее, чем половой гормон: он способен поддерживать ГАМК (гамма-аминомасляная кислота — основной успокаивающий нейротрансмиттер в мозге) и миелиновые оболочки.

Другим крупным гормональным игроком в вашем цикле является прогестерон. Он помогает подготовить матку к имплантации здоровой оплодотворенной яйцеклетки и поддерживает беременность. Если имплантации не происходит, уровень прогестерона падает и начинается другой цикл.

В мозге очень большая концентрация рецепторов прогестерона. Прогестерон может поддерживать ГАМК — нейротрансмиттер релаксации мозга, защищающий нервные клетки, а также поддерживает миелиновые оболочки нейронов. Мне нравится думать, что прогестерон — это «гормон хорошего настроения». Он заставляет вас чувствовать себя спокойно и умиротворенно и способствует сну. Он похож на натуральный валиум, но лучше, потому что вместо того чтобы туманить ваш мозг, он обостряет мышление. Кроме того, было доказано, что прогестерон помогает при травмах головного мозга, уменьшая воспаление и противодействуя повреждениям.

Уровень прогестерона повышается во время беременности, и именно поэтому многие беременные чувствуют себя великолепно. Некоторые женщины с гормональными проблемами чувствуют себя во время беременности настолько хорошо, что сознательно беременеют снова и снова, чтобы почувствовать себя нормально. Помимо периода беременности высокий уровень прогестерона у женщин наблюдается редко. Тем не менее женщины, которые принимают много прогестерона, могут впасть в депрессию или чувствовать себя как в течение первых нескольких недель беременности, испытывая утреннюю тошноту, сонливость и тупую боль в спине.

Уровень прогестерона низок в течение первых двух недель менструального цикла. Затем, во время второй половины цикла, он начинает повышаться и понижаться вместе с эстрогеном. Снижение уровня прогестерона означает потерю гормона хорошего настроения. Спокойствие сменяется тревогой и раздражительностью. Нарушается сон. Все становится немного размытым. Наряду с эстрогеном уровень прогестерона резко падает прямо перед менструацией, и для некоторых женщин это время, когда у них начинает уходить из-под ног почва. Их гормональная поддержка рушится. Вот типичные симптомы:

Недостаток прогестерона

- *Тревога/депрессия*
- *Проблемы со сном*
- *Фиброзно-кистозная мастопатия*
- *ПМС*
- *Предменструальные головные боли*
- *Послеродовая депрессия*
- *Потеря костной массы*

Уровень прогестерона может значительно колебаться у женщин, которым за 30 и за 40 лет, что заставляет их чувствовать беспокойство и раздражительность. В таких случаях иногда назначают прогестерон-крем, который нужно применять под присмотром опытного врача.

Выработка прогестерона может снизиться из-за низкого уровня гормонов щитовидной железы, использования антидепрессантов, хронического стресса, недостатка витаминов A, B_6, C или цинка, а также при рационе с высоким содержанием сахара. Было обнаружено, что поддержанию нормального уровня прогестерона способствует монашеский перец (витекс священный). Кроме того, его иногда назначают, чтобы уменьшить симптомы ПМС и эндометриоз (20–40 мг в день).

ПМС: месячный цикл может быть кошмарным

Я знаю, что предменструальный синдром (ПМС) вполне реален. Сталкиваясь с таким количеством эстрогена в своем окружении, я узнал это из первых рук. Переменчивость настроения моих сестер и дочерей знакома мне не понаслышке. Но после того как я увидел ПМС на скане мозга, я все понял. Мои пациентки доказали мне, что ПМС — это нечто большее, чем гормональная проблема. На самом деле это расстройство мозга. И первой женщиной, которая показала мне то, как оно выглядит, была Джесси.

Джесси

Я впервые увидел Джесси вскоре после того как она рассталась со своим мужем. Во время ссоры с ним она вытащила нож и сказала ему, чтобы он не ложился спать. Он ушел от нее в этот же вечер. Оказалось, что у Джесси уже давно были проблемы с самообладанием, которые возникали одновременно с началом ее менструального цикла. Регулярно за неделю до начала менструации она становилась капризной, беспокойной и агрессивной. Проблему усугубляло то, что она злоупотребляла алкоголем. Инцидент с ножом произошел именно в этот период ее менструального цикла.

Когда Джесси пришла ко мне, я знал, что было бы полезно выяснить, что происходит в ее мозге. Я сканировал ее мозг во время худшей части ее менструального цикла, а потом опять, через две недели, когда она обычно чувствовала себя лучше. Результаты были поразительными. Два комплекта сканов выглядели так, будто их сделали с мозга разных людей. В самый злосчастный момент менструального цикла области беспокойства в мозге Джесси были гиперактивны, что заставляло ее зацикливаются на определенных вещах, а в лобных долях, отвечающих за суждения и контроль над импульсивностью, наблюдалась пониженная активность. Алкоголь, скорее всего, еще больше снижал ее способность контролировать свое поведение. Именно поэтому она набросилась на мужа, и идея схватить нож не была должным образом обработана и отфильтрована ее мозгом. Во время благоприятной фазы месячного цикла мозг Джесси был гораздо более сбалансированным. Решением проблемы этой женщины была не только психотерапия, направленная на управление гневом. Она должна была поставить под контроль свои гормональные колебания.

В дни перед началом менструации уровни эстрогена и прогестерона снижаются. На сканах я вижу, как включаются центры беспокойства мозга (передняя поясная извилина), в результате женщины могут зацикливаться на негативных мыслях или совершают опрометчивые поступки, которые, по их мнению, помогут им чувствовать себя лучше, например начинают выпивать или есть сладкое.

Перевозбуждение передней поясной извилины — это результат ряда событий. И в первую очередь снижения уровня эстрогена. Между тем уровень серотонина — нейротрансмиттера спокойствия и хорошего настроения — тоже падает.

СКАН ОЭКТ ДЖЕССИ

Злосчастная часть цикла

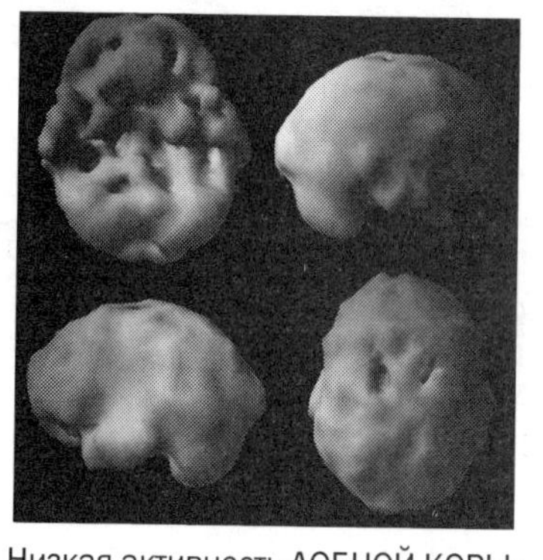

Низкая активность ЛОБНОЙ КОРЫ: импульсивность, недальновидность

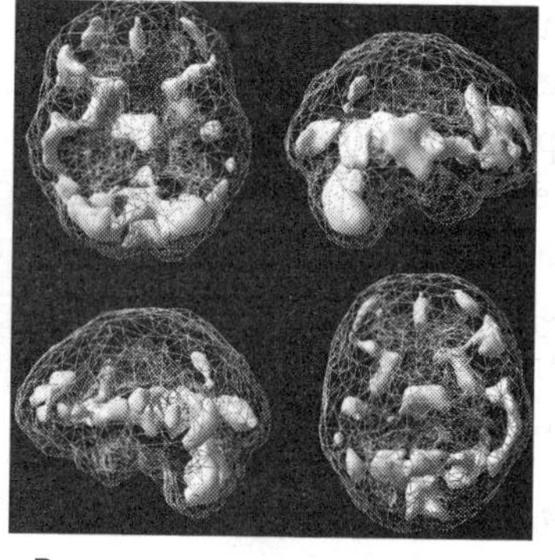

Высокая активность передней части поясной извилины: проблемы с переключением внимания, негибкость мышления

Благоприятная часть цикла

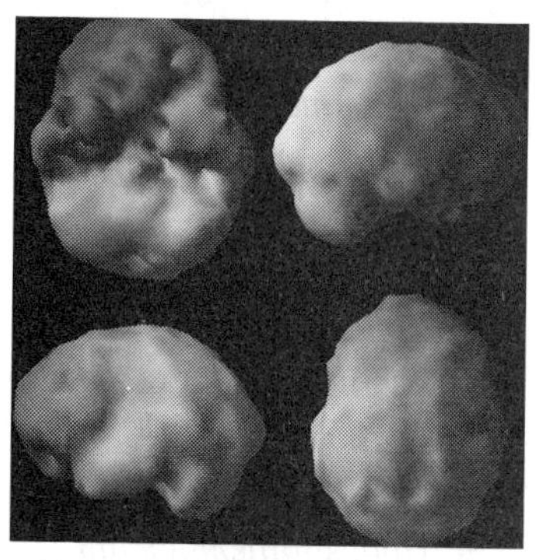

Улучшение общей активности

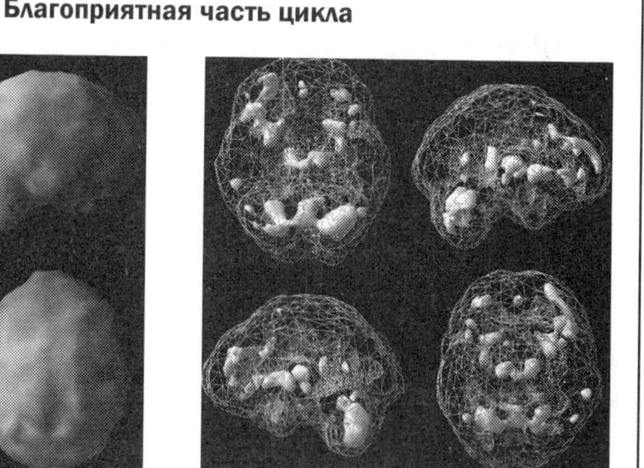

Более спокойное состояние передней части поясной извилины

Недостаток серотонина заставляет загораться переднюю часть поясной извилины. Усугубляет ситуацию то, что примерно в это же время остальная кора лобных долей подавляется, поэтому женщинам становится труднее концентрироваться и контролировать свои импульсы. Итак, мы видим эмоциональные трудности, склонность к грусти и нарушения сна.

С этим достаточно трудно мириться из месяца в месяц. Но к тому времени, когда вам будет под сорок, ваш организм будет менее эффективен в производстве прогестерона. А когда вам будет за сорок, ваша кривая прогестерона прекратит делать ту прекрасную горку. Исследования показывают, что уровень прогестерона начинает снижаться за 8 лет до начала менопаузы. Память ухудшается и становится трудно сосредоточиться, могут наблюдаться перепады настроения. Ваш мозг теряет свое природное снотворное и успокаивающий гормон. Это может привести к семейным проблемам, а иногда и к развитию зависимостей.

Множество симптомов ПМС

- *Прыщи*
- *Чувствительность к алкоголю*
- *Гнев*
- *Тревога*
- *Изменение аппетита*
- *Вздутие живота*
- *Болезненность молочных желез*
- *Неуклюжесть*
- *Смятение*
- *Запор*
- *Судороги*
- *Тяга к сладкому или соленому*
- *Снижение полового влечения*
- *Депрессия*
- *Рассеянность*
- *Усталость*
- *Забывчивость*
- *Головные боли и/или мигрени*
- *Вспышки герпеса*
- *Импульсивность*
- *Бессонница*
- *Раздражительность*
- *Перепады настроения*
- *Панические атаки*
- *Подозрительность*
- *Плаксивость*
- *Увеличение веса*

Симптомы ПМС могут быть спровоцированы противозачаточными таблетками, беременностью, выкидышами, абортами, перевязкой маточных труб, частичной гистерэктомией, старением и низким уровнем магния. Они усугубляются пониженным содержанием сахара в крови, кофеином, плохим питанием и пропуском приемов пищи. Осложняет дело то, что эти симптомы часто неправильно диагностируются как невротические расстройства (тревога, депрессия, панические атаки, агорафобия, расстройства пищевого поведения, расстройства личности).

Помощь при ПМС. Недостаток прогестерона — одна из причин симптомов ПМС. Иногда помогает прогестероновый крем, используемый во время последней недели менструального цикла. Я также рекомендуют комбинацию пищевых добавок, чтобы сбалансировать мозг, особенно 400–500 мг цитрата кальция 2 раза в день, 200–300 мг хелатного магния 2 раза в день, витамин А, витамины группы В или 50 мг витамина B_6 и 500 мг масла энотеры дважды в день. Кроме того, я предлагаю 50–100 мг 5-ГТФ (5-гидрокситриптофан) 2 раза в день, чтобы помочь повысить уровень серотонина и снизить тревожность и беспокойство. Если вам трудно сконцентрироваться, можно попробовать зеленый чай или 500 мг L-тирозина 2–3 раза в день. При симптомах ПМС, особенно при боли в груди или нагрубании груди, отеках, запорах, раздражительности, депрессивном настроении либо изменениях настроения, гневе и головной боли также может помочь монашеский перец (витекс священный): 20–40 мг в день. Увеличьте физическую активность в последнюю неделю своего цикла и воздерживайтесь от сахара и алкоголя.

Тестостерон

Многие считают тестостерон мужским гормоном. Именно всплеск тестостерона в критический момент развития плода создает мужской мозг. Еще один всплеск этого гормона в период полового созревания приводит к огрублению голоса, появлению волос на лице и многим другим особенностям, которые мы ассоциируем с «мужественностью». Но в организме женщины тоже вырабатывается тестостерон (так же, как у мужчины — небольшое количество эстрогена), и тестостерон может делать удивительные вещи для женщины. Он помогает защитить нервную систему и предотвращает когнитивные нарушения, депрессию и болезнь Альцгеймера. Считается, что тестостерон еще защищает клетки от воспаления, что объясняет, как полагают некоторые исследователи, почему мужчины менее восприимчивы к таким воспалительным заболеваниям, как ревматоидный артрит, псориаз и астма и даже почему они меньше страдают от депрессии. Мужчины с низким уровнем тестостерона с большей вероятностью будут страдать от хронической боли, характерной для женщин.

Целых 20% женщин имеют пониженное для своего пола содержание тестостерона и, следовательно, сниженную чувствительность к сексуальному удовольствию в сочетании с низким половым влечением. Вкупе с плохой памятью и депрессией эти гормональные колебания могут означать большие неприятности в жизни женщины. Они могут негативно повлиять на качество ее вовлеченности в отношения и способность быть эмоционально и физически близкой в отношениях с партнером и ее эффективность в личной жизни и на работе.

Поддержание нужного уровня тестостерона важно для здоровья и благополучия. Слишком высокий его уровень может вызвать серьезные проблемы со здоровьем, но недостаток связан с депрессией, плохой памятью, и падением либидо. Это плохой рецепт для интимных отношений. Многие пары влюбляются, когда их гормоны сбалансированы или находятся на пике. Если уровень тестостерона снижается, падает и интерес женщины к сексу, а также ее восприимчивость к сексуальному удовольствию (тестостерон влияет на чувствительность сосков и клитора), а это может вызвать серьезные проблемы в отношениях.

Недостаток тестостерона?

Кроме повышения либидо, тестостерон имеет и другие преимущества для женщин. Помимо прочего, он сохраняет мышечную массу и плотность костной ткани, улучшает настроение и снижает риск возникновения сердечно-сосудистых заболеваний. Прежде чем принимать любые типы биоидентичных тестостероновых добавок или даже биологически активные добавки с ДГЭА (мы обсудим дегидроэпиандростерон в следующей части этой главы), способные повысить уровень тестостерона, необходимо убедиться, что он у вас действительно низкий.

Перед тем как просить врача назначить тестостероные инъекции или таблетки, попробуйте увеличить его естественным путем, резко уменьшив потребление или вовсе исключив из рациона сахар, мучное и любые готовые и переработанные пищевые продукты[1]. Большое количество сахара снижает уровень тестостерона на 25%.

> Если вы с вашим возлюбленным едите чизкейк в ресторане, вы вряд ли получите другой «десерт», когда придете домой!

Еще один способ естественным образом увеличить уровень тестостерона — это приступить к программе снижения веса. Строительство мышц помогает организму увеличить уровень тестостерона. Добавки с ДГЭА и цинком тоже могут помочь. Цинк необходим для поддержания нормального уровня тестостерона. Недостаток цинка мешает гипофизу производить гормоны, которые стимулируют выработку тестостерона. Цинк также ингибирует фермент, который превращает тестостерон

---

[1] Обычно в таком контексте имеются в виду колбасы, консервы, любые полуфабрикаты, торты, кондитерские изделия и т.п. Таким образом, не под запретом остаются овощи и фрукты, натуральное мясо, рыба, растительное и сливочное масло, молочные продукты, крупы и др. — *Прим. ред.*

в эстроген. Если эти меры не работают, возможно, потребуется заместительная терапия тестостероном.

Проверьте свой уровень тестостерона и начните с естественных способов его нормализации, если он низок.

Что снижает ваш уровень тестостерона

- *Жир на талии*
- *Стресс*
- *Избыток сахара, обработанные пищевые продукты и инсулин*
- *Дефицит цинка*
- *Алкоголь*

Синдром поликистоза яичников

Избыток тестостерона часто связан с синдромом поликистоза яичников (СПКЯ), при котором в яичниках появляются многочисленные кисты. Он сопровождается нерегулярными месячными, угревой сыпью, чрезмерной волосатостью лица и тела, а иногда и агрессией. Этот синдром связан с серьезными проблемами здоровья, такими как ожирение, высокий холестерин, повышенное артериальное давление, диабет, бесплодие и гиперсексуальность, которая делает женщин склонными к любовным похождениям. Диагноз СПКЯ часто подозревают у грузных женщин (абдоминальное ожирение) и женщин, страдающих преддиабетом, а также у тех, у кого имеются волосы на лице, облысение, интерстициальный цистит, синдром раздраженного кишечника и большое количество маркеров воспаления.

При этом лабораторные анализы часто показывают высокие значения дигидротестостерона (ДГТ), повышенный уровень сахара в крови, снижение прогестерона по сравнению с эстрогенами и высокий уровень фолликулостимулирующего гормона (ФСГ).

Одно из лучших исследований для диагностики СПКЯ — УЗИ яичников. Ультразвук позволяет увидеть множественные кисты на каждом яичнике.

Иногда СПКЯ может обмануть вас. Никто из многочисленных врачей, с которыми встречалась моя жена, никогда не упоминал о возможности у нее СПКЯ, несмотря на ее жалобы на нерегулярные месячные. Она просто не была похожа на типичную женщину с СПКЯ. Тана находится в отличной физической форме и имеет великолепные густые рыжие волосы. Примерно в 38 лет она перестала принимать противозачаточные таблетки и вскоре поняла, что происходит что-то странное. На ее лице появилась сыпь, а менструальный цикл стал очень нерегулярным. Хотя Тане казалось, что она еще слишком молода для перименопаузы, именно о ней она и подумала. Она решила, что лучше немедленно увидеться с врачом, чтобы определить, что происходит. Результаты были шокирующими. Тана с огорчением узнала, что показатели холестерина и триглицеридов у нее высокие и что она находится в преддиабетическом состоянии. Как такое было возможно? Тана — высокая (175 см), стройная (65 кг) и имеет лишь около 15% жира. Она усиленно тренируется и правильно питается. «Это безумие, — подумала она. — Я самый здоровый человек, которого я знаю».

Мы оба были очень обеспокоены, и именно тогда один наш друг познакомил нас с интегративным гинекологом, которая назначила УЗИ яичников Таны и обнаружила на них десятки кист. Она диагностировала у Таны СПКЯ. Как еще врач может узнать о состоянии яичников, если не обследует их? СПКЯ был также связан с другими симптомами Таны, в том числе нерегулярным менструальным циклом, сыпью на коже, высоким уровнем холестерина ЛПНП и резистентностью к инсулину. Нам повезло, что мы нашли врача, достаточно умного, чтобы проверить это, поскольку Тана не вписывается в обычный физический профиль женщины с СПКЯ.

Лечение Таны было простым, но оно привело к кардинальным изменениям. Ей прописали глюкофаг — препарат, используемый для регулирования уровня инсулина, что, в свою очередь, снижает уровень тестостерона. Кроме того, ей назначили биоидентичный прогестероновый крем (пальметто), чтобы снизить высокой уровень дигидротестостерона, а также Тану задействовали во всеобъемлющей программе по уменьшению стресса. В течение нескольких месяцев холестерин Таны упал на 50 пунктов, уровень инсулина нормализовался, кожа очистилась, а менструальный цикл стал регулярным. К тому же она стала спокойнее и ласковее. «Хорошо для меня», — подумал я.

Противозачаточные таблетки: что нужно знать

Десятки миллионов женщин ежедневно принимают гормоны в виде противозачаточных таблеток (ПТ). В одних только Соединенных Штатах 43 миллиона женщин детородного возраста не хотят забеременеть, а 28% из них принимают ПТ.

За последние несколько десятилетий ПТ то превозносились как идеальное средство для современной женщины, то рьяно порицались как источник скрытой угрозы здоровью. Конечно, они дали женщинам значительный контроль над своей судьбой, позволяя им отложить рождение детей, регулировать размер семьи, а также планировать сроки своей беременности. Но есть немало данных о том, что ПТ отнюдь не безвредны. Было выявлено, что они вызывают проблемы с кровяным давлением и способствуют образованию тромбов в крови, а также увеличивают риск инсультов, особенно у курящих женщин и страдающих мигренью. Курение и одновременный прием ПТ чрезвычайно опасны.

Как правило, противозачаточные таблетки создают на основе эстрогена и прогестина (синтетическая форма прогестерона). Эстроген обычно тоже используют в синтетической форме. Эта комбинация предотвращает овуляцию. Однако ничего не обходится просто так, и такое сочетание гормонов оказывает дополнительное воздействие на организм. Если вы принимаете ПТ, вы должны быть в курсе этих эффектов, чтобы в случае необходимости принять меры по борьбе с ними. Например, противозачаточные таблетки разрушают некоторые из необходимых витаминов и минералов и могут привести к их дефициту в организме.

Если вы принимаете ПТ, вам следует дополнять свой рацион витаминами группы В (фолиевая кислота, B_6, B_{12}) и витамином Е. Полезно также установить, нет ли у вас признаков дефицита магния, который выражается в следующих симптомах.

- *Беспокойство, нервозность и бессонница*
- *Депрессия, мигрени и упадок сил*
- *Мышечные судороги и спазмы*
- *Сердечная аритмия и сердцебиения*
- *Запор*
- *Нарушение баланса сахара в крови*
- *Гипертония*

Если вы обнаружили подобные симптомы, вы можете начать принимать биологически активные добавки с магнием. Обычная доза составляет 300–800 мг элементарного магния в день. Хороший способ подобрать дозировку: надо добиться мягкого стула, который не переходит в диарею. Существуют различные соли магния на выбор. Правильный выбор для вас основывается на ваших конкретных потребностях:

- *Яблочнокислый магний хорошо подходит при фибромиалгии, судорогах ног и устраняет последствия тренировок вроде накопления молочной кислоты.*
- *Таурат магния помогает при беспокойстве и аритмии.*
- *Глицинат магния лучше всего усваивается.*
- *Цитрат магния стоит недорого, если цена имеет значение.*
- *Карбонат магния и оксид магния — это не лучший выбор, так как они плохо усваиваются.*

Другой симптом, о котором сообщили 16–56% женщин, принимающих ПТ, это приступы депрессии. Ученые в течение многих лет спорят по поводу роли ПТ в провоцировании депрессии. Авторы недавнего обзора литературы указывают на непоследовательное использование термина «депрессия» и разнообразные формулировки того, что называть противозачаточными таблетками, поэтому сделать окончательные выводы трудно.

Тем не менее были проведены исследования и получены ясные результаты. Например, исследование, проведенное Джэйашри Кулкарни из Университета Монаш в Австралии, выявило, что женщины, принимающие ПТ, почти в 2 раза чаще подвержены депрессии.

Уровень депрессии у контрольной группы составлял 9,8 балла, а у женщин, которые употребляли таблетки, этот показатель был равен 17,6. Видимо, прогестин действует как природный прогестерон, снижая уровень серотонина в мозге. Еще одним фактором может быть избыток меди у женщин, принимающих ПТ.

Как и от любого лекарства, эффект от ПТ может иметь далеко идущие последствия. Отдавайте себе отчет в том, что происходит в вашем теле. Как мы видели, женские гормоны существенно влияют на настроение и химический состав тела. Свою роль в этом играют и противозачаточные таблетки. Будьте готовы принимать добавки для противодействия любым негативным последствиям, и если вы начинаете чувствовать симптомы депрессии, которые мешают вашей жизни, обсудите это с вашим врачом.

Начало новой фазы жизни: перименопауза

Когда женщина достигает 30–40 лет, ее гормоны начинают проходить через очередной период изменений. Тело готовится выйти из детородного периода, а это означает, что меняется гормональный баланс.

Все это происходит не в одночасье. За 8–10 лет до наступления менопаузы (когда менструальный цикл заканчивается полностью), женщина переживает период адаптации, известный как перименопауза. Большинство женщин не ощущают, что проходят через перименопаузу, до тех пор, пока уровень эстрогена у них не упадет настолько, что они начинают иногда ощущать приступы жара и потеть по ночам — это наиболее распространенные симптомы. Но к тому времени, когда женщина сталкивается с такими симптомами, она, скорее всего, уже переживает перименопаузу в течение 10 лет.

Эти годы перестройки могут быть для вас трудным временем. Ваша гормональная система будет работать не так эффективно, как раньше. И прежние относительно мягкие повышения и понижения уровня ваших гормонов будут сменяться скачкообразными повышениями уровня эстрогена и последующим резким его падением прямо перед началом месячных. Результатом могут стать тяжелые симптомы ПМС, даже если вы никогда раньше их не имели. И когда во время месячных перименопаузы или уже в ходе менопаузы падает уровень эстрогена, у вас могут возникнуть проблемы с памятью или приступы слезливости и депрессии. Так, вы можете обнаружить, что забыли, куда положили ключи или зачем пришли в продуктовый магазин. Недостаток эстрогена к тому же может сделать вас более чувствительной к боли. Все эти симптомы усиливаются беспорядочными гормональными сдвигами перименопаузы. Эффект качелей — когда происходит переход от доминирования эстрогена к его нехватке — становится более выраженным.

Однако понимание того, что происходит, может помочь вам выдержать это непростое время и выстоять. Это годы, когда вы можете сделать огромный шаг вперед в своем личностном росте, углубить взаимоотношения с близкими и сделать рывок в своей карьере. И вам совсем не нужно, чтобы гормональные сдвиги мешали вам раскрыть весь ваш потенциал. Чтобы помочь вам контролировать ситуацию, полезно проверить уровень ваших гормонов, когда вам около 35 лет — это будет ваша точка отсчета. Затем проверяйтесь каждые 2–3 года. Это гораздо лучше, чем ждать, как многие женщины, которых мы видим в нашей клинике, пока вы уже 10 лет переживаете этот процесс, набрали лишние 18 кг и принимаете антидепрессанты и успокоительные средства. Вмешательство в этот процесс в самом начале поможет вам избежать многих проблем.

> Поддержание образа жизни, способствующего здоровью мозга, улучшит ваш гормональный баланс в целом.

Физические упражнения, медитация и правильное питание, отказ от нездоровой пищи, никотина, чрезмерного употребления алкоголя и кофеина значительно облегчит вам жизнь.

Если вы и ваш врач решите, что вам нужно больше помощи в регулировке уровня гормонов, то вы можете попробовать биоидентичную заместительную гормональную терапию (БЗГТ), которая доступна в виде кремов, таблеток и вагинальных свечей (подробнее об БЗГТ будет сказано чуть ниже). Если у вас возникают приступы жара, их можно эффективно лечить комбинацией эстрадиола и эстриола. Существуют и более мягкие методы лечения в виде БАДов: витамины, рыбий жир, масло примулы вечерней и льняное масло.

Это не менопауза вашей бабушки

Сегодняшняя менопауза уже не та, что раньше. Когда я думаю сейчас о моей бабушке Марселле, матери моего отца, которую я обожал, то, вспоминаю о том, что она была уже старой женщиной, когда ей было всего 50–60 лет. Она часто казалась уставшей и задыхающейся, у нее был избыточный вес, и она носила простую одежду. Она умерла в 62 года. Прямая противоположность ей — моя мама: ей 81 год, и она до сих пор энергична и активна. Она по-прежнему играет в гольф, стильно одевается и часто ходит за покупками в торговый центр вместе с одной из моих сестер, дочерей или племянниц. Многие женщины в период менопаузы находятся на пике своей карьеры и социальной активности.

Если вы переживаете менопаузу сейчас, вы понимаете, что это не конец вашей жизни. Во всяком случае, это возможность для новой свободы на протяжении многих десятилетий будущей жизни. Правда, из-за физических изменений в период менопаузы есть некоторые проблемы, которые предстоит решить. И ваше понимание того, что происходит, может помочь вам сделать эти годы лучшими в своей жизни.

Менопауза — это окончательное завершение вашего менструального цикла. Ее констатируют через год после последней менструации. После этого говорят, что вы находитесь в постменопаузе. Конечно, это довольно произвольная точка отсчета, и вы можете продолжать испытывать многие симптомы, которые были у вас во время перименопаузы. Кроме того, поскольку показатели эстрогена и прогестерона, наверное, упали до самых низких значений, вы лишаетесь их защитных свойств.

Теперь вы становитесь более уязвимы для заболеваний сердца, инсультов и болезни Альцгеймера, и ваши кости тоже рискуют начать истончаться. Кроме того, у вас могут наблюдаться когнитивные нарушения. Поскольку менопауза часто сопровождается пониженной активностью мозга, это может приводить к депрессии, беспокойству, бессоннице, увеличению веса и проблемам с вниманием и памятью.

> Еще важнее в это время серьезно отнестись к здоровью, поскольку резерв вашего мозга истощается.

Когда я готовился к своему последнему телешоу, я позвонил маме и попросил ее, чтобы она собрала для меня аудиторию, на которой я мог бы опробовать свой сценарий. И потом одна из 60-летних подруг матери отметила, что в своем возрасте она больше не желает беспокоиться о том, что она ест или сколько двигается. Если вы тоже исповедуете такое отношение, как вы справитесь с последствиями старения мозга: уменьшением энергии, затуманенностью сознания, депрессией? По мере старения у нас меньше прав на ошибку. Следует постоянно следить за своим здоровьем и не позволять другим красть его.

Теперь у нас есть доказательства того, что половые гормоны на самом деле важны для здоровья мозга. Исследования женщин после полной гистерэктомии (у которых удалены и матка, и яичники) показывают, что без гормонозаместительной терапии (ГЗТ) риск развития у них болезни Альцгеймера удваивается. Недавно исследователи изучили сканы мозга группы женщин, периодически подвергавшихся ГЗТ. В течение двух лет у женщин, которые не проходили ГЗТ, наблюдалось снижение активности в области задней поясной извилины. А это одна из первых областей в мозге, которая умирает при болезни Альцгеймера. У женщин, проходивших ГЗТ, не наблюдалось снижение активности в этой области мозга.

Биоидентичная гормонозаместительная терапия для мозга и тела

Гормоны являются производными от других веществ в своего рода генеалогическом древе, которое показано ниже. И первое вещество в этом ряду — холестерин. Мы все слышали много дурного о холестерине, но в действительности он не враг. Да, когда его слишком много, это способствует развитию сердечно-сосудистых заболеваний. Но и когда его недостает, это чревато проблемами, вплоть до тяжелой депрессии и самоубийства. Нашему мозгу и телу холестерин нужен. Около 60% массы мозга составляет жир. И он нужен для оптимального функционирования мозга и тела.

Из холестерина наш организм создает следующий материнский гормон — прегненолон. Он служит основой для множества других гормонов. Врач может повлиять на ваш гормональный баланс в любой точке этого генеалогического древа — в зависимости от ваших индивидуальных потребностей. Например, если вы принимаете прегненолон, ваш организм может сам выяснить, каких гормонов ему не хватает, и восполнить недостаток с помощью препаратов прегненолона.

С другой стороны, врач может прописать вам тестостерон, прогестерон или один из эстрогенов. При нашем растущем понимании взаимодействий между гормонами и доступности более безопасных препаратов (в том числе биоидентичных гормонов и натуральных препаратов) нетрудно подобрать методы лечения индивидуально.

ГОРМОНАЛЬНЫЙ КАСКАД

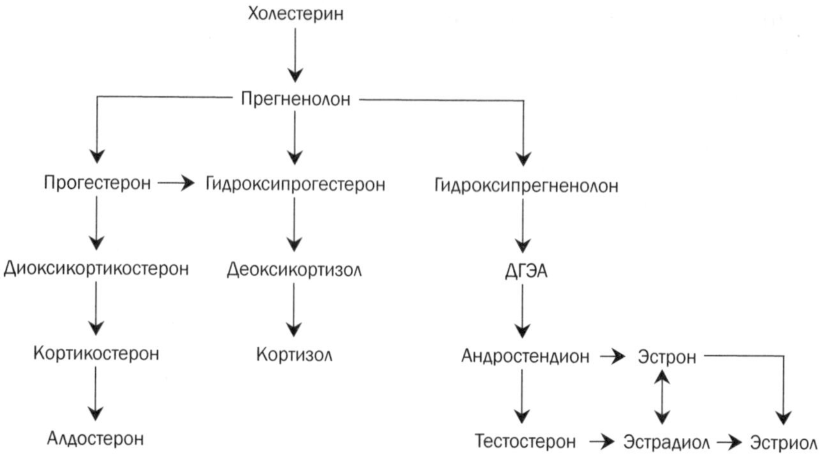

Холестерин
Прегненолон
Прогестерон → Гидроксипрогестерон
Гидроксипрегненолон
Диоксикортикостерон
Деоксикортизол
ДГЭА
Кортикостерон
Кортизол
Андростендион → Эстрон
Алдостерон
Тестостерон → Эстрадиол → Эстриол

Прежде чем мы обсудим БГЗТ, важно всегда помнить, что простая замена каких-либо гормонов без совершенствования способов их обработки и использования может быть очень проблематичной. Для проявления преимуществ БГЗТ вы должны произвести такие изменения в своей жизни, которые будут способствовать здоровью мозга. Ешьте здоровую пищу, в случае необходимости принимайте БАДы, больше спите и двигайтесь — и все это даст синергетический эффект.

Было выявлено, что уменьшение выработки половых гормонов в период перименопаузы и менопаузы вызывает целый ряд тревожных симптомов. В прошлом ученые стремились заменить эти гормоны терапевтическими дозами природных или синтетических гормонов. Многим женщинам становилось легче, и казалось, что заместительная гормональная терапия

(ГЗТ) — это веяние будущего. Затем начали всплывать определенные проблемы со здоровьем. В 2002 году организация *World Health Initiative* (*WHI*) провела исследование, которое показало, что использование премпро (*Prempro*) — одного из самых популярных в то время синтетических препаратов ГЗТ — увеличивает риск развития рака молочной железы, сердечно-сосудистых заболеваний, инсульта и тромбов в крови. Казалось, будто лекарство хуже, чем та проблема, которую оно пыталось излечить! Миллионы женщин запаниковали и сразу отказались от ГЗТ. Что, возможно, было несколько поспешным. Вот ключевые понятия в отношении исследования, проведенного *WHI*.

- *Индивидуального тестирования гормональных потребностей участниц не проводилось. Использовать один подход ко всем — это то же самое, что давать всем страдающим от депрессии пациентам прозак: эффект от такого лечения будет такой же, как от употребления сладких пилюль.*
- *Эстрон (ассоциируемый с высоким риском рака молочной железы) содержался в ГЗТ лекарствах в больших пропорциях.*
- *Эквиленин, или лошадиный эстроген, тоже содержался в этой формуле; он нелегко распознается организмом человека, и его метаболиты могут вызвать значительные повреждения ДНК.*
- *Употребление пероральных эстрогенов увеличивает содержание С-реактивного белка, маркера воспаления, который связан с увеличением риска возникновения рака и сердечно-сосудистых заболеваний. Этого риска не наблюдается при употреблении биоидентичного трансдермального (чрескожного) эстрадиола.*
- *Прогестины (синтетический прогестерон) имеют длинный список побочных эффектов, связанных с ними. Прогестины работают в организме не так, как биоидентичный прогестерон. Скажем, прогестины увеличивают риск рака молочной железы, а биоидентичный прогестерон позволяет снизить такой риск.*

Таким образом, проблемы, выявленные в исследовании *WHI*, возможно, касались только определенного типа гормонов (синтетических), которые вводили женщинам, и способа их введения[1]. Однако результаты исследования привели к полному осуждению всей гормонозаместительной терапии.

Еще одна проблема, выявленная при использовании синтетических женских половых гормонов, — это истощение необходимых нутриентов, таких как витамин B_6 и магний. Магний помогает сбалансировать уровень глюкозы и инсулина. Витамин B_6 участвует в выработке серотонина для настроения и аппетита. Синтетические прогестины могут вызвать недостаток многих нутриентов, включая витамины группы В, тирозин, коэнзим Q10, витамин Е и фолиевую кислоту. Пероральное употребление синтетических ГЗТ может также нарушить баланс естественной микрофлоры кишечника, вызывая развитие грибков *Candida*. Это может привести не только к развитию молочницы, но и существенно увеличит нагрузку на иммунную систему.

Однако я убежден, что адекватная замена эстрогена, прогестерона, тестостерона на биоидентичные гормоны приносит огромную пользу организму. При БГЗТ используют половые гормоны, полученные из растительных источников (как правило, из сои и дикого ямса) или созданные фармацевтами из растительных соединений.

Биоидентичные гормоны молекулярно идентичны гормонам нашего организма и поэтому воспринимаются им и метаболизируется, как если бы организм сам выработал их. Иначе говоря, они производят те же физиологические реакции, что и ваши натуральные гормоны. При правильном использовании БГЗТ способна сбалансировать ваши гормоны и облегчить неприятные симптомы их дефицита.

---

[1] Упоминаемое автором исследование WHI далеко не единственное. Есть множество аналогичных данных об очень опасных побочных эффектах ГЗТ, вплоть до смертельного исхода. — *Прим. ред.*

Биоидентичные эстрогены назначают женщине после того, как в анализах крови, слюны, мочи был обнаружен их дефицит.

> БГЗТ была признана эффективным средством в плане снижения периодичности и интенсивности приступообразного ощущения жара и в улучшении сна.

Но существуют ли риски? Основной риск гормонозаместительной терапии для женщин — это рак молочной железы. Низкое соотношение прогестерона и эстрогена играет важную роль в возникновении этого риска. Если у женщины недостаток прогестерона, это коррелирует с пятикратным увеличением риска рака молочной железы в период перименопаузы. Было выявлено, что прогестероновый крем снижает интенсивность деления клеток в ткани молочной железы. Этот защитный антипролиферативный эффект биоидентичного прогестерона не наблюдается у синтетических прогестинов.

По сравнению с повышенным риском снижения когнитивных способностей во время ГЗТ, натуральный прогестерон усиливает восстановительные процессы в мозге, помогает уменьшить беспокойство, улучшает сон и сохраняет когнитивные функции.

До настоящего времени исследования БГЗТ ограничены, но они выглядят многообещающими. Так, в ходе одного французского исследования было обследовано более 3000 женщин, использующих натуральный прогестерон и эстрадиол. И исследование не выявило повышенных рисков для здоровья. В другом крупном исследовании французские ученые сравнивали женщин, использующих ГЗТ и БГЗТ. Оказалось, что ГЗТ дает значительно более высокий риск развития рака молочной железы, чем БГЗТ.

Вот некоторые из преимуществ БГЗТ для женщин при адекватном ее применении.

- *Уменьшение или устранение приступов жара*
- *Уменьшение вагинальной сухости*
- *Повышение упругости и эластичности кожи*
- *Улучшение кровообращения и бодрость*
- *Ускоренное сжигание жира и нормализация массы тела*
- *Облегчение нарушений сна (бессонница, ночное потоотделение)*
- *Снижение эмоциональных колебаний (перепады настроения, депрессия, нервозность, раздражительность, тревоги)*
- *Уменьшение проблем с молочной железой (чувствительность, фиброкистоз и др.)*
- *Повышение либидо и полового влечения*
- *Повышение остроты ума (провалы памяти, затуманенность сознания, концентрации и др.)*
- *Снижение недержания мочи*

Без знания своего истинного гормонального статуса благодаря соответствующим анализам вы не сможете добиться оптимального баланса гормонов. Причина того, что БГЗТ неэффективна для некоторых людей, скрыта в их образе жизни или является результатом несбалансированности всех их гормонов. Например, простое приведение в норму половых гормонов не поможет, если вы находитесь в условиях хронического стресса и, соответственно, ваш организм производит избыток кортизола. Обилие кортизола может нарушить обмен веществ, что приводит к усилению диспропорций половых и других гормонов (например, гормонов щитовидной железы).

Натуральные биологически активные добавки, облегчающие симптомы

Для облегчения симптомов менопаузы Североамериканское общество по изучению менопаузы особенно рекомендует пищевые изофлавоны (содержащиеся в сое и семенах льна), а также воронец и витамин Е. Среди пищевых добавок

(БАДов) воронец является единственной, которая облегчает интенсивность приступов жара.

Хотя его долгосрочная безопасность не выяснена, он по крайней мере прекрасно подходит для кратковременного использования. Кроме того, могут помочь и фитоэстрогены, которые содержатся во многих продуктах. Хорошие их источники — это орехи и масличные культуры (например, льняное масло). Также есть одна интересная новая работа, где показано, что ДГЭА (дегидроэпиандростерон) может значительно улучшить сексуальную функцию у женщин в период менопаузы.

ЧАСТЬ ВТОРАЯ: СБАЛАНСИРУЙТЕ ЩИТОВИДНУЮ ЖЕЛЕЗУ, КОРТИЗОЛ, ДГЭА И ИНСУЛИН

Пониженная активность щитовидной железы не убьет вас. Она просто заставит вас желать себе смерти.

Ричард и Карили Шэймс,
«Ментальная сила щитовидной железы»

Щитовидная железа

Энн — прирожденный учитель. Она твердая, добрая, креативная, умная и организованная, и она из года в год получает любовь и восхищение своих учеников и их родителей. Занимаясь детской и взрослой психиатрией на протяжении десятилетий, я видел много прекрасных учителей, и не очень прекрасных тоже. Энн находится в верхней части этого рейтинга. Она была учительницей моей дочери-второклассницы.

Когда Энн рассказала моей жене Тане о том, что хочет увидеться со мной, потому что она чувствует усталость, затуманенность сознания и ей кажется, что у нее СДВГ, хотя она никогда не имела его симптомов в прошлом, я вызвался ей помочь. Энн — вегетарианка, но жаловалась на то, что чувствительна ко многим продуктам и употребление алкоголя только усиливает ее боли. И если у Энн что-то с утра не заладилось, она весь оставшийся день не в своей тарелке и раздражена. Кроме того, она болезненно реагировала на громкие звуки и много беспокоилась. Ее тревожность и склонность по многу раз прокручивать все в голове мешала ей расслабиться. Иногда она обнаруживала, что беспокоится несколько дней подряд.

Первое, что я сделал, — назначил ей ключевые анализы. Оказалось, что у Энн очень высокий уровень антител щитовидной железы: показатель антител тиреоидной пероксидазы был у нее почти 1000 при норме меньше 35. Это означало, что у Энн аутоиммунное состояние, то есть ее организм атакует собственные ткани щитовидной железы. Кроме того, у нее был недостаток витамина D, который необходим для здоровья многих органов, в том числе щитовидной железы.

Благодаря подходу «Четыре круга», используемому в наших клиниках, а также благодаря оптимизации уровня витамина D и соответствующему лечению щитовидной железы, мы помогли Энн обрести сосредоточенность и жизненный тонус. У нее не было СДВГ или любого другого подобного состояния. Как и многие женщины, Энн нуждалась лишь в полноценной балансировке гормонов.

Когда в щитовидной железе происходит сбой, от этого страдает мозг

Не только половые гормоны влияют на то, как вы выглядите и чувствуете себя. Среди наиболее влиятельных еще и гормоны, вырабатываемые щитовидной железой.

Слишком низкая активность щитовидной железы — и вы ощущаете себя амебой. Да, гипотиреоз заставляет вас чувствовать себя так, что вам хочется просто весь день валяться на диване с пакетиком чипсов. Все работает медленнее, в том числе и ваше сердце, кишечник и ваш мозг. Выполняя ОЭКТ мозга страдающих гипотиреозом, мы наблюдаем сниженную активность их мозга. Множество других исследований подтверждает, что общее падение активности мозга при гипотиреозе приводит к депрессии, когнитивным нарушениям, тревоге и затуманенности сознания. Щитовидная железа управляет производством многих нейротрансмиттеров. Среди них серотонин, дофамин, адреналин и норадреналин. Низкая активность щитовидной железы может привести к компенсаторному повышению адреналина (он вырабатывается надпочечниками), который заставляет вас чувствовать постоянное напряжение, а также кортизола — другого гормона стресса. Таким образом, вы чувствуете себя одновременно усталой, напряженной и испытывающей стресс. Есть данные, что более 50% пациентов с цикличным биполярным расстройством имеют гипотиреоз.

По осторожным оценкам экспертов, одна треть всех депрессий непосредственно связана с дисбалансом щитовидной железы. Более 80% людей со слабовыраженным гипотиреозом имеют неважную память.

Пониженная активность щитовидной железы связана с массой симптомов и проблем, таких как:

- *Ощущение озноба*
- *Увеличение массы тела*
- *Запор*
- *Усталость*
- *Высокий уровень холестерина*
- *Высокое артериальное давление*
- *Сухие, истонченные волосы или отсутствие волос, особенно на бровях, где часто отсутствует одна треть волосяного покрова*
- *Сухость кожи*
- *Синдром сухого глаза*
- *Тонкие, ломающиеся или отслаивающиеся ногти*
- *Нерегулярные менструации*
- *Эндометриоз*
- *Бесплодие*
- *Невынашивание беременности*
- *Врожденные дефекты*
- *Тяжелая менопауза*

Даже если активность вашей щитовидной железы снижена немного, у вас все равно могут быть симптомы так называемого субклинического гипотиреоза. Если вы испытываете хроническую усталость, набрали лишний вес, у вас сухая кожа, кружится голова, вы склонны к депрессии, вам постоянно холодно и если температура вашего тела постоянно ниже 36,6 градуса, то у вас, возможно, недостаточно активная щитовидная железа.

Сверхактивная щитовидная железа дает гипертиреоз. Это тоже порождает немалые проблемы, потому что при этом все в организме работает слишком быстро, включая сердце, кишечник и пищеварение, — как будто вы несетесь вперед с сумасшедшей скоростью. Человек чувствует нервозность и взвинченность, как после больших доз кофеина. Если вы страдаете от бессонницы, тревоги, раздражительности, хаотичного мышления, учащенного пульса, одышки, потери веса, несмотря на повышенный аппетит, беспричинного жара, то, возможно, у вас повышенная активность щитовидной железы. В крайних случаях появляются другие характерные признаки: зоб (вырост на щитовидной железе), значительное похудение, выпученные глаза и пристальный взгляд.

Щитовидка — это небольшая железа в форме бабочки, расположенная в нижней части шеи. Когда врач проводит руками вдоль основания горла, он проверяет, нет ли явного увеличения вашей щитовидной железы. Но без анализа крови нельзя точно сказать, что там происходит. И может понадобиться некоторое время, чтобы оптимизировать щитовидную железу. Основные гормоны, связанные со щитовидной железой, — ТТГ, Т3, Т4 — должны быть сбалансированы. Считается, что десятки миллионов людей во всем мире (5–25% населения мира) имеют проблемы со щитовидной железой. Они обычно возникают с возрастом, и похоже, что число таких пациентов растет. В своей книге «Ментальная сила щитовидной железы» Ричард и Карили Шэймс пишут, что «за последние 40 лет мы стали свидетелями значительного увеличения количества синтетических химических веществ, приводящих к гормональным нарушениям. Эти вещества проникают в наш воздух, пищу и воду… наиболее чувствительной человеческой тканью оказалось щитовидная железа».

Большинство проблем щитовидной железы — аутоиммунные, когда организм атакует сам себя. Это может быть связано с экологическими токсинами, присутствующими в организме или с аллергией на пищу, которую мы едим, или на что-то содержащееся в воздухе, которым мы дышим. Многие врачи сравнивают щитовидную железу с канарейкой в угольной шахте[1]. Есть подозрение, что недавнее резкое повышение уровня гипотиреоза может быть связано с тем, что поглощаемые нами токсины мешают периферийному преобразованию Т4 в Т3.

Проблемы со щитовидной железой могут возникнуть в жизни женщины в любое время. Но особенно уязвимый период — рождение ребенка. Во время беременности иммунная система отчасти расслабляется, чтобы иммунные клетки и антитела не отторгли плаценту ребенка, которая прикреплена к матке матери. Вот почему многие женщины с проблемами щитовидной железы считают, что беременность — это лучшее состояние в их жизни. Беременность стирает проблемы со щитовидной железой. Это случилось с моей женой, которая страдала раком щитовидной железы и тиреоидитом Хашимото — аутоиммунной болезнью, которая влияет на щитовидную железу. Как и многие женщины с раком щитовидной железы, она чувствовала себя прекрасно, будучи беременной.

Однако через девять месяцев ситуация меняется. Ребенок родился, плаценты нет, и функции иммунной системы, которые были отключены ради предотвращения раннего отторжения плаценты, теперь резко включаются. Хорошо известно, что заболевания щитовидной железы обычно возвращаются в течение 6 месяцев после родов. По мнению исследователей из пражского Карлова университета, у 35% женщин, имеющих антитела к собственной щитовидной железе, через 2 года после рождения ребенка щитовидная железа снова начинает функционировать со сбоями.

---

[1] Это образное выражение подразумевает традицию вешать клетку с канарейкой в шахте: птичка своим поведением оповестит о малейших признаках задымления или другого отравления воздуха. — *Прим. ред.*

Наличие проблем со щитовидкой, когда вы изо всех сил пытаетесь совладать с двухлетним малышом, — это катастрофа. Исследования указывают, что около 70% женщин, страдающих гипотиреозом в послеродовой период, становятся небрежными и делают больше ошибок, заботясь о своих детях.

Проблемы со щитовидной железой являются одной из основных причин послеродовой депрессии и тревоги. Согласно данным одного исследования, 80–90% случаев послеродовой депрессии связаны с патологией щитовидной железы. А без эффективного ее лечения выздороветь невозможно.

Период после беременности — не единственный уязвимый период в этом плане. Было подсчитано, что каждая четвертая женщина в постменопаузе имеет дисбаланс щитовидной железы. По словам Рида Арема, доктора медицинских наук, главного редактора журнала *Thyroid* («Щитовидная железа»), почти 45% людей в возрасте старше 50 имеют некоторую степень воспаления щитовидной железы. Доктор Арем предполагает, что незначительные проблемы со щитовидной железой вызывают более выраженные недомогания у пожилых людей, чем у молодых, которые имеют больший резерв. По мере нашего старения щитовидная железа, как и многие другие активные органы, становится уязвимой.

Проверить щитовидную железу можно с помощью анализа крови. Не соглашайтесь на один только анализ ТТГ (тиреотропный гормон гипофиза). Его уровень может быть и нормальным, даже когда у вас есть недиагностированные проблемы щитовидной железы. Настаивайте на том, чтобы врач проверил следующее.

- *ТТГ (по данным Американской ассоциации клинических эндокринологов, значения выше 3,0 ненормальны и нуждаются в дальнейшей проверке)*
- *Свободный Т3 (активный)*
- *Свободный Т4 (неактивный)*
- *Антитела щитовидной железы*
  - Антитела тиреоидной пероксидазы
  - Антитела тиреоглобулина

- *Проверка функционирования печени. Дело в том, что 95% T4 активируются в печени, поэтому состояние печени следует учитывать.*
- *Уровень ферритина. Ферритин переносит активный T3 в клетки. Его значение должно быть выше 90.*

Если ваш врач отказывается назначить эти анализы, можно найти другого врача или сдать анализы самостоятельно в частной лаборатории.

Рассмотрим историю Бернадетт.

Привет, доктор Амен!

Я здоровая, активная тридцатидвухлетняя женщина, абсолютно убежденная в необходимости ежегодных профилактических осмотров, прохождения рентгена и анализа крови. Недавно я послушала (и прочитала) книгу «Измените свой мозг, изменится и тело», и я всем сердцем поверила вашим методам, а также полезным советам и рекомендациям по сохранению здоровья.

На днях я последовала вашему совету и сделала углубленный предварительный анализ крови (щитовидная железа, гормоны, витамины и др.), хотя мой врач удивился этому, спросив, почему я захотела получить эти дополнительные анализы, для проведения которых, по его мнению, не было никаких видимых причин. Я сказала ему, что хочу знать результаты моих анализов, чтобы лучше понять, что происходит в моей сосудистой системе.

Получив результаты анализов крови, я обнаружила, что антитела тиреоглобулина у меня высокие. Я сразу же обратилась к эндокринологу, который сделал УЗИ. На моей щитовидной железе была обнаружена опухоль размером 1,6 см. Биопсия показала, что у меня папиллярный рак щитовидной железы, который распространился на мои лимфатические узлы. Если бы не ваши советы, эта проблема, возможно, не была бы выявлена вовремя и прогноз моего выздоровления был бы менее благоприятным. Если бы я не прочла вашу книгу, у меня, возможно, не было бы возможности написать это письмо.

Огромное спасибо за то, что вы делаете!

С уважением,

Бернадетт (сделайте свои важные анализы!)

Факторы, угнетающие щитовидную железу

- *Избыток стрессов и кортизола*
- *Дефицит селена*
- *Дефицит белка, избыток сахара*
- *Хронические заболевания*
- *Нарушения работы печени или почек*
- *Отравление кадмием, ртутью, свинцом*
- *Гербициды, пестициды*
- *Противозачаточные таблетки, чрезмерная выработка эстрогена*

Если у вас проблемы со щитовидкой, их можно эффективно лечить целым рядом препаратов. Ваш врач должен регулярно проверять уровень гормонов вашей щитовидной железы, чтобы убедиться в том, что вы принимаете не чрезмерную и не слишком маленькую дозу препаратов. Есть также ряд натуральных биологически активных добавок, которые поддерживают функцию щитовидной железы, в том числе содержащие розмарин, цинк, хром, калий, йод, L-тирозин, витамины A, B_2, B_3, B_6, C, D, селен, морские водоросли и ашваганду. Кроме того, убедитесь, что у вас нормальный уровень тестостерона, инсулина и мелатонина.

Однако позвольте мне заявить, что, хотя эти анализы могут быть полезны, все же *диагноз вам должен поставить врач, а не анализ крови*. Правда, я видел немало пациентов с гипотиреозом, которых не лечили их врачи, потому что показатели гормонов щитовидной железы у них были низкими, но «в пределах нормы». Это то же самое, что сказать, что уровень витамина D, равный 31 — нормальный (норма 30–100). Я никогда не хотел быть в нижней части любого разряда. Самочувствие пациента и его дееспособность (например, энергичность, наличие запоров, сухости волос, сухости кожи, когнитивные способности, температура тела) являются более важными в оценке функционирования щитовидной железы, чем упование на нормальный диапазон произвольного анализа крови.

Кортизол и ДГЭА: повелители постоянного стресса

В последнее время мы слышим много разговоров об усталости надпочечников, особенно среди женщин, которые очень заняты, испытывают стресс и беспокойство. Может ли орган просто износиться? Да, может. Надпочечники представляют собой пару треугольных желез сверху ваших почек и играют значимую роль в реакции организма на стресс. Они производят гормоны: адреналин, ДГЭА (дегидроэпиандростерон) и кортизол. Возможно, вы слышали о характерной стрессовой реакции «бей-или-беги». Именно надпочечники помогают организму перейти в одно из этих, спасительных для жизни, состояний, производя гормоны стресса.

Предположим, вы пошли в лес со своими детьми и увидели там… льва. Ваши надпочечники немедленно начинают производить адреналин и другие гормоны, способствующие приливу энергии, которую можно использовать либо для схватки со львом, либо для быстрого удирания от него. Проблема в том, что ваш организм не признает разницы между разными видами стресса. Неважно, это естественная защитная биологическая реакция (стресс при виде льва) или психологический стресс, вызванный вашим дерзким ребенком-подростком или язвительными коллегами по работе, — ваш организм реагирует одинаково, накачивая вас этими возбуждающими гормонами.

Когда вы убегаете от льва, вы обрабатываете эти гормоны и выводите их из своего организма[1]. Но когда вы испытываете стресс из-за недружелюбного взгляда своего коллеги, все, что вы можете сделать, — вернуться в свой офис и пассивно переживать по этому поводу. В результате опасный коктейль из гормонов стресса продолжает бушевать в вашем организме до тех пор пока наконец не метаболизируется.

В современном мире мы ежедневно сталкиваемся с подобным психологическим стрессом. Мы просыпаемся под гро-

---

[1] Естественной «отработке» гормонов стресса способствует интенсивная двигательная активность, ради которой они и были выброшены в кровь. — *Прим. ред.*

могласный будильник и первым делом проверяем свою электронную почту, чтобы посмотреть, что люди требуют от нас на сей раз. Затем мы спешим на работу, опоздав на которую из-за немыслимых пробок видим перед собой целую груду неотложных заданий. Потом нам звонят из школы и говорят, что сын напроказничал там. Все эти стрессы идут один за другим, в результате чего наши бедные надпочечники продолжают накачивать нас кортизолом и другими химическими веществами, и наш организм не знает, что с ними делать.

Кортизол производится из прогестерона. Поэтому если ваш организм вынужден вырабатывать много кортизола, уровни прогестерона и эстрогена падают. Женщины могут вечно пытаться сбалансировать эстроген и прогестерон, но без контроля кортизола они никогда не смогут стабилизировать уровень половых гормонов. При повышении концентрации кортизола уровень сахара и инсулина в крови тоже растет. И ваш мозг функционирует со сбоями. Доля успокаивающего мозг серотонина падает, что приводит к тревожности, нервозности и депрессии. К тому же растет еще и тяга к еде, и ваше здоровье рискует выйти из-под контроля. Было выявлено, что хроническое воздействие гормонов стресса убивает клетки гиппокампа — одного из основных центров памяти мозга (особенно когда уровень ДГЭА тоже низкий).

Это продолжается в течение многих месяцев и лет, и наконец надпочечники могут просто устать. Мы называем это усталостью надпочечников, и теперь организм не имеет ресурсов, необходимых для противостояния ежедневному стрессу. Человек едва способен встать утром с постели и с трудом проживает еще один день.

Кроме того, есть риск начать толстеть. Усталость надпочечников приводит к особо опасному накоплению жира на талии и животе. А это не только нежелательно меняет фигуру, но и подвергает вас большему риску развития сердечно-сосудистых заболеваний и диабета. Когда надпочечники заняты выработкой гормонов стресса, они истощают запасы ДГЭА, который должен в конечном счете преобразовываться в половые гормоны. Однако недостаток кортизола тоже способствует воспалению, изменяет контроль сахара в крови, влияет на иммунную функцию и изменяет производство половых гормонов.

В последнее время пациенты с усталостью надпочечников попадаются врачам чаще, и главная причина оказывается в том, что очень многие из нас недосыпают. Человеческий организм нуждается в полноценном сне — не менее 7–8 часов каждую ночь, и если он не получает этого, то автоматически переходит в состояние стресса. А затем вы занимаетесь самолечением, чтобы противодействовать нехватке сна, и лишь усложняете проблему. Употребление кофе и энергетических напитков с кофеином ради поддержания бодрости лишь усугубляет стрессовую нагрузку. А небольшие дозы алкоголя по вечерам (чтобы успокоиться после всего этого кофеина) дает только временную передышку. Но когда алкоголь улетучивается, ваш организм снова переходит к очередной стрессовой реакции, которая будит вас в два часа ночи. И тогда вы не можете заснуть, и вам требуется больше кофеина, чтобы встретить следующий день. Вы крутитесь в этом колесе, и стресс истощает ваши надпочечники, заставляет вас функционировать на пределе сил и далеко не в оптимальном состоянии.

Как узнать, есть ли у вас усталость надпочечников? Вот некоторые общие симптомы.

- *Снижение способности противостоять стрессу*
- *Усталость утром и днем, отсутствие выносливости*
- *Высокое артериальное давление и учащенное сердцебиение*
- *Брюшной жир, который не уходит, несмотря на все ваши действия*
- *Затуманенное сознание, плохая память и трудности с концентрацией*
- *Низкое либидо*

- *Тяга к сладкому или соленому*
- *Понижение сахара в крови при стрессе*
- *Головокружение при вставании из положения сидя или лежа*
- *Признаки преждевременного старения*
- *Пониженная сопротивляемость инфекциям*
- *Плохое заживление ран*

Вот что говорит доктор Тами Мералья. Она — врач интегративной медицины из Сиэтла, который видит много утомленных женщин.

> Мои пациентки удивляются, когда я объясняю им разницу между стрессом, отсутствием стресса и выполнением того, что устраняет вред и воспаление, созданные стрессом. Большинство пациенток считают, что приход домой и «расслабление» устраняют стресс, накопившийся за день. Это не так. Это просто отсутствие стресса, если вам повезет. Мои пациентки видят позитивные результаты, когда начинают активно практиковать упражнения по медитации, подобные тем, что приводятся на вашем интернет-сайте, чтобы исцелиться и устранить вред, нанесенный им накопившимся за день стрессом. Помню, когда мне было одиннадцать лет, я спросила своего стоматолога, нужно ли чистить ниткой все зубы. Он ответил, что только те, которые я хотела бы сохранить. Я думаю, что то же относится и к медитации. Стресс вредит нашему здоровью, каждый день. Вам нужно медитировать лишь в те дни, в которые вы хотите избавиться от стресса.

Для проверки усталости надпочечников следует оценить уровень кортизола в анализе слюны и ДГЭА-S с помощью анализа крови. Уровень кортизола в слюне измеряют 4 раза в течение дня: когда вы впервые просыпаетесь, в обед, перед ужином и перед тем как лечь спать. В норме значения кортизола бывают высокими утром (поскольку именно он будит вас), а затем в течение дня они медленно снижаются, опускаясь до уровня, который позволяет вам вечером спокойно заснуть. Когда кортизол в крови зашкаливает, вы чувствуете себя взвинченной. Когда он минимален, вы ощущаете истощение, потерянность и вялость.

> У человека может быть очень высокий уровень кортизола в определенные периоды дня и слишком низкий в другие периоды, поэтому берут анализ 4 раза в день.

Дегидроэпиандростерон (ДГЭА) является естественным гормоном-прекурсором, который производится надпочечниками, яичниками и мозгом. Он участвует в выработке эстрогена и (в меньшей степени) тестостерона. Дегидроэпиандростерон также защищает клетки мозга от бета-амилоидного белка, который связан с болезнью Альцгеймера. Исследования свидетельствуют, что повышение уровня ДГЭА с возрастом связано с долголетием. Пиковые значения, как правило, достигаются, когда мужчинам и женщинам становится за тридцать. В периоды хронического стресса выработка гормона стресса кортизола уменьшает долю ДГЭА, снижая иммунитет и, возможно, ускоряя процессы старения.

Исследования показали, что ДГЭА-терапия у женщин с усталостью надпочечников также может помочь повысить низкое либидо во время менопаузы. Недостаток ДГЭА, кроме того, связан с увеличением веса и депрессией.

Важно знать свои показатели ДГЭА, поскольку недостаток дегидроэпиандростерона в сочетании с высоким уровнем кортизола подвергает вас риску потерять память. Первоначально считалось, что причина разрушения гиппокампа кроется в высоком уровне кортизола, но новые исследования показывают, что страдающие болезнью Альцгеймера отличаются пониженным уровнем ДГЭА. Когда его уровень падает, он перестает защищать мозг.

Если у вас недостаток ДГЭА, его нетрудно восполнить. Существуют убедительные доказательства того, что биологически активные добавки с ДГЭА помогают поддерживать функционирование надпочечников, настроение и нормализуют массу тела. Обычно мы начинаем с 10 мг и идем дальше. Дегидроэпиандростерон, как правило, хорошо переносится, но могут быть некоторые неприятные побочные эффекты вроде прыщей и волос на лице в связи с тенденцией ДГЭА увеличивать уровень тестостерона. Их можно избежать, используя конкретный метаболит ДГЭА, называемый 7-Кето-ДГЭА. Он дороже простого дегидроэпиандростерона, но может быть предпочтительным в некоторых случаях. Рекомендуемая доза 7-Кето-ДГЭА составляет от 50 до 100 мг.

Более серьезным обстоятельством в связи с употреблением ДГЭА является то, что он частично преобразуется в половые гормоны — тестостерон и эстроген. Хотя дополнительные половые гормоны не повредят здоровым людям, желающим предотвратить старение, это может быть проблемой для женщин, у которых гормонозависимые виды рака вроде рака молочной железы или яичников. В этих случаях 7-Кето-ДГЭА предпочтительнее. Если вы думаете, что БАДы с дегидроэпиандростероном могли бы быть полезны для вас, обязательно поговорите с профессиональным врачом, который имеет опыт в гормонотерапии.

Другие добавки тоже могут помочь. Например, витамины группы B поддерживают систему надпочечников и тем самым помогают справиться со стрессом. Другая добавка, 5-гидроксифтриптофан (5-ГТФ), успокаивает, повышая уровень серотонина, и помогает поддерживать режим сна, так что уменьшает стресс и позволяет сбросить лишний вес. Кроме того, принесут пользу L-теанин (200 мг 2–3 раза в день), *Relora* (750 мг 2–3 раза в день), магний, базилик священный (200–400 мг 2–3 раза в день), ашваганда (250 мг 2–3 раза в день) и родиола розовая (200 мг 2–3 раза в день).

Усталость надпочечников можно уменьшить и благодаря таким естественным методам управления стрессом, как смех, сеансы глубокого дыхания и регулярные упражнения на расслабление. Если вы научитесь медитировать, распознавать и корректировать шаблоны негативного мышления (подробнее об этом в главе 6) или использовать аутогенную тренировку, это поможет успокоить ваши взвинченные нервы.

Инсулин

Нормальный баланс инсулина — один из основных залогов ясного ума и здорового тела. Инсулин — гормон, открывающий мембраны клеток, чтобы они могли поглощать глюкозу и другие питательные вещества. Когда уровень инсулина высокий, организм сохраняет жир, а не расщепляет его. Инсулин вырабатывается поджелудочной железой как реакция на съеденные углеводы. Простые сахара и рафинированные углеводы (хлебобулочные и кондитерские изделия, макароны, крекеры и т.п.) требуют большого выброса инсулина из поджелудочной железы и потому вызывают значительные перепады уровня сахара в крови.

Недостаток сахара в крови может заставить вас чувствовать себя вялой и заторможенной. А высокий уровень сахара в крови с течением времени становится катастрофой для вашего мозга и тела, кровеносные сосуды становятся хрупкими и легко разрушаются. Нарушение регуляции инсулина ведет к диабету, который вредит всем органам организма и чреват склонностью к депрессии, деменции и широкому спектру других заболеваний. Я видел, как мои родственники и друзья-диабетики теряют конечности и зрение и страдают от заболеваний сердца и слабоумия. Вот почему инсулин нужно очень уважать и оптимизировать его уровень в организме.

Проверьте показатели сахара и инсулина в крови и, если они не в норме, считайте это критическим для здоровья состоянием, к которому нужно отнестись очень серьезно. Устранение сахара и других простых углеводов из рациона может помочь регулировать выработку организмом инсулина и позволит жиру расщепляться и превращаться в энергию. Кроме того, высокое потребление сахара истощает запасы хрома — минерала, который необходим для инсулиновых рецепторов.

Без хрома инсулиновые рецепторы не могут распознать инсулин. Сахар не добавляет никакой биологической ценности к вашей пище, но вместо этого истощает запасы хрома и других ценных витаминов и минералов.

Диабет 1-го типа возникает, когда организм отказывается вырабатывать инсулин; диабет 2-го типа возникает, когда организм неправильно его регулирует. Недавно ученые сообщили о новых доказательствах, связывающих аномальные значения инсулина с болезнью Альцгеймера. Эта корреляция настолько сильна, что некоторые из них назвали болезнь Альцгеймера диабетом 3-го типа. Кроме того, было обнаружено, что клетки в гиппокампе производят инсулин.

Гиппокамп фактически первым умирает при болезни Альцгеймера. Помимо преобразования пищи в энергию мозг использует инсулин и в другом качестве, в том числе для помощи в обучении, запоминании нового материала. Мозговые клетки имеют специальные рецепторы для инсулина. Резистентность[1] к инсулину в этих клетках может вызвать ослабление когнитивного цикла. Исследование 2009 года показало, что интраназальный ввод инсулина пациентам с умеренными когнитивными нарушениями или имеющим начальную стадию болезни Альцгеймера улучшал у них память и внимание и устранял скопления токсичных химических веществ, которые вызывают болезнь Альцгеймера. Так что нормальный баланс инсулина и сахара в крови поможет не только вашей талии, но и способности к обучению и запоминанию имени вашего мужа.

Уровень инсулина и сахара в крови натощак, а также уровень HgAlc нужно проверять регулярно.

Рацион имеет решающее значение в регулировании инсулина. Чтобы снизить резистентность к инсулину, устраните из рациона все простые сахара, мучные и кондитерские изделия, заменив их «умными» углеводами (о них будет рассказано

---

[1] Значит «устойчивость», «невосприимчивость». — *Прим. ред.*

ниже) с высоким содержанием клетчатки и низким гликемическим индексом (ГИ). Тогда поджелудочная железа не будет выделять много инсулина, и клетки станут снова восприимчивы к нему. Употребление в пищу богатых клетчаткой продуктов из цельного зерна может замедлить выделение глюкозы в кровь и повышение уровня инсулина, но пока ваш уровень сахара в крови не будет под контролем, лучше устранить и их. Шведское исследование сравнило влияние на уровень сахара в крови Палеодиеты, вообще не содержащей зерновых продуктов, и Средиземноморской диеты, которая, помимо других продуктов здорового питания, разрешает есть продукты из цельного зерна. Через 12 недель снижение сахара в крови было эффективнее в группе Палеодиеты (26%) и менее значительным в группе Средиземноморской диеты (7%). В конце исследования все пациенты в группе Палеодиеты имели нормальный уровень глюкозы в крови.

Продукты из цельного зерна могут влиять на массу тела и резистентность к инсулину, видимо, потому, что они содержат специфические белки — лектины. Некоторые исследователи подозревают, что лектины могут способствовать воспалению и мешать похудению.

Кроме всего прочего, избегание мучного очень полезно для общего здоровья кишечника. Противовоспалительная по своей природе Палеодиета способствует благоприятному балансу микрофлоры кишечника. Многие пациенты получают облегчение от дискомфортов пищеварения (вздутие живота, газы и расстройства желудка), когда начинают придерживаться диеты с низким содержанием сахара, без молочных и мучных продуктов.

Резистентность к инсулину тесно связана с метаболическим синдромом, который включает целый букет других патологических состояний: гипертонию, высокий уровень сахара в крови, высокий уровень холестерина, отложения жира на талии и животе — и все это вместе увеличивает риск возникновения сердечно-сосудистых заболеваний, инсульта и диабета. Рацион, содержащий только умные углеводы, полезные жиры и белки, исключающий мучное, картофель, рис, сахар и обработанную пищу, имеет решающее значение для предотвращения метаболического синдрома. Так, потеря даже 10% жира на животе снижает риск развития сердечно-сосудистых заболеваний на 75%.

Управление уровнем сахара в крови имеет решающее значение для ощущения себя молодой. Исследования показали, что резистентность к инсулину является предиктором многих возрастных заболеваний. Когда уровень инсулина повышается, подавляется производство ДГЭА, необходимого для синтеза половых гормонов. Инсулин стимулирует *отложение жира на животе. А накопление этого жира меняет функцию гормонов, превращая тестостерон в токсичные эстрогены*. Таким образом, резистентность к инсулину связана с воспалением.

Резистентность к инсулину может ускорить процесс старения и еще одним способом. Она способствует гликированию — процессу при котором глюкоза вступает в нежелательную реакцию с белком. Эта реакция приводит к появлению поврежденных сахаром белков (это похоже на подгорание продуктов в печи), их называют *конечным продуктом усиленного гликирования* (КПГ). Формирование КПГ происходит у каждого человека и служит основным фактором процесса старения. Количество КПГ увеличивается в условиях гормонального дисбаланса, окислительного стресса и резистентности к инсулину. Это может привести к появлению признаков преждевременного старения, таким как морщины и пигментные пятна, а также чревато развитием сахарного диабета 2-го типа, катаракты, дегенерации сетчатки, болезней почек, сердечно-сосудистых заболеваний и даже рака.

Резистентность к инсулину можно сбалансировать с помощью изменений в питании и используя биологически активные добавки (БАДы) с магнием, экстрактом китайской горькой тыквы и хромом. Минеральный магний играет важную роль в углеводном обмене веществ и в предотвращении метаболического синдрома. Магний, похоже, влияет на высвобождение и активность инсулина и помогает сбалансировать уровень глюкозы. Заместительная терапия тестостероном существенно влияет на улучшение уровня сахара в крови и устранение тенденции к резистентности к инсулину.

Как естественным образом сбалансировать ваши гормоны

Я уже говорил, что есть много проверенных натуральных способов гармонизации уровня ваших гормонов. Вот три простых шага.

1. Зависть к гормонам. Как я уже говорил в главе 1, выработка зависти к здоровому мозгу является первым важным шагом на пути раскрытия потенциала женского мозга. Следует заботиться о здоровье своего мозга. Подобным же образом, чтобы иметь здоровый мозг, вы должны заботиться о балансе своих гормонов. Сделайте их оптимизацию приоритетом, и ваша жизнь станет намного счастливее.

2. Избегайте плохого. Чтобы сохранять баланс гормонов, необходимо избегать всего, что нарушает его. Например: синтетические химические вещества, стресс, обработанные пищевые продукты, избыток сахара в крови, избыток насыщенных жиров, мучного, недостаток сна, курение, чрезмерное употребление кофеина, злоупотребление алкоголем, недостаток витамина D, избыточная масса тела, хронические воспаления, недостаток физической активности и плохой мышечный тонус.

Избегайте токсинов и токсичных сред. Многие химические вещества и токсины, воздействию которых мы подвергаемся каждый день, могут негативно влиять на наше здоровье. Например, как показывают исследования, перфторические химические вещества, содержащиеся в антипригарной тефлоновой посуде и некоторых упаковках пищевых продуктов, связаны с эндокринными нарушениями у женщин, приводя к преждевременной менопаузе.

Похожие химикаты — перфтороктановая кислота и перфтороктановая сульфоновая кислота — содержатся в посуде, пятновыводителях, коврах, мебели и красках. Химические вещества вроде свинца, например содержащиеся в местной воде, тоже могут негативно влиять на вас. Полезно читать список ингредиентов лосьонов для тела и домашней химии, которую вы покупаете. Старайтесь избегать токсичных химикатов и защищайте своих дочерей от них, так как они связаны с ранней менструацией.

Не курите. Конечно, крупнейшим загрязнителем окружающей среды, которого следует избегать, является сигаретный дым. Последние исследования подтверждают, что курение снижает возраст наступления менопаузы. Оно способствует интенсивным приступам жара за счет воздействия на метаболизм половых гормонов. Добавьте к этому последствия для сердечно-сосудистой системы и риск развития рака легких, и станет невозможно игнорировать истину: курение делает вас больной.

Будьте осторожны с вашим весом. Обследование испанских женщин подтверждает тот факт, что ожирение увеличивает тяжесть симптомов менопаузы. Ожирение связано и с такими болезнями, как диабет. Мы все знаем, что прибавление веса подкрадывается к нам, когда мы становимся старше. Исследования свидетельствуют, что ожирение, особенно при наличии висцерального жира, напрямую связано со смертностью у женщин среднего возраста. Очевидно, что по мере старения женщины и прогрессивного снижения у нее уровня гормонов, таких как эстроген и ДГЭА, происходит изменение и массы тела. А это, в свою очередь, приводит к метаболическим расстройствам и увеличению угрозы смертности.

Я знаю, насколько тяжело следить за всем, что вы едите, когда вы чувствуете себя уставшей и подавленной. В главе 5 я дам вам очень конкретный план питания вашего женского мозга для оптимизации вашего здоровья. Придерживайтесь «умной диеты» для мозга, и вы будете выглядеть и чувствовать себя моложе и увидите результаты всего через 2 недели.

Уменьшите воспаление. Вы можете страдать от хронического воспаления и даже не осознавать этого. Постоянное соприкосновение со свободными радикалами, содержащимися в рафинированных растительных маслах, в жареной пище, в порошковом кофе, печенье, крекерах и всех переработанных продуктах, которые мы едим, — это одна большая беда.

Кроме того, вы еще подвергаетесь воздействию тяжелых металлов, пестицидов и других токсинов в окружающей среде. А еще у вас могут быть вялотекущие инфекции: скажем, результат старой травмы корневого канала или нерегулярной чистки зубов. В зависимости от вашего уникального набора генов, не леченное хроническое воспаление может привести к сосудистым заболеваниям, болезни Альцгеймера, диабету, артриту, проблемам с кишечником и даже раку.

Если у вас есть какое-нибудь хроническое воспаление, пора сделать все возможное, чтобы устранить это опасное состояние. Очистите свой рацион и свою среду. Потребляйте омега-3 и другие противовоспалительные жиры, например оливковое масло. Держитесь подальше от обработанных пищевых продуктов, добавок и любых искусственных ингредиентов в пище. Сократите потребление алкоголя и кофеина. Не курите. И выясните, нет ли у вас аллергии на молочные продукты, глютен, сою, орехи или другие продукты. Обязательно высыпайтесь и побольше двигайтесь. Не оправдывайтесь, что у вас нет времени. Эта отговорка может убить вас.

3. Занимайтесь полезными делами. Поддерживайте свои гормоны в балансе с помощью физической активности (в том числе силовых тренировок), полноценного сна, здорового питания (как описано в главе 5) и чистой окружающей среды.

Занимайтесь физкультурой. Физическая активность важна, ибо она помогает нам справляться с трудностями по многим причинам. Во-первых, она повышает уровень серотонина. Во-вторых, она улучшает кровообращение. Приток крови к мозгу делает вас менее вялой, а активное кровоснабжение половых органов поддерживает их в оптимальном тонусе. В-третьих, движение поможет вам контролировать свой вес за счет сжигания калорий и подавления аппетита, если только вы не «вознаградите» себя после тренировки булочкой с корицей и двойным латте.

Женщины должны быть осторожны в этом смысле, потому что они, как было доказано, увеличивают потребление калорий после тренировки, что снижает ее пользу. Кстати, есть одно увлекательное исследование, которое показывает, что йога является особенно эффективной системой упражнений в плане уменьшения таких симптомов менопаузы, как приступы жара и ночная потливость. И если у вас начальная стадия усталости надпочечников, физические нагрузки могут помочь вам «сжечь» тревогу и лишний кортизол. Но если вы достигли развитой стадии «усталости», не волнуйтесь. Женщины, у которых уровень кортизола в крови слишком низкий, не должны перенапрягаться. Действительно, я никогда не рекомендую своим пациентам перенапрягаться. Последовательные, разумные упражнения — это самое главное.

Я рекомендую своим пациентам очень простой режим. Ходите пешком в таком темпе, как будто вы куда-то опаздываете. Делайте это 45 минут 4 раза в неделю. Чем быстрее вы способны ходить в зрелом возрасте, тем меньше вероятность того, что вы преждевременно умрете. И чем сильнее ваши мышцы, тем меньше шансов, что вы заболеете болезнью Альцгеймера. Кроме того, поднятие тяжестей повышает уровень тестостерона. Но не навредите себе и не позволяйте никому вредить вам. Если ваш тренер требует, чтобы вы поднимали все больший вес, увольте его и найдите кого-то более разумного.

Высыпайтесь. Вы знаете, что не выспавшись вы чувствуете себя заторможенной, вялой и раздражительной. И это только то, что вы видите на поверхности. Недостаток сна влияет на химию вашего мозга и на гиппокамп, то есть на память — а это вам совершенно не нужно, особенно когда вы уже страдаете от затуманенности сознания. Кроме того, интересные новые исследования выявили, что сон с быстрым движением глаз (во время которого вы видите сны) особенно важен для здоровья цитоскелета нейронов — структуры, поддерживающей ваши

КЛЮЧЕВЫЕ ВИТАМИНЫ, МИНЕРАЛЫ И ТРАВЫ ДЛЯ ГОРМОНАЛЬНОГО БАЛАНСА

Для поддержания многих гормонов

- Мультивитамины
- Рыбий жир (2000 мг в день)
- Пробиотики для здоровья пищеварительного тракта, чтобы связать плохие эстрогены (10–60 млрд колониеподдерживающих единиц [КПЕ])
- Цитрат кальция (400–500 мг 2 раза в день) и хелатный магний (200–300 мг 2 раза в день), чтобы сохранять спокойствие
- Витамин D (до 2000 МЕ ежедневно), но важно подобрать дозу индивидуально
- Цинк — для тестостерона и щитовидной железы (15 мг)
- Мелатонин (1–6 мг)
- Селен (200 мг)

Чтобы сбалансировать эстроген

- Глюкарат кальция (500 мг в день)
- Растительные фитоэстрогены, включая воронец (20–80 мг 2 раза в день)
- Семена льна
- Масло примулы вечерней (500 мг 2 раза в день)

Для облегчения ПМС

- Цитрат кальция (400–500 мг 2 раза в день)
- Хелатный магний (200–300 мг 2 раза в день)
- Витамин А, комплекс витаминов группы В, где доза B_6 — 50 мг
- Масло энотеры (500 мг 2 раза в день)
- 5-гидрокситриптофан, 5-ГТФ, (50–100 мг 2 раза в день), чтобы повысить серотонин и уменьшить беспокойство и тревожность
- Зеленый чай (600 мг 2 раза в день) или L-тирозин (500 мг 2–3 раза в день) — для сосредоточенности
- Монашеский перец (витекс священный) (20–40 мг в день, чтобы ослабить симптомы ПМС; имеет такой же эффект, как и прогестерон)

Чтобы сбалансировать уровень тестостерона

- ДГЭА (в зависимости от лабораторных анализов)
- Цинк (15 мг)
- Пальметто, чтобы уменьшить уровень тестостерона

Чтобы сбалансировать щитовидную железу

- Цинк (15 мг)
- L-тирозин (500 мг 2–3 раза в день)
- Розмарин
- Хром (100–400 мг/день)
- Калий
- Йод
- Витамины A, B_2, B_3, B_6, C, D
- Морские водоросли
- Ашваганда (250–500 мг несколько раз день), чтобы сбалансировать уровень кортизола
- L-теанин (200 мг 2–3 раза в день)
- Базилик священный (200–400 мг 2–3 раза в день)
- Релора (750 мг 2–3 раза в день)
- Ашваганда (250 мг 2–3 раза в день)
- Родиола розовая (200 мг 2–3 раза в день)

Чтобы сбалансировать уровень ДГЭА

- ДГЭА (в зависимости от лабораторных анализов)
- 7-Кето-ДГЭА (в зависимости от лабораторных анализов)

Чтобы сбалансировать уровень инсулина

- Хром (100–400 мг/день)
- Корица
- Китайская горькая тыква

нейроны. Кроме того, уже давно известно, что недостаток сна связан с увеличением веса. Минимальное время сна — 7 часов в сутки.

Ешьте здоровую пищу. Употребление здоровой пищи важно на каждом этапе вашей жизни. Но во время менопаузы особенно нужно, чтобы ваше питание помогало вам чувствовать себя лучше, а не подвергало ваш организм дополнительной нагрузке. Держитесь подальше от обработанных пищевых продуктов и придерживайтесь сбалансированного питания, следуя плану, которым я поделюсь с вами в главе 5.

Поддерживайте вокруг себя чистоту. Токсичные химические вещества находятся повсюду вокруг нас, например в туалетных принадлежностях, которые мы используем для мытья, и в чистящих средствах для дома. Читайте этикетки и старайтесь найти наименее токсичные варианты.

Говорят, что наши гормоны делают нас теми, кто мы есть. Но вы тоже можете здесь кое-что добавить! Вы можете сделать выбор, который улучшит баланс ваших гормонов таким образом, что вы почувствуете себя здоровой, спокойной и остроумной. И теперь пришло время для того, чтобы сделать этот новый выбор и начать улучшать свою жизнь прямо сейчас.

УПРАЖНЕНИЕ 4. ОТВЕТЬТЕ НА ВОПРОСЫ ОПРОСНИКА ПО ГОРМОНАМ И ОЦЕНИТЕ ВАШИ ЗДОРОВЫЕ И НЕЗДОРОВЫЕ ПРИВЫЧКИ В ЭТОЙ СФЕРЕ

Оцените свои здоровые и нездоровые привычки, касающиеся гормонов

В списках, приведенных ниже, обведите кружком те утверждения, которые относятся к вам. Используйте рекомендации книги, и особенно этой главы, создавая собственную стратегию по устранению своих нездоровых привычек.

Здоровые для гормонов привычки

- Продолжительность сна каждую ночь не менее 7–8 часов
- Здоровое питание
- Потребление низкогликемических, полезных для мозга углеводов
- Включение в рацион богатых клетчаткой продуктов (особенно лигнином, содержащимся в зеленой фасоли, горохе и др.), что способствует связыванию нездоровых эстрогенов
- Потребление достаточного количества питьевой воды

- Эффективное управление стрессом
- Создание здоровой микрофлоры кишечника
- Поддержание нормального уровня холестерина (но не слишком низкого)
- Регулярная физическая активность
- Дополнение рациона необходимыми нутриентами и пищевыми добавками

Нездоровые для гормонов привычки

- Употребление алкоголя (употребление женщинами алкоголя даже в небольших количествах увеличивает риск рака молочной железы, поэтому чем меньше, тем лучше)
- Игнорирование имеющейся аллергии на продукты
- Курение
- Игнорирование хронических воспалений (высокий уровень гомоцистеина и С-реактивного белка)
- Слабый мышечный тонус
- Низкая физическая активность
- Потребление чрезмерного количества кофеина (больше 1–2 чашек[1] кофе в день) увеличивает количество гормонов стресса
- Употребление чрезмерного количества сахара[2]
- Употребление в пищу углеводов с высоким гликемическим индексом
- Употребление в пищу переработанных продуктов
- Рацион питания с низким содержанием клетчатки
- Употребление животного белка мяса животных, выращенных на зерне и комбикормах с использованием гормонов или антибиотиков
- Чрезмерный вес, особенно жир на талии и животе
- Пребывание в хроническом стрессе
- Признаки усталости надпочечников

---

[1] Здесь имеется в виду довольно большая «американская чашка», правда, и кофе в такой чашке обычно не столь крепкий, как приготовленный по европейской традиции. — *Прим. ред.*

[2] По рекомендациям некоторых отечественных специалистов: не более 2 чайных ложек в день (учитывая все съеденные блюда). — *Прим. ред.*

- Употребление определенных лекарств, таких как противозачаточные таблетки и антацидный циметидин
- Невнимательность к микрофлоре своего кишечника
- Употребление пищи из пластмассовых контейнеров
- Подогрев пищи в пластмассовых контейнерах в микроволновой печи
- Использование антипригарной тефлоновой посуды, в состав которой входят перфториды
- Использование косметики и туалетных принадлежностей, содержащих эстрогены и особенно фталаты
- Дефицит цинка
- Дефицит селена
- Соприкосновение с кадмием, ртутью, свинцом
- Соприкосновение с гербицидами и пестицидами
- Способствование увеличению выработки вредного эстрона (из-за употребления чрезмерного количества сахара, антацидного циметидина, противозачаточных таблеток, гипотиреоза, курения и воздействия пестицидов)

Глава 5

ПИТАЙТЕ ЖЕНСКИЙ МОЗГ

СДЕЛАЙТЕ СВОЙ ЖИВОТ ПЛОСКИМ И УВЕЛИЧЬТЕ РЕЗЕРВЫ МОЗГА, ИЗЛЕЧИВ СВОЙ КИШЕЧНИК И УПОТРЕБЛЯЯ В ПИЩУ ПОЛЕЗНЫЕ ДЛЯ МОЗГА ПРОДУКТЫ

Приведение в норму вашего питания — это пятый шаг к раскрытию потенциала женского мозга. Правильное питание — это насыщение, а не голодание.

Если мы не согласны на нездоровую жизнь, то мы, конечно, не должны соглашаться на нездоровое питание.

Сэлли Эдвардс

Наш мозг использует 20–30% калорий, которые мы потребляем. Это самое дорогое недвижимое имущество в нашем теле. Если вы хотите, чтобы ваш мозг и тело жили дольше, если вы хотите выглядеть моложе, сохранить ясность ума и чувствовать себя счастливой, важнейшая вещь, которую вам нужно сделать, — нормализовать свое питание. Иного пути нет. Вы можете сколько угодно заниматься физкультурой, мыслить праведно, медитировать и принимать биологически активные добавки… Но если вы продолжаете употреблять в пищу полуфабрикаты, напичканные трансжирами, сахаром, солью и сделанными из компонентов, выращенных с применением пестицидов; приправленные искусственными подсластителями, окрашенные искусственными красителями и сохраненные за счет искусственных консервантов, то вы просто не сможете поддерживать нормальную работоспособность своего мозга и тела. Эта глава поможет вам питаться правильно, чтобы мыслить правильно.

По своему опыту могу сказать, что когда вы стабилизируете свой рацион, это обычно влияет и на других окружающих вас людей: членов вашей семьи, церковной общины и даже ваших коллег по работе. Я видел, как это неоднократно происходило в моей собственной практике и в моей работе с корпорациями и церквями.

Типичный западный рацион обычно состоит всего из 15 различных продуктов, которые содержат массу вредных жиров, соли и сахара (вспомните чизбургеры, картофель фри, газированные напитки и конфеты). Он способствует воспалению и ведет к ожирению, депрессии, СДВГ, слабоумию, болезням сердца, раку и диабету. Возьмите состав гамбургера: говяжья котлета, салат, помидоры, сыр, соленые огурцы, лук на булочке с кунжутом, а также горчица, майонез и кетчуп, плюс порция картофеля фри и гигантский стакан колы, и у вас получается 12 продуктов (считая кунжут). Притом один гамбургер содержит практически всю дневную норму жиров, соли и калорий.

Если вы уже сегодня сделаете лучший выбор, вы скоро заметите, что у вас стало больше энергии, улучшились концентрация, память, настроение и втянулся живот. Ряд новых исследований показал, что здоровое питание связано со значительно меньшим риском возникновения болезни Альцгеймера и депрессии. Плюс к этому большинство женщин, принимая решение стать здоровыми, с удивлением обнаруживают, что начинают питаться лучше и получают больше удовольствия от еды. Это начало замечательных новых отношений с пищей.

Когда дело доходит до питания, многие люди поступают как болваны (таким был и я в прошлом). Они тянутся к нездоровой еде, ...переедают, ...чувствуют себя паршиво, ...затем ненавидят себя после свершившегося факта. Все это драматично. Когда вы решите стать здоровой и получите контроль над своим питанием, вы будете есть лучше, чем когда-либо, и это повлияет позитивно на всё в вашей жизни.

Тана написала несколько удивительных кулинарных книг, чтобы помочь поддержать наших пациентов и читателей в их усилиях обрести здоровье. Конечно, все ее блюда первым опробовываю я. Я люблю ее белковые коктейли, содержащие много овощей; суп из чечевицы; каре ягненка и индейку по-болонски, я чувствую, что становлюсь умнее, когда ем свежего дикого лосося, а еще я обожаю ее фаршированный красный перец.

Я больше не хочу фастфуда и недоброкачественной пищи, потому что она заставляет меня чувствовать себя усталым и тупым. Я полюбил полезные блюда, которые помогают мне чувствовать себя прекрасно все время, и того же я хочу и для вас. И, как ни странно, здоровое питание обходится отнюдь не дороже, а даже дешевле. Ваши расходы на медицину уменьшатся, а производительность существенно увеличится. А сколько стоит прекрасное самочувствие? Кроме того, здоровое питание является признаком любви к себе. Если вы действительно заботитесь о себе, как вы можете пичкать себя некачественной, вредной для здоровья пищей, которая способствует появлению заболеваний?

Ваше мышление здесь имеет решающее значение. В конечном счете правильное питание — это не лишение, а изобилие. Вы поймете, что самопотакание и тяга к нездоровой пище действительно портят ваше здоровье и, безусловно, не являются признаком здравого ума.

В этой главе я собираюсь показать вам отношение подхода «Четыре круга» к питанию женского мозга.

- *Биология*
  - 9 правил здорового питания для мозга
  - 52 лучших продукта для мозга
  - Как управлять своим представлением о еде

  - Продукты, улучшающие настроение, внимание, мотивацию и память
  - Как излечить кишечник, чтобы сбалансировать работу мозга
- *Психология*
  - Способы изменить свое представление о еде с негативного на позитивное
  - Как устранить вредные психологические установки в отношении еды, идущие из прошлого
- *Социальные связи*
  - Здоровье людей, с которыми вы разделяете трапезу, значимо влияет на ваше долголетие
- *Духовное здоровье*
  - Уважение к пище
  - Уважение и пополнение источников пищи для будущих поколений

ПОДХОД «ЧЕТЫРЕ КРУГА» К ПИТАНИЮ ЖЕНСКОГО МОЗГА

Биология

9 правил здорового питания для мозга от клиник Амена

Если вы собираетесь правильно питаться, очень важно чтобы ваша пища содержала надлежащие питательные вещества, которые ваш организм в состоянии должным образом переварить.

Вот 9 правил, которые мы усовершенствовали и которым учим наших пациентов в клиниках Амена.

Правило 1. Употребляйте «высококачественные калории», но не слишком много. Не позволяйте никому говорить вам, что калории не важны. Они очень важны. Но дело не только в том, чтобы потреблять определенное их количество. Я хочу, чтобы вы употребляли только высококачественные калории.

Одна булочка с корицей может стоить вам 720 калорий[1], а небольшой пирог с заварным кремом может потянуть больше, чем на 1000 калорий, и он истощит ваш мозг. В то время как салат из шпината, лосося, черники, яблок, грецких орехов и красного перца калорийностью 400 калорий зарядит вас энергией и прояснит ум.

Я думаю о калориях, как о деньгах, а я не люблю тратить деньги впустую. Если у вас высокий метаболизм, то есть у вас как бы много денег, вам не придется беспокоиться о калориях. Если у вас низкий обмен веществ, как у многих из нас, когда мы становимся старше, вы должны очень мудро расходовать свои калории.

Учение о калориях очень понятно. Если вы употребляете больше калорий, чем нужно, вы становитесь толще, вы чаще болеете и ваша производительность падает.

В одном исследовании ученые на протяжении 20 лет отслеживали большую группу макак-резусов. Обезьяны одной группы ели сколько хотели, а рацион другой группы был урезан на 30%. Оказалось, что обезьяны первой группы втрое чаще страдали от рака, заболеваний сердца и диабета. Кроме того, у них обнаружено уменьшение размеров областей мозга, отвечающих за принятие решений. Обезьяны же, употреблявшие меньше калорий, жили намного дольше и имели гладкую кожу и здоровую шерсть.

Если у вас есть проблемы с весом, было бы неплохо знать, сколько калорий в день вам требуется. Среднестатистической активной женщине 50 лет необходимо около 1800 ккал в день. И вам следует установить, сколько калорий в день вы на самом деле потребляете, — это то же самое, что знать, сколько денег вы тратите. Переедание сродни перерасходу средств. Переедая, вы банкротите свой мозг и тело. Если вы хотите нормализовать массу тела, ведите дневник питания, так же как вы ведете чековую книжку. Помните объем калорий, которые вы може-

---

[1] Автор, к сожалению, не различает калории и килокалории (обозначаемые «ккал»), и это надо учитывать. Здесь и далее, где единицы калорий неочевидны, оставляем текст в авторской редакции. — *Прим. ред.*

те потратить, и в течение дня отслеживайте, сколько вы уже потратили. И не тратьте их все в одном месте! Эта стратегия имеет огромное значение для моих пациентов. Когда они действительно записывают все, что они едят в течение месяца, это заставляет их прекратить лгать себе о своем питании и помогает преодолеть «калорийную амнезию».

Вот «100 способов избавиться от лишнего жира».

Правило 2. Пейте много воды, но избегайте жидких калорий. Наш мозг на 80% состоит из воды. Все, что обезвоживает его, например избыток кофеина или алкоголя, ухудшает ваше мышление и ограничивает суждения. Убедитесь, что вы пьете достаточно воды каждый день.

Во время поездки в Нью-Йорк я увидел плакат с надписью «Вы заливаете в себя фунты… Не делайте себя жирным». Я подумал, что это гениально. Исследование показало, что в среднем американцы пьют 450 ккал в день, в 2 раза больше, чем 30 лет назад. А ведь добавление дополнительных 225 ккал в день даст 11,5 кг отложений жира в год на вашем теле. Однако большинство людей не склонны считать калории, которые они получают вместе с напитками вроде газировки и пива. Знаете ли вы, что некоторые тоники и коктейли, например «Маргарита», могут стоить вам больше чем 700 калорий каждый? Есть одна очень простая стратегия, которая может помочь вам сбросить лишний вес: устраните большую часть калорий, которые вы пьете.

Мой любимый напиток — это вода, смешанная с небольшим количеством лимонного сока и стевией (натуральный подсластитель). Его вкус похож на лимонад, так что я практически балую себя, но при этом не набираю калорий. Многие из моих пациентов делают себе спа-воду, и им тоже кажется, что они балуют себя. Спа-вода — это вода с несколькими кусочками огурца, лимона и клубники.

Правило 3. В течение дня употребляйте высококачественный белок. Белок помогает сбалансировать уровень сахара в крови и поставляет необходимые компоненты для здоровья мозга. Белок очень важен для стареющего организма, потому что помогает вам поддерживать свою мышечную массу (а это реальная проблема в зрелом возрасте). Отличными источниками белка являются рыба, индейка или курица без кожи, фасоль, орехи (купленные неочищенными) и овощи с высоким содержанием белка, например брокколи и шпинат. Я использую шпинат вместо листового салата в своих блюдах из-за его огромной питательной ценности. Следует начинать день с употребления белка ради повышения вашего внимания и концентрации. Подробнее об этом чуть позже.

Правило 4. Употребляйте «умные» (низкогликемические, богатые клетчаткой) углеводы. Полезны углеводы, которые не повышают уровень сахара в крови и богаты клетчаткой, например, содержащиеся в овощах и фруктах, в том числе в чернике и яблоках. Углеводы сами по себе отнюдь не являются нашими врагами. Они необходимы для жизни. Но очищенные углеводы — злостные враги. Речь идет о простых сахарах и других рафинированных углеводах. Если вы хотите избавиться от чрезмерной тяги к еде, полностью устраните их из своего рациона. Мне нравится поговорка «Чем белее хлеб, тем быстрее вы умрете».

Сахар *очень вреден*. Он увеличивает воспаление в организме, способствует беспорядочному возбуждению клеток мозга и агрессии, вызывает привыкание. В одном новом исследовании было показано, что дети, которым регулярно давали сладкое, в дальнейшей жизни гораздо чаще прибегали к насилию. Я не согласен с теми, кто говорит, что можно есть все, но понемногу. Ведь, скажем, кокаин или мышьяк в умеренных количествах — это не очень хорошая идея. Чем меньше сахара в вашей жизни, тем лучше будет ваша жизнь, и точка.

Познакомьтесь с гликемическим индексом. Гликемический индекс (ГИ) оценивает углеводы в зависимости от их влияния на уровень сахара в крови. Он оценивается по шкале от 1 до 100 с лишним (где чистая глюкоза принята за 100). Соответственно индекс низкогликемических продуктов ниже (т.е. они не вызывают резкого повышения уровня сахара в крови, поэтому они полезнее). Высокий ГИ означает, что продукт быстро повышает уровень сахара в крови. Я предпочитаю продукты с гликемическим индексом меньше 60.

Употребление продуктов с низким ГИ сохраняет баланс глюкозы в крови, снижает патологическую тягу к еде и помогает сбросить лишний вес. Важно помнить, что высокий уровень сахара в крови негативно влияет на ваши сосуды, мозг и талию.

Тем не менее будьте осторожны: не стоит выбирать продукты, исходя исключительно из ГИ. Некоторые продукты с вроде бы низким ГИ отнюдь не полезны. Например, арахис M&M имеет ГИ 33, в то время как обычная овсянка — около 52. Означает ли это, что вам лучше съесть арахис M&M? Нет!

Пачка M&M перегружена насыщенными жирами, сахаром, искусственными пищевыми красителями и другими вредными компонентами, а овсянка богата клетчаткой, которая помогает регулировать уровень сахара в крови в течение нескольких часов. Используйте свой мозг при выборе пищи.

В общем, овощи, фрукты, бобовые, крупы и орехи относятся к лучшим продуктам с низким ГИ. Цельные, минимально обработанные продукты с низким ГИ не только помогут вам похудеть, они способны предотвратить диабет (данные обзора научной литературы за 2010 год, опубликованные в издании *British Journal of Nutrition*). Имейте в виду, однако, что некоторые продукты, которые кажутся полезными, на деле имеют высокий ГИ. Например, арбуз и ананас. Разумно употреблять больше фруктов, имеющих низкий ГИ. Аналогичным образом некоторые овощи, например картофель, и некоторые богатые клетчаткой продукты, такие как хлеб из цельной пшеницы, находятся наверху списка продуктов с высоким ГИ. Меньшие порции этих продуктов и комбинирование их с продуктами с низким содержанием белка и здоровыми жирами уменьшат их влияние на уровень сахара в крови.

Учитывайте гликемический индекс продуктов питания.

Выбирайте углеводы с высоким содержанием клетчатки. Продукты, богатые клетчаткой, помогают бороться с лишним весом. Многолетние исследования показали, что чем больше клетчатки вы едите, тем лучше для вашего здоровья и оптимизации массы тела. Каким образом растительные волокна борются с жиром?

Во-первых, клетчатка помогает регулировать гормон аппетита грелин, который сообщает мозгу о том, что вы голодны. При высоком ИМТ уровень грелина часто несбалансирован, поэтому человек всегда чувствует себя голодным, как бы много он ни съел. Новое исследование выявило, что избыток грелина не только заставляет вас чувствовать себя голодным, но и увеличивает желание съесть именно высококалорийные продукты, поэтому для вашего организма это двойной удар. И тут клетчатка способна вам помочь.

Исследование 2009 года показало, что богатый клетчаткой рацион помог сбалансировать уровень грелина у полных и тучных пациентов. Клетчатка унимает постоянный голод и снижает тягу к высококалорийным продуктам.

Во-вторых, независимо от того, сколько вы весите, употребление богатых растительными волокнами продуктов помогает вам чувствовать насыщение дольше, гарантируя, что вы не станете перекусывать через час после еды.

В-третьих, клетчатка замедляет всасывание пищи в кровь, что позволяет сбалансировать уровень сахара в крови. В результате вы способны сделать здравый выбор продуктов и противостоять тяге к еде в течение дня. Дело в том, что клетчатка долго переваривается, и человек, съедающий в день 20–35 г клетчатки, будет сжигать дополнительные 150 калорий в день и сбросит лишних 16 кг в год.

Три описанных эффекта существенно помогут вам избежать лишних калорий. Продукты, богатые клетчаткой, могут похвастаться и рядом других полезных свойств для здоровья. Помимо прочего, они:

- *Снижают уровень холестерина*
- *Поддерживают моторику пищеварительного тракта*
- *Снижают высокое артериальное давление*
- *Снижают риск развития рака*

Специалисты рекомендуют употреблять 25–35 г клетчатки в день, но исследования свидетельствуют, что большинство взрослых не употребляют и этого. Итак, как можно повысить потребление клетчатки? Ешьте больше полезных для мозга продуктов с высоким содержанием клетчатки: фрукты, овощи и бобовые. Вот ссылка на содержание клетчатки в некоторых продуктах, полезных для мозга. Попробуйте включить какие-нибудь продукты из этого списка в каждый свой прием пищи или перекус.

Содержание клетчатки в продуктах, полезных для мозга.

Правило 5. Выбирайте полезные жиры. Жир — это не враг. Необходимые жирные кислоты полезны для здоровья. Твердая масса нашего мозга (если удалить из него воду) на 60% состоит из жира. Однако некоторые жиры действительно вредны, и следует избегать их. Например, трансжиры. Знаете ли вы, что жиры, которые входят в состав пиццы, мороженого и чизбургеров, обманывают мозг, заставляя его игнорировать сигналы о том, что вы насытились?

Неудивительно, что я раньше всегда съедал 2 чашки мороженого и 8 кусков пиццы. Сосредоточьте свое питание на здоровых ненасыщенных жирах[1], особенно тех, которые содержат омега-3 жирные кислоты, — они содержатся в таких продуктах, как лосось, авокадо, грецкие орехи и зеленые листовые овощи.

Высокий уровень холестерина не очень полезен для мозга. Есть новые данные о том, что люди с повышенным холестерином, когда им за 40, имеют более высокий риск развития болезни Альцгеймера, когда им исполнится 60–70 лет.

> Известно, что ниацин (один из витаминов группы B) помогает снизить уровень холестерина и повысить уровень ЛПВП — «хорошего» холестерина.

Авокадо и чеснок тоже могут помочь. Но не стремитесь понизить уровень холестерина чрезмерно. Недостаток холестерина, как я упоминал, коррелирует с вероятностью совершения убийства или самоубийства.

Если на вечеринке кто-то хвастается мне своим низким уровнем холестерина, я всегда веду себя с этим человеком *очень* уважительно.

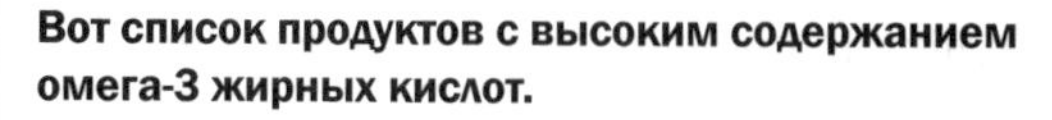

Вот список продуктов с высоким содержанием омега-3 жирных кислот.

---

[1] Речь идет о полиненасыщенных (ПНЖК) и мононенасыщенных (МНЖК) жирных кислотах. — *Прим. ред.*

Правило 6. Питайтесь овощами и фруктами всех цветов. Таким образом, следует выбирать растительную пищу всех цветов радуги. Например, черника, гранаты, желтая тыква и красный перец. Это повысит уровень антиоксидантов в организме и поможет сохранить ваш мозг молодым. Конечно, к продуктам этой цветовой радуги не относятся *Skittles*, драже или M&M.

Список продуктов с высоким содержанием антиоксидантов.

Правило 7. Готовьте с травами и специями, которые усилят ваш мозг. Вот немного пищи для размышлений в буквальном смысле.

- *Куркума, содержащаяся в карри, содержит химическое вещество, которое, как было показано, устраняет факторы, вызывающие болезнь Альцгеймера.*
- *Результаты трех исследований выявили, что экстракт шафрана столь же эффективен в лечении страдающих депрессией, как и антидепрессанты.*
- *Существуют проверенные научные данные о том, что розмарин, тимьян (чабрец) и шалфей способствуют улучшению памяти.*
- *Корица способствует сосредоточению и балансирует уровень сахара в крови. Она богата антиоксидантами и является природным афродизиаком.*
- *Чеснок и орегано (душица) повышают кровоснабжение мозга.*
- *Ешьте больше имбиря, кайенского перца, черного перца, причем их горячий пряный вкус исходит от гингеролы, капсаицина и пиперина, которые повышают обмен веществ и обладают эффектом афродизиаков.*

Правило 8. Старайтесь, чтобы ваша пища была как можно более экологически чистой. По возможности ешьте экологически чистые продукты, поскольку пестициды, используемые в коммерческом фермерстве пусть и в небольших количествах, могут накапливаться в вашем мозге и теле. Кроме того, ищите мясо, не содержащее гормонов и антибиотиков, мясо скота, выращенного на свободном выгуле и питавшегося травой. Важно знать и понимать, чем питалась корова или курица, которую вы едите. Кроме того, исключите из рациона искусственные добавки, консерванты, красители и подсластители. Следует читать этикетки на продуктах питания, которые вы покупаете.

И если вы не можете узнать состав какого-то продукта, не ешьте его. Вы потратили бы деньги на что-то, ценность чего не представляете? Конечно, нет. Теперь пора начать действительно серьезно относиться к еде, которую вы помещаете в свой организм.

14 продуктов с наивысшим уровнем вероятных остаточных пестицидов (покупайте натуральное)

1. Сельдерей
2. Персики
3. Клубника
4. Яблоки
5. Черника
6. Нектарины
7. Огурцы
8. Болгарский перец
9. Шпинат
10. Вишня
11. Листовая капуста и капуста кормовая
12. Картофель
13. Виноград
14. Зеленая фасоль

17 продуктов с низким вероятным уровнем остаточных пестицидов

1. Лук
2. Авокадо
3. (Замороженная) сахарная кукуруза
4. Ананасы
5. Манго
6. Спаржа
7. Английский (замороженный) душистый горошек
8. Киви
9. Бананы
10. Капуста
11. Брокколи
12. Папайя
13. Грибы
14. Арбуз
15. Грейпфрут
16. Баклажан
17. Мускусная дыня

Рыба — отличный источник здорового белка и жира, но стоит обращать внимание на вероятную токсичность некоторых рыб. Вот несколько общих правил. (1) Чем крупнее рыба, тем больше в ней может накопиться ртути, поэтому выбирайте рыбу небольших размеров. (2) Из списка безопасных видов рыбы употребляйте в пищу те разновидности, которые наиболее богаты омега-3. Например, дикий аляскинский лосось, анчоусы и тихоокеанский палтус.

Список экологически безвредной рыбы.

Правило 9. Если у вас проблемы с настроением, энергией, памятью, весом, уровнем сахара в крови, кровяным давлением или кожей, устраните из рациона любые продукты питания, которые могут вызывать эти проблемы, особенно те, которые содержат пшеницу и любые другие глютеносодержащие злаки, а также молочные, соевые продукты и кукурузу. Знаете ли вы, что глютен[1] может в буквальном смысле свести некоторых людей с ума?

Существуют научные доказательства того, что у людей, употреблявших в пищу продукты с глютеном, нарушалась психика, а когда они переставали употреблять такие продукты и устраняли из рациона другие источники глютена (например, ячмень, рожь, спельту, искусственное мясо, соевый соус), состояние их желудка и мозга улучшалось. Одна из моих пациенток сбросила 15 кг, а ее капризность, экзема и синдром раздраженной толстой кишки полностью ушли, когда она исключила из своего рациона мучное.

Другой мой пациент становился агрессивным, когда ел продукты, содержащие глютамат[2] натрия. Когда мы провели сканирование его мозга на предмет воздействия глютамата натрия, мы увидели в его мозге активность, которая свойственна очень агрессивным пациентам.

Состояние детей-аутистов и детей с синдромом дефицита внимания и гиперактивности (СДВГ) часто значительно меняется к лучшему, когда мы просим их придерживаться диеты, в которой нет мучного, молочных продуктов, обработанных продуктов, красителей и консервантов.

Посмотрите инструкции относительно диеты, из которой устранены некоторые виды продуктов.

---

[1] Клейковина зерна некоторых злаков. — *Прим. ред.*

[2] Усилитель вкуса. На этикетках его еще иногда называют «глутамат» или «глутаминат натрия». Он естественным образом образуется в соевом соусе в процессе его приготовления. — *Прим. ред.*

Чтобы узнать свою чувствительность к некоторым видам пищи, вы можете сдать анализы крови. Кроме того, пройдите по ссылке выше, чтобы попробовать диету, из которой устранены некоторые виды продуктов. Мы используем эту диету в наших клиниках.

ДЕВЯТЬ ПРАВИЛ КЛИНИК АМЕНА, КАСАЮЩИХСЯ ПИТАНИЯ, БЛАГОПРИЯТНОГО ДЛЯ МОЗГА

Правило 1. Стремитесь получать «высококачественные калории», но не переборщите и с ними.

Правило 2. Пейте много воды и избегайте жидких калорий.

Правило 3. Ешьте в течение дня высококачественный постный белок.

Правило 4. Выбирайте «умные» углеводы (низкогликемические, богатые клетчаткой).

Правило 5. Отдавайте предпочтение здоровым жирам.

Правило 6. Выбирайте фрукты и овощи различных цветов.

Правило 7. Приправляйте блюда полезными для мозга травами и специями.

Правило 8. Выбирайте как можно более натуральные продукты.

Правило 9. Если у вас проблемы с настроением, энергией, памятью, весом, уровнем сахара в крови, кровяным давлением или кожей, устраните из рациона продукты питания, которые могут вызывать эти проблемы, особенно пшеницу и любые другие глютеносодержащие злаки, а также молочные, соевые продукты и кукурузу.

52 лучших продукта для здоровья мозга, которые помогут раскрыть потенциал женского мозга

Чтобы помочь вам встать на правильный путь, привожу мой список 52 суперпродуктов для здоровья женского мозга, основанный на вышеупомянутых принципах. Покупая их, удостоверьтесь, что эти продукты натуральные и, по возможности, без гормонов и антибиотиков; а мясные продукты изготовлены из мяса животных, откормленных травой и содержавшихся в естественных условиях.

Орехи и семена

1. Миндаль, сырой — белок, здоровые жиры, и клетчатка
2. Бразильские орехи — отличный источник цинка, магния, тиамина, высокое содержание селена, здоровый жир и клетчатка.
3. Какао, сырье, богато антиокисидантами, высокое содержание флавоноидов (веществ, которые увеличивают кровообращение). Содержит магний, железо, хром, цинк, медь и клетчатку. Может способствовать уменьшению аппетита и балансированию уровня сахара в крови. Помогает улучшить настроение, стимулируя выработку серотонина, эндорфинов и фенилэтиламина (ФЭА). Но ешьте совсем немного темного шоколада, иначе какао превратится в жир.
4. Орехи кешью богаты фосфором, магнием, цинком и антиоксидантами.
5. Семена чии содержат значительное количество жирных кислот класса омега-3, клетчатку и антиоксиданты.
6. Кокосовый орех богат клетчаткой, марганцем и железом; низкое содержание натурального сахара; высокое содержание триглицеридов средней цепи, которые, как доказано, полезны для мозговой ткани.
7. Конопляное семя содержит много белка — все необходимые аминокислоты, а также жирные кислоты омега-3 и омега-6 (в том числе гамма-линоленовую кислоту, обладающую противовоспалительными свойствами), клетчатку и витамин Е.

8. Семена кунжута богаты клетчаткой, способствуют стабилизации сахара в крови и понижению уровня холестерина; хороший источник кальция, фосфора, и цинка.
9. Грецкие орехи из всех орехов содержат наибольшее количество жирных кислот омега-3, снижающих уровень «плохого» холестерина и способных уменьшить воспаление; отличный источник антиоксидантов, витамина E, селена и магния.

Бобы (небольшое количество)

10. Нут — высокое содержание серотонина.
11. Чечевица — клетчатка.

Фрукты

12. Ягоды асаи — клетчатка, омега-3, антиоксиданты, минералы, витамины, фитостеролы и фитонутриенты, низкий гликемический индекс и уровень сахара.
13. Яблоки богаты антиоксидантами и клетчаткой; помогут вам не допустить переедания.
14. Авокадо — высокое содержание жиров омега-3, богат лютеином (полезным для зрения), калием и фолиевой кислотой; низкое содержание пестицидов.
15. Ежевика богата антиоксидантами, фитодобавками и клетчаткой; низкий гликемический индекс.
16. Черника изобилует антиоксидантами. Антоцианины — вещества, придающие чернике насыщенный фиолетовый цвет, — могут иметь антидиабетический эффект. Некоторые исследования предполагают, что эти «ягоды для мозга» могут сделать вас умнее.
17. Вишня содержит клетчатку, имеет низкий гликемический индекс.
18. Физалис перуанский содержит много фосфора, кальция, клетчатки и витамины A, C, B_1, B_2, B_6 и B_{12}; очень богат белком (16%).

19. Плоды дерезы обыкновенной (ягоды годжи) насыщены антиоксидантами, клетчаткой, аминокислотами, железом и витамином С; способствуют снижению артериального давления, стабилизируют сахар в крови и борются с грибками.
20. Грейпфрут содержит множество полезных нутриентов и витаминов, клетчатку и имеет низкий гликемический индекс.
21. Мед, сырой дикий (только небольшие количества) богат минералами, антиоксидантами, пробиотиками, содержит все 22 основные аминокислоты. Некоторые виды меда обладают противогрибковыми, антибактериальными и антивирусными свойствами.
22. Киви полезен своими разнообразными нутриентами, клетчаткой и имеет низкий гликемический индекс.
23. Гранаты богаты клетчаткой и андиоксидантами; низкокалорийны.

Овощи

24. Спаржа — клетчатка и антиоксиданты.
25. Свекла богата клетчаткой, фитонутриентами, фолатом и бета-каротином.
26. Болгарские перцы — клетчатка и витамин С.
27. Брокколи содержит сульфорафан; это вещество увеличивает количество ферментов, которые понижают заболеваемость некоторыми видами рака.
28. Брюссельская капуста тоже содержит сульфорафан, богата клетчаткой.
29. Белокочанная капуста содержит сульфорафан, много клетчатки.
30. Цветная капуста содержит сульфорафан и клетчатку.
31. Хлорелла — сине-зеленые водоросли; содержат хлорофилл; помогают детоксифицировать организм и удалить диоксины, свинец и ртуть; содержат много витаминов группы В и помогают пищеварению.

32. Чеснок может помочь понизить артериальное давление и холестерин; тормозит развитие некоторых видов рака; имеет антибиотические свойства; увеличивает кровоснабжение мозга.
33. Хрен богат кальцием, калием, витамином С; помогает поддерживать нужный уровень коллагена.
34. Савойская капуста и другие овощи с темными листьями содержат жиры омега-3, железо (что важно для женщин) и фитонутриенты.
35. Лук-порей может помочь снизить давление крови и холестерин; тормозит развитие некоторых видов рака; имеет антибиотические свойства.
36. Корень маки перуанской чрезвычайно богат аминокислотами, минералами, фитостеролами, витаминами и полезными жирными кислотами.
37. Лук способствует снижению артериального давления и холестерина; тормозит развитие некоторых видов рака; имеет антибиотические свойства; усиливает мозговое кровообращение.
38. Морские водоросли богаты жирными кислотами омега-3 и магнием.
39. Шпинат и другие овощи с темными листьями содержат омега-3 жиры, железо (необходимое для женщин) и фитонутриенты.
40. Спирулина — эта водоросль имеет самую высокую концентрацию белка, много бета-каротина и железа (не употреблять, если у вас слишком высокий уровень железа); богата антиоксидантами, поможет оздоровить зрение, волосы и кожу.
41. Батат богат фитонутриентами, клетчаткой и витамином А.
42. Сок пырея богат минералами и витаминами; содержит 70%-ный хлорофилл; полный белок с 30 ферментами; превосходный источник фосфора, магния, цинка и калия.

Разновидности масел

43. Кокосовое масло устойчиво при высоких температурах.
44. Масло виноградных косточек устойчиво при высоких температурах; богато омега-3.
45. Оливковое масло устойчиво только при комнатной температуре.

Домашняя птица/рыба

46. Цыпленок или индейка без кожи — маложирный белок.
47. Яйца — белок и омега-3.
48. Баранина богата жирными кислотами омега-3.
49. Лосось дикий изобилует улучшающими работу мозга омега-3 жирными кислотами.
50. Сардины, дикие (выловленные в море) — низкое содержание ртути, богаты жирными кислотами омега-3, витамином D и кальцием; экологически безопасны.

Чай

51. Чай, предпочтительно зеленый, содержит защитные антиоксиданты; меньше кофеина, чем в кофе и черном чае; оптимизирует метаболизм за счет галлата эпигаллокатехина; кроме того, содержит L-теанин, который помогает одновременно расслабиться и сосредоточиться.

Особая категория

52. Лапша ширатаки (из корня дикого ямса); продается под фирменным брендом Miracle Noodles — богата клетчаткой и низкокалорийна (это один из секретных компонентов, заменяющих макароны, который использует моя жена).

Как управлять своим мышлением и настроением благодаря пище

Большинство людей не знают о том, что можно использовать пищу, чтобы управлять своим психологическим состоянием. Пища может помочь человеку чувствовать себя расслабленным, счастливым и сосредоточенным или совершенно тупым. Но в нашей стране мы кормим себя и своих детей совершенно неправильно.

Вообще простые углеводы, например содержащиеся в блинах, вафлях, сдобах и рогаликах, повышают уровень серотонина, который помогает нам чувствовать себя спокойными и удовлетворенными. Белок, содержащийся в мясе, орехах и яйцах, повышает уровень дофамина, который придает энергичности, мотивированности и способствует сосредоточению. Тем не менее многие люди с утра употребляют простые углеводы, а вечером едят больше белка.

Например, очень распространено кормить детей (и себя) завтраком, состоящим из пончиков, блинов, вафель, сладких каш, сдоб, рогаликов или тостов, а также фруктовыми соками (с концентрированным сахаром).

И после этого мы просим наших детей сосредоточиться, это вызывает у них проблемы, а нам начинает казаться, будто у них СДВГ. Простая еда на основе углеводов вызывает выброс инсулина, что может привести к быстрому понижению уровня сахара в крови, в результате чего появляется затуманенность сознания. Кроме того, простые углеводы дают повышение уровня серотонина в мозге, поэтому мы чувствуем себя счастливее после еды. Проблема в том, что серотонин может снизить способность человека добиваться своей цели, он способствует состоянию беззаботного отношения к жизни. А это не лучший психологический настрой для учебы или работы. Пища, богатая белком, как правило, имеет противоположный эффект. Она повышает уровень дофамина в мозге, то есть повышает мотивацию и помогает сосредоточиться.

Вот почему имеет смысл есть богатую белком пищу в начале дня, а на ужин только если вам нужно завершить какую-то работу вечером[1]. Если же вы хотите расслабиться вечером

---

[1] Автор не учитывает один простой физиологический факт: белки перевариваются и расщепляются в организме довольно долго (около 12 часов). Таким образом, белковый ужин как раз начинает «работать на вас» с утра. Углеводы же усваиваются быстрее белков, и углеводистый ужин скорее целиком пойдет на жировые отложения во время сна (поскольку энергию переваренных углеводов вечером некуда будет расходовать). — *Прим. ред.*

и рано лечь спать, я рекомендую уменьшить количество белка и есть блюда из здоровых углеводов.

Часто, когда дети приходят домой из школы, родители дают им печенье и газировку (закуска, богатая простыми углеводами). А затем они просят детей сделать домашнее задание. К сожалению, эти родители невольно снижают способности своих детей выполнить школьное задание, и это приводит к стрессовому вечеру для всех.

Продукты, которые улучшают настроение, сосредоточенность, мотивацию и память

Напомним, что серотонин — нейротрансмиттер, помогающий успокоить мозг. Он непосредственно связан со сном, регулированием настроения, аппетитом и общением. Серотонин позволяет уменьшить наши заботы и проблемы. На основе исследований, проведенных в Массачусетском технологическом институте, было выявлено, что продукты, богатые простыми углеводами, быстро повышают уровень серотонина. И они вызывают выброс инсулина, который снижает количество большинства крупных аминокислот, за исключением триптофана — аминокислоты, входящей в состав серотонина, тем самым уменьшая возможность триптофана попасть в мозг.

Именно поэтому люди могут испытывать зависимость от хлеба, макаронных изделий, картофеля, риса и сахара. Простые углеводы служат им «пищей для настроения» — человек чувствует себя более расслабленным и менее беспокойным после их употребления. К сожалению, поскольку эти продукты способствуют повышению уровня серотонина, они также могут снизить функции лобной коры и уменьшить внутреннюю способность человека к контролю импульсов. Я думаю, именно поэтому в ресторанах подают хлеб и алкоголь перед едой. После их употребления вы с большей вероятностью закажете себе десерт.

Многие полезные для мозга продукты тоже помогают повысить уровень серотонина: яблоки, черника, морковь, овсянка и нут. Они дают постепенное увеличение уровня серотонина. И это миф, что продукты, богатые триптофаном, такие как индейка, повышают уровень серотонина в мозге. Триптофан транспортируется в мозг с помощью системы, которая ориентирована на большие белковые молекулы, а триптофан, будучи меньше по размеру, плохо конкурирует с другими белками за попадание в мозг. Это объясняет, почему физические упражнения помогают людям чувствовать себя лучше. Физическая активность заставляет крупные аминокислоты поступать в мышцы и тем самым помогает триптофану попасть в мозг. Если вы хотите почувствовать себя счастливой, возьмите яблоко и отправляйтесь на прогулку.

Дофамин способствует мотивации, заинтересованности, вниманию и ощущению эмоциональной значимости того, на что направлено внимание, это состояние порождает и удовольствие[1]. Он способствует достижению поставленной цели. Белки в целом обычно повышают уровень дофамина, поэтому, если вам нужно сосредоточиться, избегайте сахара, хлеба, макарон, риса и картофеля. Говядина, птица, рыба, яйца, семена (тыквы и кунжута), орехи (миндаль и грецкие орехи), сыр и зеленый чай увеличивают уровень дофамина. Сюда можно добавить авокадо и фасоль. Аминокислота тирозин входит в состав дофамина, а также имеет важное значение для функционирования щитовидной железы. Простые же углеводы, как правило, разрушают дофамин.

Ацетилхолин — это нейротрансмиттер, способствующий обучению и улучшению памяти. Печень, яйца, молоко, лосось и креветки стимулируют его выработку.

Исцелите свой кишечник, чтобы усилить мозг

Кишечник иногда называют вторым мозгом. В кишечнике огромное количество нервной ткани, и он напрямую связан с нашим большим мозгом. Именно поэтому мы ощущаем

---

[1] Точнее это «дофаминовое» удовольствие в сочетании с активным интересом можно назвать драйвом. — *Прим. ред.*

нервную дрожь в животе при возбуждении и у нас расстраивается кишечник, когда мы не в своей тарелке. Тревога, депрессия, стресс и горе выражаются не только в виде эмоциональной боли, но и в виде желудочно-кишечных расстройств.

Кишечник является одним из самых важных органов, определяющих здоровье вашего мозга. Считается, что в желудочно-кишечном тракте находится 100 000 000 000 000 микроорганизмов (бактерии, дрожжи и др.) — это в 10 раз больше общего количества клеток в организме человека. Чтобы быть здоровым, нужно, чтобы соотношение хороших и плохих (патогенных) микроорганизмов было в пользу хороших, то есть примерно 85% «хороших парней» и 15% «плохих парней». Когда все обстоит наоборот и плохие ребята укрепятся, могут появиться всевозможные физические и психические проблемы. Поддержание нужного баланса хороших и плохих микроорганизмов имеет значение для вашего психического здоровья.

Существуют данные о том, что полезные бактерии кишечника предотвращают вторжение туда нарушителей, таких как кишечная палочка, и помогают нам противостоять стрессу. Если полезных микроорганизмов недостаточно из-за плохого ли питания, которое способствует разрастанию грибков (вспомните сахар), или из-за чрезмерного использования антибиотиков (даже еще в детстве), убивающих хорошие бактерии, человек, скорее всего, будет ощущать стресс. С дисбалансом бактерий в кишечнике, который вызывает повышенную проницаемость кишечника, связан целый ряд заболеваний: от СДВГ и аутизма у детей до депрессии и затуманенности сознания у взрослых.

Кишечник служит барьером для вредных микроорганизмов внешнего мира. Если он становится слишком проницаемым, это состояние называют протекающим кишечником — во всем организме могут развиться воспалительные заболевания. Оптимизация оси кишечник — мозг имеет решающее значение для вашего психического здоровья.

ФАКТОРЫ, КОТОРЫЕ ПОДАВЛЯЮТ ПОЛЕЗНЫЕ БАКТЕРИИ КИШЕЧНИКА

- Медпрепараты (антибиотики, противозачаточные таблетки, ингибиторы протонной помпы, стероиды, нестероидные противовоспалительные препараты (НПВП))
- Употребление рафинированного сахара
- Искусственные подсластители
- Противобактерицидные химикаты в воде
- Остатки пестицидов в пище
- Алкоголь
- Физиологические, эмоциональные и экологические стрессоры
- Радиация
- Физические упражнения высокой интенсивности

Негативное воздействие антибиотиков приходится не столько на прописанные врачом лекарства, сколько на антибиотики, содержащиеся в мясе животных и овощах. Они способны нарушить баланс полезных и вредных бактерий в организме. Считается, что 70% всех используемых антибиотиков в Соединенных Штатах скармливают скоту. Важно употреблять мясо без гормонов и антибиотиков — мясо животных, питавшихся травой на свободном выгуле.

Несколько хороших микробов могут быть полезны для вас

Известно, что выращенные в безмикробной среде животные сильно реагируют на психологический стресс. Все мы нуждаемся в хороших микробах в кишечном тракте — они укрепляют нашу иммунную систему, поэтому не переусердствуйте в стремлении оградить детей от грязи. Когда исследователи давали животным пробиотики (полезные микробы), уровень их стресса приходил в норму.

Стресс сам по себе подавляет здоровую флору пищеварительного тракта. Разлучение ребенка с родителями в раннем детстве может вызвать усиление стресса, уменьшение количества здоровых бактерий и увеличение проницаемости пищеварительного тракта. Когда крысят разлучали с матерями, слой клеток, которые выстилают пищеварительный тракт, становился у них более водопроницаемым, что позволяло бактериям кишечника проходить через его стенки и стимулировать иммунные клетки на атаку других органов. «У крыс — это адаптивный ответ, — говорит доктор Эмеран Мейер из Университета Калифорнии. — Если они рождаются в стрессовой, враждебной среде, природа программирует их быть более бдительными и стрессоустойчивыми в их будущей жизни».

Доктор Мейер утверждает, что 70% пациентов, которых он лечит от хронических заболеваний пищеварительного тракта, прошли в детстве через какие-то душевные травмы, например пережили развод или смерть родителей, хроническую болезнь. «Я думаю, что события детства, наряду с генетическим фондом человека, программируют его реакцию на стресс на всю оставшуюся жизнь».

Тереза

Терезу воспитала мать-одиночка. Их дом был наполнен стрессом. Когда Терезе было 4 года, убили ее дядю, и вскоре после этого мать повела малышку к врачу из-за жалоб на боли в животе. В 9 лет у девочки появились приступы тревоги, особенно когда ее мать поздно приходила с работы. В подростковом возрасте Тереза страдала булимией, и снова возникли проблемы с кишечником. Уменьшение стресса, наряду с приемом пробиотиков, способствующих усилению благоприятной микрофлоры в кишечнике, положительно повлияло на Терезу физически и эмоционально.

В недавнем исследовании доктора А. Венкет Рао и Элисон Бестед 39 пациентам с хроническим синдромом усталости в течение 2 месяцев ежедневно вводили либо 3 дозы пробиотика (полезные бактерии), либо плацебо. В результате у 73% пациентов, принимающих пробиотик, наблюдали значимое уменьшение симптомов беспокойства. Исследователи не обнаружили существенного изменения в уровне беспокойства у группы, принимавшей плацебо. Ученые предположили, что пробиотики «вытесняют» патогенные бактерии пищеварительного тракта, связанные с депрессией и другими расстройствами настроения. Доктор Бестет сообщил, что: «Испытуемые ощущают меньше тревоги, более спокойны, лучше справляются со своим недугом, лучше спят и реже испытывают учащенное сердцебиение».

Что это означает для вас? Внимательно следуйте правилам здорового питания для мозга, описанным в этой главе, обращая особое внимание на устранение большей части простого сахара из вашего рациона, ибо он подпитывает нездоровые бактерии.

Сосредоточьтесь на употреблении здоровых (низкогликемических, с высоким содержанием клетчатки) углеводов, которые способствуют созданию полезной микрофлоры. Кроме того, начните ежедневно принимать пробиотики, чтобы способствовать развитию хороших бактерий. Будьте осторожны с антибиотиками. Если вы принимали их много в прошлом, то пробиотические препараты и здоровый рацион становятся еще более важными для здоровья вашего мозга.

Психология

Чтобы получить контроль над своей едой, важно правильно мыслить и относиться к этому. Необходимо серьезным образом изменить свое мышление. Плохое самочувствие или избыточный вес — это проблема не только питания, но и установки. Многие женщины отказываются выздороветь, потому что они не могут смириться с мыслью о том, что им придется чего-то себя лишить.

В свое время, когда я консультировал одну крупную организацию, жена генерального директора сообщила мне, что, когда мы впервые ввели в их организации программу здорового питания для мозга, она сказала мужу, что скорее заболеет раком, чем откажется от сахара. Именно тогда она поняла, что у нее имеются серьезные проблемы с сахаром.

Употребление в пищу еды, полезной для мозга, — это одна из самых сильных форм любви к себе. Если вы искренне любите себя и заботитесь о себе, то вы должны следить за тем, чтобы снабжать свой организм только здоровым топливом. Но чтобы это случилось, требуется правильный психологический настрой. Если вы хотите раскрыть весь потенциал женского мозга, вы должны сражаться за его здоровье.

Правильный психологический настрой по поводу еды

Наш образ мыслей существенно влияет на наше самочувствие и *любое наше решение*. И ложь, которую мы говорим сами себе, — один из самых значительных факторов, способствующих развитию заболеваний. Вот несколько таких лживых утверждений по поводу еды, которые мне приходилось слышать.

- *«Я не хочу лишать себя чего-то». А разве нездоровая еда не лишает вас здоровья, вашего самого драгоценного ресурса? Что стоит больше — энергия, тонкая талия и здоровье или гора жареного картофеля фри, содовой, пирогов, печенья и прочей снеди, которую вы съели за последнее десятилетие?*
- *«Я не могу питаться здоровой пищей, потому что много путешествую». Меня всегда забавляет такое объяснение, потому что я сам много езжу. Просто требуется немного предусмотрительности и планирования.*
- *«Вся моя семья имеет лишний вес, так что это у меня в генах». Одно из самых лживых утверждений. Гены отвечают всего за 20–30% нашего здоровья. Большинство проблем со здоровьем возникает из-за опрометчивых решений, которые мы принимаем. Мои гены говорят, что я должен быть толстым, но я принимаю такие решения, которые снижают вероятность того, что это произойдет.*

- *«Я не могу позволить себе тратиться на здоровье». Быть больным всегда дороже, чем быть здоровым.*
- *«Я не могу найти время для занятий физкультурой». С более острым умом, который появляется в результате тренировок, вы поймете, что тренировки в конечном счете экономят вам время.*
- *«Не сегодня — сейчас Пасха, День памяти, День независимости, День труда, День благодарения, Рождество, понедельник, вторник, среда, четверг, пятница, суббота или воскресенье». Всегда есть оправдание, чтобы навредить себе.*

Когда вы прекращаете верить каждой дурной мысли, которая у вас появляется, качество ваших решений и вашего здоровья резко улучшается. Так какую именно ложь вы говорите себе по поводу еды? Запишите эти лживые утверждения. В следующей главе я научу вас парировать их.

Как разрушить вредные психологические установки прошлого, касающиеся еды

На сеансе терапии Нэнси-Линн, 55-летняя женщина, которая старалась стать здоровой, сказала мне, что ей было грустно, потому что она не сможет больше ничего печь со своими внуками. Время, проведенное вместе с ее бабушкой в совместной выпечке печений, кексов и другой сдобы, было одним из наиболее дорогих воспоминаний ее детства. Когда я слушал ее, я увидел, как призраки из прошлого и негативное мышление пытаются завладеть ее мозгом и прогрессировать.

«Давайте посмотрим, — сказал я. — Вам грустно, потому что не в ваших интересах печь печенье с вашими внучками?»

«Да», — ответила она.

«Почему вы не будете печь печенье с ними?»

«Ну, во-первых, это разрушило бы мою программу. Запаху свежеиспеченного печенья трудно сопротивляться».

«Есть еще какие-нибудь причины?»

«Если я пеку печенье с ними, я засеваю семена болезни в их умах, как моя бабушка неосознанно сделала это для меня. Печенье и другие испеченные сладости — это продукты настроения для меня. Они напоминают мне о любви моей бабушки».

С улыбкой я ответил: «А если вы не печете с ними печенье, или пирог, или другие вредные блюда, значит ли это, что у вас больше нет никакой другой возможности для того, чтобы провести с ними время с пользой?»

«Доктор Амен, это одна из самых глупых фраз, которые я когда-либо слышала от вас. Конечно, есть другие вещи, которые я могу делать с ними. Действительно, я сижу здесь, думая о том, что я могу научить их готовить полезные для здоровья блюда. Они могут помочь мне готовить коктейли из фруктов, салаты, гуакамоле, вегетерианские блюда и нарезку из фруктов с низким гликемическим индексом. Я могу научить их здоровому питанию, и они смогут научить этому своих внуков, и таким образом у них не будет этих ядовитых, глупых мыслей».

Мои пациенты часто говорят очень умные вещи. Просто надо задать им правильные вопросы. Подумайте о стереотипах из своего прошлого, с которыми вы должны расстаться. Они приносят вам пользу или причиняют боль? Шаблоны Нэнси не только причиняли боль ей, но могли навредить тем, кого она любила больше всего.

Социальные связи

Приготовление еды для семьи — важная социальная деятельность. Будучи ливанцем, я знаю об этом не понаслышке. Мы славимся очень вкусной средиземноморской кухней. Она может быть очень здоровой (хумус, табуле и жареная рыба или баранина) или крайне нездоровой (сливочное печенье и пахлава). Всю мою жизнь моя мать, жена, тети, сестры, дочери и племянницы обычно собираются на кухне, чтобы сообща готовить отличные блюда. Когда мать возглавляет поход за здоровьем мозга, она оказывает огромное влияние на тех, кто за ней следует. Чем раньше вы начнете, тем лучше.

Социальные связи очень сильны. Исследователи обнаружили, что здоровье нашей семьи и друзей — это один из самых мощных предсказателей нашего долголетия. В 1921 году стэнфордский психолог Льюис Термен оценил 1548 десятилетних детей. Он и другие поколения ученых проследили за этой группой в последующие 90 лет, выявляя черты, которые связаны с успехом, здоровьем и долголетием. Один из главных результатов этого исследования состоит в том, что социальные отношения оказали драматическое влияние на здоровье этих людей. Если ваши друзья и родственники нездоровы, то, скорее всего, вы будете походить на них. Для того, кто стремится укрепить свое здоровье, общение с другими здоровыми людьми обычно представляет собой самый мощный и самый прямой путь к переменам.

> Это не означает, что вы должны бросить всех своих друзей и родственников, которые имеют проблемы со здоровьем; расскажите им об этой программе и предложите им выполнять ее вместе.

Прямо сейчас я хочу, чтобы вы подумали о людях, которых вы любите больше всего на свете. Кому вы звоните, когда происходит что-то хорошее или что-то плохое? Я звоню своей жене, родителям и своим детям. В отношении каждого из этих людей спросите себя: «Я их друг или их сообщник?» Друг — это тот, кто помогает своим любимым людям быть успешным; сообщник — это тот, кто помогает им сохранять свои дурные привычки.

- *«Да ладно, все будет замечательно — это всего один раз».*
- *«Я готовила для вас все выходные. Накладывайте еще».*
- *«Не будьте занудой».*
- *«Это — выходные — ты упорно трудился, поэтому ты это заработал».*

Помогаете ли вы тем, кого любите, предотвратить такие разрушительные недуги, как болезнь Альцгеймера и депрессия? Или вы неосознанно поощряете их быть больными? Вы можете возглавить движение за перемены в своей семье.

Духовное здоровье (кухня для души)

Ваше ощущение духовности лежит в основе всего, что вы делаете. Как мы говорили ранее, это топливо, которое предоставляет вашей жизни глубокий смысл, страсть и цель; это ваша связь с Богом, прошлыми поколениями, будущими поколениями и будущим нашей планеты. В отношении еды спросите себя: «Каково основополагающее значение и цель пищи, которую я ем, и которой кормлю свою семью? Базовое питание? Удовольствие? Товарищество? Должна ли она поддерживать мою жизнь, чтобы я смогла достичь своего земного предназначения?»

> Если у вашей жизни есть значение и цель, они лучше всего поддерживаются пищей, которая питает ваш мозг, тело и душу.

Когда меня впервые попросили быть консультантом «Плана Даниила» — плана церкви *Saddleback* по использованию религиозных организаций для оздоровления мира, пастор Рик Уоррен говорил о библейском предписании прославлять наши тела: «Не знаете ли, что тела ваши суть храм живущего в вас Святаго Духа, Которого имеете вы от Бога, и вы не свои? Ибо вы куплены дорогою ценою. Посему прославляйте Бога и в телах ваших и в душах ваших, которые суть Божии» (1-е послание к Коринфянам, 6:19–20). То, как питаются многие люди, определенно не прославляет их тела.

Мне нравится использовать акроним *SOUL* (ДУША) для описания духовного потребления пищи. Он означает следующее:

- *Sustainable — Постоянная. Мы можем продолжать выращивать еду, не вредя нашей планете.*
- *Organic — Органическая. Наша еда должна взращиваться в чистой окружающей среде без токсинов.*
- *Unadulterated — Натуральная. Следует есть чистые цельные продукты без искусственных красителей, подсластителей или добавок.*
- *Locally grown — Местная. Желательно, чтобы продукты питания происходили из местного региона: соответствовали сезону и были свежими. При этом мы еще поддерживаем своих местных фермеров, покупая их продукцию.*

С духовной точки зрения подумайте о том, в каких условиях была выращена еда, которую вы едите. Если вы покупаете мясо, узнайте, чем питался скот. Кроме того, узнайте, как содержали и забивали этих животных. Гуманно ли это было? Это важные вопросы, если вы думаете о пище как о духовной дисциплине.

Эта мысль (как содержали и забивали животных) беспокоила меня в течение долгого времени. У животных, как и у людей, в зависимости от того, чувствуют они себя спокойными или напряженными, радостными или подавленными, дружелюбными или сердитыми, в кровь выделяются разные вещества.

Если их вырастили, а затем забили в замкнутом, токсичном хлеву, где они чувствовали себя напряженно и подавленно, то в конечном счете мы будем потреблять те химические вещества, которые выделились в кровь животных, когда они были в стрессе. То, как обходились с нашей пищей, влияет на здоровье нашего тела.

Питание как духовная дисциплина поможет вам не только быть благодарной за пищу, которую вы имеете, но также и более ответственно подойти к ее выращиванию, забою и потреблению.

УПРАЖНЕНИЕ 5. ПРОВЕДИТЕ ЛЕЧЕНИЕ СВОЕЙ КУХНИ

Подобно тому как психотерапевт исследует закутки вашего сознания и помогает избавиться от вредящих вам воспоминаний, я хочу, чтобы вы потратили час на удаление со своей кухни любой нездоровой и вредной еды. Просмотрите описанные в этой главе 9 правил еды, полезной для мозга. Если пища не служит вашему здоровью, избавьтесь от нее. Не жертвуйте ее бедным. Она и их сделает больными.

Посмотрите видео о том, как мы с Таной вычищаем кухонные шкафы.

Посмотрите видео о том, как Тана и доктор Хайман рассказывают о покупке продуктов.

Глава 6

УСПОКОЙТЕ ЖЕНСКИЙ МОЗГ

ПОЛОЖИТЕ КОНЕЦ БЕСПОКОЙСТВУ, ТРЕВОГЕ, ДЕПРЕССИИ И ПЕРФЕКЦИОНИЗМУ

Умиротворение женского мозга — это шестой шаг на пути раскрытия его потенциала.

Мое сознание взгромоздилось сверху моей головы, как обезьянка, и думало о большем количестве вещей, которые могли пойти не так, как надо... Мое сознание — это почти всегда моя главная проблема. Мне жаль, что я не могу оставить его в холодильнике, когда выхожу из дома, но ему нравится идти со мной.

Энн Лэмотт

Как мы уже говорили, у вашего женского мозга есть много уникальных сильных качеств: интуиция, сопереживание, сотрудничество, самообладание и бдительность. Но не менее важно признать, что у него есть и некоторые слабые места. Вот некоторые факты.

- *Организм женщины производит меньше серотонина, чем организм мужчины (согласно одному исследованию, на целых 52% меньше). Хотя это помогает женщинам избежать девиза «Не волнуйся, будь счастлив», который доводит многих мужчин до беды, недостаток серотонина чреват депрессией и тревогой.*
- *Эстроген блокирует нейротрансмиттер ГАМК, который помогает успокоиться, поэтому женщине труднее преодолевать беспокойство.*

- *Тестостерон повышает уровень ГАМК, вот почему мужчины склонны меньше волноваться. Когда у мужчины (или у женщины с поликистозом яичников) высокий уровень тестостерона, это может привести к излишнему снижению тревоги и склонности к рискованному поведению.*
- *У самок мышей, которым в юном возрасте давали тестостерон, с меньшей вероятностью появляется депрессия в зрелом возрасте. Это подразумевает, что юные девочки должны уменьшить потребление сладкого (которое понижает тестостерон) и поднимать легкие тяжести, чтобы повысить значения тестостерона.*
- *У женщин из-за относительно низкого уровня серотонина более активный мозг, и они уязвимее для депрессии. Во многих странах, культурах и этнических группах у женщин примерно в 2 раза чаще диагностируют депрессию. Вероятность возникновения глубокой депрессии у женщины составляет 21,3%, а у мужчины — всего 12,7%.*
- *Некоторые исследователи, однако, полагают, что мужчины переживают депрессию иначе, поэтому у них не обнаруживают ее. Депрессия мужчины чаще проявляется не в виде печали, а в форме гнева, раздражительности и безрассудства. К тому же мужчины реже обращаются за помощью. Статья в журнале 2008 года под названием «Женщины обращаются за помощью, мужчины умирают» подчеркивает, что мужчины в 4 раза чаще женщин кончают жизнь самоубийством. Обращение за помощью — это сильная сторона женского мозга.*
- *Женщины лучше реагируют на класс антидепрессантов под названием «селективные ингибиторы обратного захвата серотонина» (СИОЗС).*
- *СИОЗС менее эффективны для мужчин, а также для женщин с недостатком эстрогена, например перед половой зрелостью и после менопаузы.*

- *На протяжении жизни женщины чаще мужчин страдают от серьезных эмоциональных травм, в частности от сексуального насилия.*
- *При увеличении стресса и эмоциональных травм у женщин чаще возникает повышенная стрессовая реакция, которая усугубляется в периоды гормональных колебаний (например, предменструальный, после рождения ребенка и во время перехода к менопаузе).*
- *Тревожные расстройства, включая панический синдром, посттравматический синдром (ПТС), социофобию и синдром общей тревожности, более распространены у женщин.*
- *Расстройства пищевого поведения гораздо более распространены среди женщин.*
- *Зависимость у женщин обычно прогрессирует быстрее. Женщины более чувствительны к эйфористическим эффектам стимуляторов, таких как амфетамин и кокаин.*
- *Женский интеллект более централизован в лобных долях мозга. Поэтому травмы лобных долей могут быть более губительны для когнитивных способностей женщины.*
- *Некоторые исследования показывают, что болезнь Альцгеймера чаще поражает женщин.*

Эта глава поможет вам разработать план преодоления таких слабых мест и чувствовать себя лучше.

Во время плэй-офф НБА 2012 года Тана и я пошли на игру «Лейкерс». В перерыве матча выступала одна поразительная китаянка. Арена «Стейплс Сентер» погрузилась в темноту, и был лишь один луч света, направленный на эту девушку. С длинными, черными как уголь волосами и в сверкающим белом женском брючном костюме и шляпе она выехала на центральный корт на одноколесном велосипеде. Ее помощник поставил ей на правую ногу перевернутую белую чашу, и она одним движением подкинула ее себе на голову.

«Ничего себе, — подумал я. — Это еще надо уметь».

Раздались умеренные аплодисменты толпы, ожидающей возобновления игры. Затем помощник китаянки поместил две чаши на ее левую ногу, и она проделала с ними то же самое. Теперь она уравновешивала уже три чаши на голове. Раздалось больше аплодисментов, и люди стали чуть внимательнее наблюдать за происходящим. Затем помощник поместил три чаши на ее правую ногу, и она без особых видимых усилий подбросила их на те три чаши на своей голове.

«Вот это да!» — подумал я.

После этого помощник поместил еще четыре чаши на левую ногу китаянки, и она снова подбросила эти четыре на другие шесть. Теперь у нее на голове балансировали десять чаш. Толпа одобрительно загудела и стала с гораздо большим интересом наблюдать за женщиной на одноколесном велосипеде. Затем помощник поместил по пять чаш на обе ее ноги.

«Не может быть», — сказал я Тане.

Тем не менее она подбросила на голову пять чаш с одной ноги, а затем пять с другой ноги. Теперь она уравновешивала 20 чаш на голове. Толпа вскочила и наградила ее бурными аплодисментами, а она поклонилась, отдав все 20 чаш своему помощнику.

Когда я наблюдал это удивительное представление, я поражался мастерству этой женщины. Сколько лет практики ей понадобилось, чтобы превратить свое тело в такой искусный инструмент? Сколько дисциплины потребовалось, чтобы, балансируя на одноколесном велосипеде, уравновешивать еще и чаши, где одно неправильное движение могло бы означать опасное падение или серьезную травму? Конечно, ее движения результат многих лет ментального и эмоционального контроля.

Вы тоже способны к этому виду эмоциональной дисциплины и мастерства. Как мы убедились в главе 2, постоянно думающий женский мозг может быть реальным преимуществом во многих обстоятельствах. Но он способен также заставить вас чувствовать себя переполненной заботами, горем и упрямыми мыслями, которые вы не в силах устранить. Приступы тревоги, стресс, страдание и депрессию можно уменьшить или даже полностью устранить, если освоить особые техники обучения и дисциплины своего мозга.

Буддистское понятие «разум обезьяны» обозначает отсутствие контроля в вашем черепе. Здесь я дам вам ясную дорожную карту, помогающую приручить «разум обезьяны»; успокоить чересчур возбужденный мозг и уменьшить беспокойство, депрессию и расстройства пищевого поведения. В конечном счете все это есть расстройства мышления.

В своей работе с женщинами я видел, что многие из них научаются дисциплинировать свой разум и способны управлять им так же, как эта артистка дисциплинировала свое тело и управляет им, достигнув удивительных результатов. Да, для их достижения требуется упорная работа. И если вы хотите быть компетентной в чем-нибудь, достичь мастерства, необходимо практиковаться. Все это окупится сторицей.

Исследования сообщают, что когнитивная психотерапия — обучение тому, как дисциплинировать разум — так же эффективна, а порой еще более эффективна, чем антидепрессанты и препараты для лечения расстройств пищевого поведения. А самое главное, не имеет никаких негативных побочных эффектов. Спокойствие, ясность, психологическая гибкость и хорошее настроение — вот непосредственные награды за успокаивание вашего мозга. И ощущение покоя, силы и самообладания будет только усиливаться со временем.

ВЫЯВЛЕНИЕ ОБЕЗЬЯНЬЕГО УМА

Вы чувствуете себя толстой после переедания, ненавидите себя и заставляете себя срыгивать — а потом ненавидите себя еще больше.

Ваш друг не звонит, когда вы ожидаете от него звонка, и вы начинаете волноваться, что он обманывает вас или что он больше вас не любит. А когда он все же звонит вам, вы начинаете вопить на него прежде, чем он сможет объяснить, что произошло.

Ваш муж забывает о вашем дне рождения и годовщине вашей свадьбы, и вы ощущаете печаль, ненужность и такое одиночество, о котором не могли и подумать. Когда он приходит домой, вы игнорируете его, хотя он спрашивает снова и снова о причине вашего расстройства.

Нужно заниматься детьми, но ваш начальник хочет, чтобы вы задерживались допоздна, дабы выполнить в срок работу, а вашей сестре нужна помощь в приготовлении большого семейного обеда. Вы лихорадочно стараетесь все успеть и всем угодить. Ваше сердце колотится, и у вас появляется диарея. Вы начинаете думать, что в продуктовом магазине у вас случится приступ паники. Вы представляете себе, как вы падаете в обморок, и как машина «Скорой помощи» отвозит вас в больницу. Не обдумав эту мысль, вы оставляете свою корзину, полную продуктов, и едете домой.

Ваша овдовевшая мать становится старше, и вы обеспокоены тем, что она не может больше жить одна. Вас начинает захлестывать печаль.

Ваша 16-летняя дочь только начинает ходить на свидания, и вы боитесь, что она наделает тех же ошибок, что и вы. Вас это очень волнует, и вы вообще запрещаете ей встречаться с мальчиками, несмотря на возражения ее отца, и это приводит к крупному скандалу.

Вы одиноки и беспокоитесь о том, что никогда не найдете любовь. Или, возможно, у вас есть отношения с мужчиной, но вы грустите, потому что они развиваются не так, как вам хотелось бы. Вы беспокойны и расстроены большую часть дня.

Вы хотите стать здоровой, но вам ненавистна перспектива отказа от пирогов и пирожных. Вы не хотите ни в чем себя ограничивать. Вам грустно, и вы чувствуете тупиковость своей позиции, потому что знаете, что не станете здоровой, если будете все это есть.

Вы часто чувствуете, что, если вы не сделаете все правильно, то будете полной неудачницей. И вам хочется просто сдаться, но вы не можете сдаться, потому что множество людей рассчитывают на вас.

Иногда у вас появляется такое чувство, что вы действительно не контролируете свой разум.

Что-то из этого кажется вам знакомым? Если так, то вы не одиноки.

ПОДХОД «ЧЕТЫРЕ КРУГА» К ДИСЦИПЛИНИРОВАНИЮ ВАШЕГО МЫШЛЕНИЯ

Дабы успокоить свой мозг, вы должны получить контроль над своим разумом и дисциплинировать его. Как мы увидим дальше, вам следует научиться выключать свой мозг. Оптимизация этих четырех кругов является основанием для дисциплинирования вашего мышления.

Биология

Стремясь успокоить свой ум, следует избегать всего, что вредит мозгу, и придерживаться здоровых привычек. Кроме того, нужно периодически сдавать основные медицинские анализы. Если у вас не в порядке щитовидная железа или недостаток прогестерона, или нездоровая флора желудочно-кишечного тракта, то разум обезьяны будет дико визжать в отдаленных уголках вашего мозга. И умственная дисциплина будет не так эффективна.

Кроме того, необходимо сохранять стабильный уровень сахара в крови и обязательно спать как минимум 7 часов в сутки. Низкие показатели сахара в крови или недостаток сна связаны со снижением кровоснабжения мозга, что приводит к принятию неправильных решений и неспособности устранить мысли, которые вас мучают. Кора лобных долей мозга выполняет в значительной степени функцию такой блокировки. Она помогает успокоить чересчур эмоциональный мозг. Когда лобные доли мозга плохо функционируют или имеют недостаточный приток крови, они не в силах контролировать навязчивый «умственный шум», и в результате вы страдаете. Вот почему необходимо лечить СДВГ, который часто связан с низкой активностью лобной коры (более подробно об этом — в главе 8), и лечить любые прошлые травмы головного мозга, которые затронули кору лобных долей.

Знайте тип своего мозга

Помимо всего прочего, моя работа по сканированию мозга научила меня тому, что для успокоения сознания необходимо знать тип мозга пациента. Есть разные типы активации мозга.

Когда я начал заниматься сканированием мозга в нашей клинике в 1991 году, я стремился найти единый шаблон активации мозга, который бы ассоциировался с беспокойством, депрессией, зависимостью или СДВГ. Но вскоре я обнаружил, что какого-то одного подобного паттерна нет, и что таких паттернов активации существует целое множество.

Тогда я понял, что не может быть единого шаблона, скажем, при депрессии, потому что находящиеся в депрессии люди разные. Одни замкнуты, другие озлоблены, третьи беспокойны или одержимы.

Сканы помогли мне понять тип беспокойства, депрессии, СДВГ, ожирения или зависимости, конкретного пациента, поэтому я смог лучше подстроить лечение к индивидуальности его мозга. Эта идея привела к значимому прорыву в эффективности моей работы с пациентами и открыла новый мир понимания и надежды десяткам тысяч людей, которые приходят в клиники Амена, и миллионам людей, которые прочитали мои книги. В предыдущих книгах я описал 6 типов СДВГ, 7 типов беспокойства и депрессии, 6 типов зависимостей и 5 типов обжорства. Осознание этих типов необходимо для получения правильной помощи.

Позвольте мне вкратце рассмотреть 5 типов мозга. Это поможет понять и успокоить женский мозг.

Мозг 1-го типа: импульсивный. Люди с импульсивным мозгом плохо контролируют свои импульсы, легко отвлекаются и практически всегда сразу говорят и делают то, что приходит им в голову. Как правило, их ОЭКТ обнаруживает низкую активность коры лобных долей. Воспринимайте лобную кору как тормоз мозга. Она не дает нам говорить глупые вещи или принимать опрометчивые решения. Это тихий голос в вашей голове, который помогает вам сделать выбор между бананом и банановым коктейлем. Импульсивный тип мозга характерен для страдающих СДВГ, связанным с низким уровнем дофамина в мозге. СДВГ приводит к низкой устойчивости внимания, рассеянности, дезорганизации, неусидчивости и импульсивности. Мысли человека при этом скачут, как у непоседливой обезьяны. Без усиления коры лобных долей почти невозможно получить контроль над этой обезьяной.

Мы с моей исследовательской группой опубликовали данные, которые показывают, что, когда человек с импульсивным мозгом пытается сконцентрироваться, активность его лобной коры фактически снижается. В результате он еще хуже контролирует свое поведение.

> Чем больше такой человек старается сбросить вес, тем хуже ему становится, в буквальном смысле. К подобному типу относятся курильщики и любители пить много кофе.

Этому типу лучше всего помогает повышение уровня дофамина в мозге, который усиливает лобную кору. Рекомендуется диета с высоким содержанием белка и низким содержанием углеводов, а также физические упражнения и определенные стимулирующие добавки (например: зеленый чай, родиола розовая, женьшень или L-тирозин), а также некоторые лекарства-стимуляторы. Вообще я очень осторожен с лекарствами, и обычно это не мой первоначальный выбор. Тем более что любая добавка или лекарство, которые успокаивают мозг, вроде 5-ГТФ или СИОЗС, причиняют вред, потому что снижают активность коры лобных долей и убирают ограничители мозга. Я лечил десятки женщин, делавших под действием СИОЗС вещи, о которых позже сожалели (например, становились гиперсексуальными или тратили деньги, которых у них не было). У них и без того низкая активность лобной коры, а лекарства, повышающие уровень серотонина, еще больше утихомиривают ее.

Мозг 2-го типа: компульсивный. Люди с компульсивным мозгом склонны зацикливаться на негативных мыслях или навязчивом поведении. Они испытывают беспокойство и имеют проблемы со сном. Кроме того, они склонны к спорам и оппозиционности и обычно недовольны прошлым. У людей с этим типом мозга, как правило, наблюдается повышенная активность в передней поясной извилине. Она функционирует как механизм переключения передач мозга. Мозг начинает «буксовать» при снижении уровня серотонина. Передняя поясная извилина слишком активна у людей, которые зацикливаются на одной и той же мысли. Это похоже на бег белки в колесе в вашей голове, только белка не может с него спрыгнуть. Мысли постоянно идут по кругу.

Поскольку кофеин и таблетки для похудения — это стимуляторы, они скорее ухудшают самочувствие людей с этим типом мозга, потому что этот тип НЕ нуждается в сильной стимуляции. И женщины с компульсивным мозгом чувствуют, что ради избавления от своего вечного беспокойства им нужно вечером выпить бокал (два или три) вина.

Этот тип, кроме того, связан с тревогой и депрессией. Я также видел его у моих пациенток с анорексией и обсессивно-компульсивным расстройством.

Лучшая стратегия для успокоения этого типа мозга — найти естественные способы повысить уровень серотонина, который успокаивает мозг.

Уровень серотонина повышают физические упражнения и некоторые биологически активные добавки: 5-ГТФ, инозит, шафран и зверобой.

Простые углеводы тоже повышают уровень серотонина, и именно поэтому многие женщины становятся зависимыми от простых углеводов: сладкого и мучного. Это — «продукты для настроения». И зачастую женщины используют их для того, чтобы повысить настроение. Избегайте этих быстрых решений, поскольку они помогают только в краткосрочной перспективе, но способны вызвать долгосрочные проблемы.

Мозг 3-го типа: импульсивно-компульсивный. На первый взгляд такой тип мозга кажется противоречивым. Как может кто-то быть импульсивным и компульсивным одновременно? Но вспомните о булимии: человек с импульсивно-компульсивным типом мозга *компульсивно* стремится к еде, которая ему противопоказана, и плохо контролирует свое *импульсивное* стремление к ней. Наши сканы обычно обнаруживают чрезмерную активность в передней поясной извилине — «переключателе внимания». Поэтому люди зацикливаются на негативных мыслях, но у них также наблюдается сниженная активность в лобной коре, а это значит, что у них есть проблемы с контролем собственного поведения.

> По моему опыту, импульсивно-компульсивный тип мозга распространен среди детей и внуков алкоголиков.

Люди с этим типом получат пользу от лечения, которое увеличивает и уровень серотонина, и уровень дофамина. Например, им полезна физическая активность вкупе с такими пищевыми добавками, как 5-ГТФ и зеленый чай. Использование одного только 5-ГТФ или зеленого чая ухудшают состояние людей с этим типом мозга.

Мозг 4-го типа: печальный. Печальный тип мозга связан с частыми ощущениями грусти, депрессии, низкой энергии, низкой самооценки и болевыми симптомами. Сканы ОЭКТ, как правило, обнаруживают чрезмерную активность в лимбической системе мозга, что характерно при расстройствах настроения. Людям с этим типом мозга полезен витамин D, а также рыбий жир, биологически активные добавки, такие как *SAMe* (S-аденозилметионин).

Когда женщины жалуются на депрессию своим терапевтам, те часто назначают им СИОЗС (селективные ингибиторы обратного захвата серотонина) вроде прозака или лексапро. Однако в ходе крупномасштабных исследований эти препараты показали почти такую же пользу, как плацебо. Проблема не в том, что они неэффективны, а в том, что депрессия имеет разные формы, и какое-то одно лечение не может работать для всех типов депрессии.

Мозг 5-го типа: тревожный. Беспокойство, напряжение, нервозность, избегание конфликтов и склонность предсказывать худшее — вот отличительные черты этого типа мозга. На ОЭКТ-сканах мы часто видим чрезмерную активность в базальных ганглиях. Эта часть мозга связана с уровнем беспокойства человека. Когда здесь наблюдается слишком большая активность, из-за недостатка ГАМК (гамма-аминомасляная кислота), человек склонен испытывать беспокойство и большое физическое напряжение.

Успокаивают этот типа мозга медитацией и гипнозом. Кроме того, рекомендуется комбинация витамина B_6, магния и ГАМК. В результате такой терапии наши пациенты обычно чувствуют себя спокойнее и лучше контролируют свое состояние. Я избегаю обычных успокаивающих препаратов, таких как валиум, поскольку они вызывают привыкание и зависимость.

Возможно сочетание нескольких типов мозга. В таком случае работайте сначала с самыми проблемными особенностями мозга, и затем переходите к другим.

Психология

Умиротворение и успокаивание вашего ума требуют не только полноценного сна, нормального уровня сахара в крови, приема пробиотиков и определенных БАДов для вашего типа мозга. Необходимо еще развивать привычки к умственной дисциплине и обучению, а также быть честным с самим собой. Ради дисциплинирования ума клиники Амена обучают следующим психологическим стратегиям: устранение АНЕМов, «Работа» и практика гипноза и медитации.

Устранение АНЕМов

Один из базовых методов помощи нашим пациентам в клиниках Амена я называю устранением АНЕМов — **А**втоматических **НЕ**гативных **М**ыслей, над которыми вы не имеете контроля.

Мы учим не верить каждой глупой мысли, приходящей вам в голову. Этот полезный навык избавляет множество женщин от ненужных страданий. АНЕМы появляются в вашем сознании автоматически, как бы из ниоткуда. И если их оставить без контроля, они начинают докучать вам, мучить вас и заполнять ваше сознание. Они крадут ваше счастье и в буквальном смысле заставляют вас чувствовать себя старой, толстой, подавленной и глупой.

Следующее упражнение по устранению АНЕМов настолько простое, что вы можете не поверить в его эффективность, но я ручаюсь, что оно изменило жизнь многих людей, в том числе и мою собственную. Благодаря его выполнению ваше страдание уменьшается, а ваше здоровье и спокойствие крепнут. Некоторые исследования показывают, что эта техника так же эффективна и сильна, как антидепрессанты для лечения беспокойства, депрессии и расстройств пищевого поведения.

Инструкция по устранению АНЕМов

1. Всякий раз, когда вам грустно, когда вы злитесь, возбуждены или выходите из себя, нарисуйте на листе бумаги две вертикальные линии, разделив его на три колонки.
2. В первой колонке запишите АНЕМ, которая проходит через ваше сознание.
3. Во второй колонке запишите тип этой негативной мысли. Описаны 9 различных типов АНЕМов (см. таблицу).

4. В третьей колонке возразите АНЕМу, исправьте ее и уничтожьте. Если в подростковом возрасте вы были похожи на меня, то запросто возражали своим родителям. Таким же образом вы должны научиться возражать той лжи, которую внушаете самой себе.

АНЕМ	Тип АНЕМов	Устранение АНЕМов
Я больше никогда не буду счастливой	*Предсказание*	Мне грустно теперь, но скоро я буду чувствовать себя лучше.
Я — неудачница	*Ярлык*	Я преуспела во многих вещах.
Это ты виновата	*Обвинение*	Я должна посмотреть на свою роль в этой проблеме.
Я должна была проявить себя лучше	*Чувство вины*	Я научусь на своих ошибках, и в следующий раз проявлю себя лучше.
Я старая	*Ярлык*	Выполняя эту программу, я смогу чувствовать себя моложе с каждым днем.

В нашем онлайн-сообществе (www.amensolution.com) в графе «Устраните АНЕМы» вы можете сделать упражнения, которые усилят вашу способность избавляться от АНЕМов. Вы можете посмотреть примеры и сыграть в терапевтические игры, научиться лучше управлять своим сознанием и дисциплинировать его.

Посмотрите инструкцию по устранению АНЕМов.

КРАТКОЕ ОПИСАНИЕ ДЕВЯТИ РАЗЛИЧНЫХ ТИПОВ АНЕМов

1. Сверхобобщающее мышление: сверхобобщение ситуации на все случаи; эти мысли обычно начинаются с понятий «всегда», «никогда», «все» и «каждый раз».
2. Сосредоточение на негативе: на отрицательных аспектах ситуации и игнорировании всего, что могло быть истолковано как позитив.
3. Гадание: предсказание будущего в негативном ключе.
4. Чтение мыслей: произвольная вера в то, что вам известно, о чем думает другой человек, даже при том, что он вам ничего не говорил.
5. Мышление чувствами: слепая вера в истинность ваших негативных чувств.
6. Чрезмерное чувство вины и долга: мышление с использованием таких понятий, как «я обязана», «я должна», «необходимо» или «я вынуждена».
7. Навешивание ярлыков: приклеивание негативного ярлыка себе или другим.
8. Персонализация: толкование безобидных событий так, будто они имеют отношение к вам.
9. Обвинение других: обвинение других людей в проблемах своей жизни.

Сопереживание: благословение и проклятие

Как мы видели в главе 2, сопереживание — это уникальная сила женщины. Обратная сторона сопереживания — чрезмерное вовлечение в проблемы и страдания других. Склонность переживать вместе с ними, поскольку вы воспринимаете их проблемы как свои собственные. Вы можете также чувствовать себя виноватой за то, что веселитесь и радуетесь собственным успехам, в то время как людям, о которых вы заботитесь, приходится несладко.

Многие женщины чувствуют себя виноватыми, когда уделяют время и пространство себе и своим собственным проблемам, особенно если их близкий человек в беде.

Любой из нас может быть уязвим для АНЕМов. Но сопереживание и сосредоточенность на эмоциях делает вас, в частности, жертвой двух следующих АНЕМов.

Мышление чувствами. Ключевым преимуществом женщины является знание того, что вы чувствуете. Но темная сторона этой силы в том, что женщина начинает думать своими чувствами. Например, «Я чувствую, что ты не любишь меня». Или: «Я чувствую, что со мной обращаются несправедливо». Может быть, вы так действительно чувствуете, но верно ли это? Иногда чувства лгут, особенно когда вы устали, голодны, беспокоитесь о чем-то другом, испытываете большой стресс, когда вашему мозгу не хватает каких-то химических веществ или вы боретесь с гормональными проблемами. Не позволяйте своим негативным чувствам управлять вашими мыслями. Запишите их и найдите их причину.

Приступы вины и чувство долга. Когда вы думаете, используя такие понятия, как я *должна, обязана, это необходимо* или *мне придется*, вы, скорее всего, испытываете приступ вины. Иногда это состояние называют потоком обязаловки. Женщин нередко учат ставить потребности других людей на первое место, поэтому они чувствуют себя виноватыми, когда решаются постоять за себя или уделить время собственному расслаблению. В результате они часто испытывают чувство вины. Я не говорю о том, что вы должны игнорировать ваш личный нравственный кодекс. Но посмотрите, можете ли вы по-новому переформулировать чувство вины в заявление о том, чего вы действительно хотите. Вместо «Я должна позвонить Кейси и помочь ей после ее развода», спросите себя, соответствует ли это поведение вашим целям и наличию у вас времени для этого. Если ответ отрицательный, то звоните тогда, когда вам это удобно. Процесс освобождения себя от АНЕМов, связанных с чувством вины, поможет вам успокоить навязчивый шум в своей голове и принимать более эффективные решения.

Интуиция: сила и слабость

Ваша женская интуиция позволяет вам улавливать вещи, которые другие упускают из вида, и знать многое, без возможности объяснить, как именно. Используемая правильно, ваша интуиция может быть огромной силой. Но она также открывает вас для тревоги и беспокойства. Если вы неизменно верите своей интуиции, не проверяя ее, вы можете закончить тем, что будете уверены в том, чего на самом деле нет. Да, иногда вы бываете правы, но порой вы изобретаете собственную реальность, которая, возможно, окрашена нехваткой сна, низким содержанием сахара в крови или потерей власти над химией мозга. Вы рискуете жить в мире, приукрашенном полностью вашими собственными негативными мыслями и свободно плавающими чувствами, которые создают ненужное беспокойство и разрушают отношения. В этом случае вы становитесь жертвой гадания и телепатических АНЕМов (мнимое чтение чужих мыслей).

Гадание. Речь идет о пророчестве, где вы произвольно предсказываете худшее («Я провалю этот предмет»; «У меня будет приступ тревоги в продуктовом магазине»). Когда это происходит, ваше сердце бьется быстрее, ваше дыхание убыстряется и становится прерывистым, и ваши надпочечники начинают суматошно вырабатывать кортизол и адреналин. Дурные пророчества сразу же повышают ваш уровень стресса. Более того, предсказание плохого может помочь ему сбыться. Если вы собираетесь на свидание и предсказываете себе его провал, то вы уцепитесь за первый же негативный момент, который сможете обнаружить в своем парне, и тогда вы будете уже менее отзывчивой, менее радостной, и ему с вами будет уже не так интересно. Если вы будете уверены, что вам предстоит плохой день на работе, то вы только и будете ждать, когда произойдет что-нибудь неладное, и ваш день, несомненно, пойдет насмарку.

Телепатия. Когда вы убеждены, что знаете о том, что думает кто-то другой, причем этот человек ничего такого вам не говорил, то вы занимаетесь «чтением мыслей», или телепатией.

Если кто-то странно смотрит на вас, то вы можете подумать: «Я знаю, что он плохо ко мне относится». Это телепатия. Возможно, у человека просто тяжелый день! Отличить истинную интуицию от ядовитых телепатических АНЕМов не всегда легко. Но если вы научитесь устранять АНЕМы, ваши взаимоотношения и настроение, вероятно, улучшатся.

Сотрудничество или созависимость?

Сотрудничество — это объединение с другим человеком для достижения какой-то цели. Как правило, это благая вещь и сильное качество женского мозга. Однако сотрудничество чревато двумя негативными аспектами. Один — это созависимость — тенденция делать для других то, что они должны сами сделать для себя, стремление защитить их от соответствующих последствий их собственных действий. Другой негативный аспект — зависимость от других, когда вам кажется, что вы ничего не можете сделать самостоятельно без разрешения или помощи других. Тенденция зависеть или созависеть может помешать вам утверждать свои собственные границы и поддерживать собственную автономию. В конечном счете вы чувствуете себя жертвой, а это открывает ваш ум для сверхобобщений и постоянного потока АНЕМов.

Персонализация. Сильной стороной женщин является их умение строить взаимоотношения, но обратной стороной этой медали может быть тенденция к персонализации. «Мой муж не позвонил мне; он, должно быть, меня больше не любит» — классический пример персонализации. Возможно, причина, по которой он не позвонил, не имеет никакого отношения к вам: он устал, его отвлекли или у него возникли проблемы. Другой пример: «Моя дочь провалила экзамен по математике в колледже. Я должна была больше помогать ей с ее домашними заданиями в средней школе». Восприятие неудачи вашей дочери как личной неудачи является актом недисциплинированного ума, потому что к тому времени, когда ваша дочь поступает в колледж, за свои навыки обучения она должна уже отвечать сама. Обвинение себя во всех смертных грехах и восприятие действий других людей на свой счет — это всего лишь АНЕМы.

Сверхобобщающее мышление. Каждый раз, когда вы мыслите в абсолютных категориях «всегда», «никогда», «никто», «всё», «постоянно» или «все», вы воспринимаете временную, частную ситуацию как постоянную закономерность. Некоторые примеры: «Он *никогда* не слушает меня». «Я всегда *должна* делать то, что она хочет». «*Все* в этой семье получают то, что хотят, кроме меня». Такой тип мышления закрывает ваш ум для других возможностей и зацикливает вас на негативе, делает вас беспокойной и/или подавленной.

Сосредоточение на негативе. Большинство людей и событий — это смесь позитивного и негативного. Необходимо использовать здравый смысл, чтобы избежать ситуаций, которые опасны, оскорбительны, нездоровы или неприятны, но также важно не раздувать из мухи слона. Поскольку сосредоточение на негативе почти всегда ухудшает ваше самочувствие, а сосредоточение на позитивном обычно улучшает его, дисциплинированный ум может сосредоточиться на позитивном и при этом найти что-то ценное и в негативном. Направленность вашего внимания определяет ваше самочувствие. Я не хочу, чтобы вы «витали в облаках» и видели все в розовом свете только для того, чтобы чувствовать себя хорошо и игнорировать свое здоровье и благополучие. Я хочу, чтобы вы проявляли беспокойство, когда это необходимо, но также находили пользу в любой ситуации, в которой вы находитесь. Направленность на позитив полезна еще и тем, что открывает для вас более широкий диапазон возможностей и дает вам шанс найти людей и ситуации, которые будут благоприятны для вас.

Навешивание ярлыков. Навешивание негативных ярлыков на себя или кого-то еще мешает вам ясно оценить человека или ситуацию. «Он — придурок». «Я — идиот». «Какое идиотское правило». «Какое тупое высказывание». Теперь, вместо того чтобы смотреть ясно на определенного человека, правило или комментарий, вы смешиваете их со всеми другими «придурками», «идиотами», «глупыми правилами» и «тупыми высказываниями», с которыми сталкивались прежде. Навешивание ярлыков вряд ли поможет вам разобраться с данным вопросом или правильно оценить себя. Избегайте ярлыков и воспринимайте вещи такими, какие они есть.

Обвинения. Речь идет об обвинении других людей и внешних обстоятельств во всех невзгодах своей жизни. Иногда действия другого человека причиняют нам боль. Но даже в этом случае обвинения неуместны. Когда вы говорите: «Если бы он поступил по-другому, то я была бы в порядке», вы на самом деле утверждаете следующее: «У него есть полная власть над моей жизнью, а я не несу за нее никакой ответственности». Игра во внешние обвинения подрывает ваше ощущение личной ответственности за свою жизнь и поступки. И это самый ядовитый АНЕМ из всех. Концентрируйтесь на том, что вы сами можете сделать в данной ситуации, и на том, к чему вы лично стремитесь в целом, и не оставляйте таким АНЕМам никакого места в своем сознании.

Дженна, застрявшая в колее

Дженне было за двадцать, и у нее возникали постоянные проблемы на работе. Она работала графическим дизайнером и имела несколько престижных наград в своей профессиональной области, однако она постоянно скандалила то со своими клиентами, то со своим начальником. Дженну расстраивала необходимость идти на компромиссы тогда, когда она знала, что была права. Она часто оказывалась в центре споров, которые, похоже, не могла бросить. А еще она скандалила со своим бойфрендом. «Как только мы начинаем ссориться, — сказала она мне, — я не могу позволить ему уйти. И потом я начинаю вспоминать все плохое, что он когда-либо сделал мне, и иду в нападение. Я вспоминаю перипетии трехлетней давности, потому что мне кажется, что это было со мной вчера. Такое ощущение, будто эти мысли входят в мою голову, и я не могу их оттуда выгнать».

Дженна была классическим примером человека с мозгом компульсивного типа. Она зацикливалась на негативных мыслях, которые не могла устранить. Добавка 5-ГТФ, наряду с физическими упражнениями и привычкой регулярно спать, похоже, помогли ей успокоить свой сверхактивный мозг. Тем не менее этих биологических мер было недостаточно. Дженна также должна была научиться устранять свои АНЕМы.

Самым ядовитым АНЕМом Дженни было обвинение других. Всякий раз, когда с ней происходило что-то плохое, она тут же делала вывод, что в этом виноват кто-то другой, вместо того чтобы посмотреть на то, как она сама способствовала возникновению неприятной ситуации, или, по крайней мере, посмотреть на ситуацию с точки зрения других.

Я не хотел, чтобы Дженна перешла от обвинения других к обвинению себя. Мне хотелось, чтобы она прекратила чувствовать себя жертвой из-за своего недисциплинированного ума.

Вот как Дженна переформулировала свои обличительные АНЕМы.

АНЕМ: Мне сложно выполнить эту работу в срок. Это все из-за того, что клиент постоянно меняет свое мнение. Я чувствую себя ужасно, и все из-за него!

ТИП АНЕМа: Обвинение.

УСТРАНЕНИЕ АНЕМа: Я сама взялась за эту работу, которая по большей части мне нравится. Реагирование на запросы клиентов и сверхурочная работа ради того, чтобы уложиться в срок, является частью моей работы. Мне нужно внести в свой график регулярные паузы и съедать во время них что-нибудь полезное для здоровья, чтобы сохранить мотивацию и свежесть до завершения работы.

АНЕМ: Мой друг не позвонил вовремя, и теперь слишком поздно идти на тот фильм, который я хотела посмотреть. Он только что разрушил мой вечер!

ТИП АНЕМа: Обвинение.

УСТРАНЕНИЕ АНЕМа: Еще не все потеряно. Я могу пойти на более поздний сеанс одна... или посмотрю что-нибудь по телевизору... или позвоню подруге и пойду куда-нибудь с ней. Я не должна отказываться от развлечений на целый вечер всего лишь из-за одного пропущенного телефонного звонка.

Когда Дженна дисциплинировала свой ум, она обнаружила огромный позитивный эффект: она больше не чувствовала себя во власти собственных мыслей. Ее взгляды стали более гибкими, она стала более спокойной и начала лучше общаться с клиентами, коллегами и любимыми. Дисциплинирование ее ума позволило Дженне успокоить мозг, и ее жизнь улучшилась.

Марли: не обязательно во всем быть идеальной

Марли было 52 года. Она занимала высокую должность в банковской сфере и в одиночку воспитывала троих детей. Хотя Марли была очень успешна на работе и ее дети были в порядке, она постоянно волновалась о том, что могло бы пойти не так, как надо. Она часто бодрствовала в течение многих часов, поскольку ее ум метался от одного потенциального бедствия к другому. Несмотря на многие профессиональные награды, которые она получила, Марли порой чувствовала, что не заслуживает их, и часто задерживалась в офисе допоздна, чтобы выполнить свою работу «идеально». Глядя на Марли, я видел перед собой красиво одетую женщину с безупречной прической и… обгрызенными ногтями. Во время нашего разговора она то теребила пальцы, то покачивала ногами и выглядела так, будто собирается прямо сейчас спрыгнуть со стула. «Я устала от постоянного волнения по поводу каждой мелочи, — сказала она мне. — Но я, похоже, не могу остановиться».

Марли была ярким примером умной, опытной женщины, у которой тем не менее был недисциплинированный ум и вечно занятый чем-то мозг. Поскольку она всегда чувствовала себя недостаточно идеальной самозванкой, она неуклонно толкала себя к совершенству, надеясь, что это не даст другим «увидеть ее насквозь» и каким-то образом подорвать ее позиции.

Многие женщины борются с подобной проблемой отчасти потому, что они действительно сталкиваются с оппозицией со стороны мужчин и женщин на работе, но и потому, что являются жертвами атаки целого ряда АНЕМов.

Самыми страшными АНЕМами Марли были телепатия и персонализация. Ей постоянно казалось, что она не нравится своим коллегам, что какому-то сотруднику не по душе ее стиль руководства или что начальник планирует избавиться от нее.

Она обобщала политику компании, считая, что она направлена лично против нее вместо того, чтобы понять, что она затрагивает всех и введена по причинам, которые не имели никакого отношения к ней. Ее АНЕМы принесли ей много несчастий, беспокойства и волнений.

Как только я показал Марли, как устранить ее АНЕМы, она приступила к дисциплинированию своего ума с той же решимостью и энергией, с которыми ранее строила свою карьеру.

Вот приемы, которые ежедневно практиковала Марли, чтобы устранить некоторые из своих АНЕМов.

АНЕМ: Она не улыбалась мне, когда я прошла рядом с ее столом, должно быть, она злится на меня за то, что я вчера сказала ей на встрече.

ТИП АНЕМа: Телепатия.

УСТРАНЕНИЕ АНЕМа: Я не могу знать, почему она не улыбалась. Возможно, она не заметила меня. Возможно, у нее болен ребенок. Если я хочу знать, что она думает, надо спросить об этом ее.

АНЕМ: Когда на прошлой неделе болела моя дочь, я три раза опоздала на работу — эта новая директива об опоздании, очевидно, направлена против меня. Я должна обязательно приходить вовремя, иначе рискую не получить премию в этом году.

ТИП АНЕМа: Персонализация.

УСТРАНЕНИЕ АНЕМа: Это крупная компания, и кто знает, почему они приняли такую директиву именно сейчас? Я – один из двадцати вице-президентов. Кажется действительно маловероятным, что мое опоздание на несколько минут заставило их рассылать эту директиву всей компании. Я прекрасно справляюсь с работой, и все знают это. Моя премия, скорее всего, в безопасности.

Когда Марли стала придерживаться привычек здорового мозга, это помогло ей успокоить мозг. Однако именно дисциплинирование ума имело для нее долгосрочное значение. Хотя Марли сказала мне, что ей пришлось много потрудиться над тем, чтобы устранить свои АНЕМы, она стала чувствовать себя более спокойной, счастливой и сильной. И ее новое ощущение уверенности в себе фактически улучшило качество выполнения ее работы, что дало ей еще больше поводов чувствовать себя уверенно. Марли видела, что умиротворение ее мозга создало позитивный цикл. Увидев отличные результаты, которых добилась, она поняла, что это стоило всей дисциплины и тяжелой работы.

«Работа»: еще одна техника

«Работа» — это еще одна техника устранения АНЕМов, которой я обучаю всех своих пациентов. Ее придумала моя подруга Байрон Кэти. Об этом методе рассказывается в книге, написанной Кэти совместно с мужем, Стивеном Митчеллом. Книга называется «Любовь: четыре вопроса, которые могут изменить вашу жизнь». В ней Кэти описывает собственный опыт прохождения через самоубийственную депрессию.

Кэти была молодой матерью, предпринимателем и женой, она жила в пустынном районе Южной Калифорнии. Она вошла в стадию тяжелой депрессии в возрасте 33 лет. В течение десяти лет она все глубже и глубже погружалась в ненависть к себе, гнев и отчаяние и постоянно думала о самоубийстве. За последние два года она часто была не в состоянии выйти из спальни, позаботиться о себе и своей семье. И вот однажды утром в 1986 году совершенно неожиданно Кэти проснулась в состоянии изумления, осененная осознанием того, что она страдает, поскольку верит своим негативным мыслям, но когда она ставит эти мысли под сомнение, то не испытывает страданий.

Великое понимание, которое пришло к Кэти, состоит в том, что это не жизнь или другие люди заставляют нас переживать депрессию, гнев, стресс, отверженность или отчаяние: это наветы наших собственных мыслей. Другими словами, мы можем жить в аду своих собственных решений или мы можем жить в раю собственных решений.

Кэти разработала простой метод исследования своих мыслей. Он включает три стадии. Нужно: (1) записать любые мысли, которые мучают вас, в том числе любые мысли, в которых вы осуждаете других людей; (2) задать себе четыре вопроса и (3) развернуть первоначальную мысль на 180 градусов. Цель состоит не столько в позитивном мышлении, сколько в достаточно ясном мышлении. Вот эти четыре вопроса:

1. Правдива ли эта мысль?
2. Могу ли я быть абсолютно уверена, что это правда?
3. Как я реагирую, когда верю этой мысли?
4. Как бы я себя чувствовала, если бы у меня не было этой мысли?

Разворот на 180 градусов: ответив на 4 вопроса, вы берете первоначальную мысль и разворачиваете ее на противоположную, а затем спрашиваете себя, верна ли мысль, противоположная первоначальной мысли. После этого вы берете мысль противоположную первоначальной и применяете ее к себе (и к другому человеку, если в этой мысли участвует еще кто-то).

В своем офисе я часто записываю на доске эти 4 вопроса, чтобы помочь людям возразить мыслям, которые заставляют их страдать.

Селеста, 48 лет, была разведенной матерью восьмерых детей. Она пришла ко мне, поскольку не могла справиться с депрессией и чувством неадекватности. С момента ее развода, случившегося за 5 лет до этого, она грустила, чувствовала себя одинокой и непривлекательной. Она нуждалась в близких отношениях, поэтому развод действительно выбил ее из колеи эмоционально. Она сказала мне: «Никто не захочет «старую» женщину с восемью детьми!» Поэтому мы поработали с этой мыслью, и она ответила на четыре мои вопроса:

1. «Правда ли, что никто не захочет 48-летнюю женщину с восемью детьми?» — «Да, — сказала она. — Никому не нужен такой багаж».
2. «Можете ли вы быть абсолютно уверены в том, что это правда, что никто не захочет 48-летнюю женщину с восемью детьми?» — «Нет, — ответила она. — Конечно, я не могу знать этого наверняка».
3. «Как вы себя чувствуете, когда у вас появляется эта мысль?» — «Мне грустно, безутешно и очень одиноко».
4. «Кем бы вы были или как бы вы себя чувствовали, если бы у вас не было этой мысли?» — «Я чувствовала бы себя гораздо счастливее и, вероятно, выглядела бы более привлекательной».

Поворот на 180 градусов: «Никто не захочет 48-летнюю женщину с восемью детьми». Что является противоположностью? «Кто-то захочет вступить в отношения со мной и моей семьей».

«Хорошо... что правдивее?» — «Мне кажется… я не знаю, — сказала она. — Но если я буду вести себя так, будто я никому не нужна, то никто не заинтересуется мной». После такой очистки мышления и прохождения программы по раскрытию потенциала мозга Селеста снова начала встречаться с мужчинами.

К ее изумлению, у нее не было никаких проблем с вниманием достойных мужчин, которые были рады провести время в большой семье. Два года спустя я получил по почте приглашение на свадьбу Селесты. В нем была ее личная приписка со словами: «Нет, это неправда!»

Все мы нуждаемся в подобном способе исправления своих мыслей. Только подумайте о том, что произойдет с женщинами, которые позволяют АНЕМам доминировать в их жизни, будь то их взаимоотношения или работа или проблемы с деньгами. Я видел, как эти четыре вопроса кардинально изменяли жизнь людей, и я знаю, что они могут сделать то же самое и для вас.

Анико устраняет свои АНЕМы

Когда Анико пришла в нашу клинику, она была похожа на тень. Специалист по информационным технологиям, чуть за 30, она переживала болезненный разрыв со своим бойфрендом, который произошел около полугода назад. Анико относилась к этим взаимоотношениям серьезнее, чем когда-либо в своей жизни, и даже надеялась завести семью с этим партнером, поэтому, когда он бросил ее, это стало для нее сильным ударом. У нее появилась склонность плакать в самые неподходящие моменты, особенно за неделю до месячных. А по выходным она бывала настолько истощена, что проводила один из двух выходных или оба дня в постели. Кроме того, она поправилась на 7 кг, что заставляло ее чувствовать себя еще хуже. «Я способна сбросить этот вес, — сказала она мне. — Но я просто не могу этого сделать».

Сканирование ОЭКТ Анико подтвердило, что у нее чрезмерная активность в «центре тревоги» мозга. Я посоветовал ей полезный для мозга рацион и записал ее на программу упражнений, которая, по моему мнению, должна была помочь ей поднять настроение, уровень энергии и снизить вес. Кроме того, Анико нужно было успокоить свои эмоции и дисциплинировать разум.

Я работал с Анико, чтобы выявить ее АНЕМы, которые мешали ей больше всего. В ее случае это оказалось сверхобобщающее мышление («Никто никогда не полюбит меня»), мышление чувствами («Я чувствую себя в полном одиночестве, поэтому я в полном одиночестве») и дурное пророчество («У меня никогда не будет ребенка или своей семьи»).

Работая с Анико, я обнаружил, что ей действительно нужно было задать те четыре вопроса «Работы». И когда Анико сказала: «Никто никогда не полюбит меня», я попросил ее устранить АНЕМ с помощью описанной выше техники Кэти. Вот как это было.

АНИКО: Никто не полюбит меня!

ВОПРОС 1: Это правда?

АНИКО: Да, я просто так сказала! Никто не полюбит меня!

ВОПРОС 2: Можете ли вы быть абсолютно уверены в том, что это правда?

АНИКО: Ну нет, я думаю, не совсем. Я думаю, это может быть неправдой.

ВОПРОС 3: Что происходит, когда вы верите этой мысли?

АНИКО: Мне становится грустно, одиноко, я ощущаю себя несчастной, отчаявшейся.

ВОПРОС 4: Кем бы вы были без этой мысли?

АНИКО: Я могла бы чувствовать себя более уверенно. Я могла бы быть человеком, который мог когда-нибудь найти свою любовь.

ПРОТИВОПОЛОЖНАЯ МЫСЛЬ: Кто-то полюбит меня.

Когда негативные мысли Анико были поставлены под сомнение, это помогло ей понять, что то были всего лишь ее мысли, а не реальность. Кроме того, она применила еще одну мощную технику устранения АНЕМов, которой я обучаю: выявление и преобразование АНЕМа в более точное утверждение. Вот как Анико работала со своим АНЕМом: «Я чувствую себя в полном одиночестве; поэтому я *совершенно* одна».

АНЕМ: Я чувствую себя в полном одиночестве, поэтому я совершенно одна.

ТИП АНЕМа: Мышление чувствами.

ПРЕОБРАЗОВАНИЕ: Даже если я чувствую себя одинокой, есть много людей, которые заботятся обо мне, — моя сестра, мой лучший друг, мой любимый двоюродный брат, мои родители. Эти люди откликнутся, если я попрошу их о помощи или просто о том, чтобы обняться с ними. Я скучаю по своему бойфренду. Но мне кажется, что я одинока только тогда, когда сама решаю быть одинокой.

Устранение АНЕМов помогло Анико успокоить свой разум. Хотя она иной раз все еще грустила о том, что ни с кем не встречается, все же она стала чувствовать себя намного счастливее и спокойнее. В результате когда ее новый сослуживец пригласил ее на свидание, Анико воспользовалась возможностью для развития этих отношений и пошла на свидание с веселым, позитивным настроем. «Пусть даже из этих отношений ничего не получится, — сказала она мне. — Раньше из-за своего поведения я лишала себя малейшего шанса. Моя негативность означала, что я никогда никого не найду!.. Теперь посмотрим».

Пример самой Байрон Кэти доказательство эффективности этой техники. Как я уже говорил, прежде чем она нашла возможность задать вопросы самой себе, она страдала в течение многих лет. Но эти четыре вопроса изменили для нее мир. Я встретил Кэти в 2005 году, и мы сразу стали близкими друзьями. Она работала с людьми, которым я с удовольствием помогал сбалансировать их мозг, а я работал с людьми, которым она с удовольствием помогала дисциплинировать свой разум.

Со временем я просканировал мозг Кэти. Он был похож на мозг человека, который сильно страдает. Тем не менее Кэти была спокойна. Для меня это было явным доказательством того, что выполнение «Работы» может решить серьезные проблемы мозга.

Восприимчивость к заражению АНЕМами

Вы можете обнаружить, что особенно уязвимы для ваших АНЕМов за неделю до менструации или во время гормонально сложных периодов перименопаузы и менопаузы. В это время ваши полезные для мозга привычки подвергаются особенно серьезному испытанию. Старайтесь не искать легких путей, прибегая к сладкой еде, напиткам или глотая таблетки. Лучше дисциплинируйте разум, устраняя АНЕМы и используя четыре вопроса. Сделайте эти упражнения частью вашей жизни, чтобы иметь дисциплинированный разум.

Запомните эти вопросы, обучите им своих друзей, детей, коллег — и всех, кто будет вас слушать.

Посмотрите четыре вопроса.

Гипноз и медитация: выключить мозг

Гипноз и медитация — мощные способы, успокаивающие разум и создающие состояние глубокой релаксации. Я использую их в своей практике более трех десятилетий и знаю, насколько они эффективны. Интересно, что оба этих метода достижения вроде бы глубокой релаксации на самом деле стимулируют, активизируют мозг. Исследования, проведенные в Бельгии и Канаде, показали, что гипноз увеличивает активность левого полушария и в областях, отвечающих за внимание. Он также снижает ощущение боли. В наших и сторонних исследованиях было выявлено, что медитация тоже повышает мозговое кровообращение, особенно в лобной коре — наиболее человеческой части мозга.

Эти результаты казались мне парадоксальными. Ведь применение гипноза и медитации приводит человека в состояние глубокой релаксации, чему свидетелем был я сам и мои пациенты. Я думал, что гипноз успокаивает мозг и снижает его общую активность. Однако верным оказалось как раз обратное. Похоже, что для того чтобы отключить мозг, его нужно сначала пробудить. Эти результаты объяснимы, если принять во внимание тот факт, что лобная кора действует как тормоз мозга.

Гипноз. Лобная кора помогает успокоить более примитивные, эмоциональные центры мозга (лимбическую систему), которые, по словам Аннабали Джо, нашего психиатра из Рестона, штат Вирджиния, «похожи на табун диких лошадей — вы действительно не можете полностью контролировать диких лошадей, но, если вы сможете ухватиться за их вожжи, вы сможете повлиять на направление, в котором скачут эти лошади».

Тана часто использует мои аудиозаписи гипноза, чтобы мирно заснуть. Она говорит мне: «Я не могу одновременно слушать аудио гипноза и вечный монолог в своей голове». В стрессовые времена она говорит: «Если я снова слышу навязчивую болтовню в своей голове, я увеличиваю громкость аудиозаписей».

Посмотрите аудио в «Комнате отдыха/гипноза».

Кроме того, ниже приведены инструкции о том, как ввести себя в простой гипнотический транс, чтобы усилить свой мозг и успокоить разум. Однако не делайте этого во время вождения или эксплуатации тяжелой техники.

- *Сосредоточьте свои глаза на какой-то точке и медленно считайте до 20. Пусть ваши веки станут тяжелыми в процессе этого счета. И закройте их до или после того, как досчитаете до 20.*
- *Сделайте четыре очень медленных, глубоких вдоха и выдоха и при этом почувствуйте, как ваш живот и грудь поднимаются и опускаются с каждым вдохом и выдохом.*
- *Постепенно напрягайте и расслабляйте мышцы ступней, ног, рук и ладоней.*
- *Представьте, что вы спускаетесь по лестнице и считаете в обратном порядке от 10 (это даст вам ощущение спуска и расслабленности).*
- *Используя все свои чувства, представьте себе, что вы направляетесь в красивое место, которое у вас связано с отдыхом, например озеро, пляж или горы.*
- *Проведя 10–15 минут в этом особом месте, позвольте себе вернуться в сознание. Если вы заснете во время упражнения, то, скорее всего, вы недосыпаете.*

Я до сих пор использую эту технику, когда ощущаю стресс, а в последнее время у меня была возможность практиковать ее в помощь моей дочери.

Четвертого июля мы устроили вечеринку в нашем доме. Когда на улице начался фейерверк, наша восьмилетняя дочь Хлоя устроила свой фейерверк на кухне. Моя жена готовила новый десерт для вечеринки — смесь из кокосового и миндального масла. Хлоя решила подогреть его под руководством мамы. Но когда она вытащила десерт из микроволновой печи, то попробовала его пальцем. Вот тогда и начался крик. Десерт оказался слишком горячим и прилип к ее пальцу. Она пыталась избавиться от него, вытереть полотенцем, а затем засунула палец в рот. Потом она положила руку в ледяную воду, гель алоэ и кубики льда. Ее боль и разочарование обострились, и у нее возникли АНЕМы. «Я такая глупая, — сказала она. — Почему я это сделала?» Ей было трудно успокоиться. Тана дала ей ибупрофен для уменьшения боли и стала укладывать ее в постель. Но Хлоя не успокаивалась.

АНЕМы уже заполонили ее мозг. «Я не могу этого сделать. Это чересчур. Я не могу вытерпеть это. Я такая глупая. Я не могу поверить, что я это сделала. Я хотела бы вернуться назад и сделать все заново».

Тана пытался отвлечь ее, начав читать, но это не помогло. Затем она стала молиться с Хлоей, но та не могла сосредоточиться. Ничего не помогало, поэтому Тана пришла ко мне в кабинет и сказала, что требуется моя помощь.

Я сел на кровать Хлои и оценил ситуацию. Затем я использовал простой гипнотический транс, чтобы успокоить ее — я делаю это со многими моими пациентами в больнице. Я акцентировал ее внимание на одной точке на стене, попросил ее закрыть глаза, начать расслаблять ее тело и замедлить дыхание. Затем я попросил ее представить себе, как она спускается по лестнице и делает обратный отсчет от десяти. После этого я попросил ее вообразить, что она вместе с друзьями и мамой идет в красивый парк, и задержаться там.

Потом я попросил ее представить себе, как она спускается в теплый бассейн. Вода в нем обладает особыми целительными свойствами, она способна успокоить ее палец и устранить боль. Эта вода помогла угомонить ее мысли и тело. Ей не нужно было так себя корить. Мы все делаем ошибки. Злость только усугубляет боль.

Внешне Хлоя стала гораздо более спокойной и начала засыпать. Парк и особый исцеляющий бассейн были теми местами, куда она могла вернуться в любое время, когда была расстроена или ей необходимо было успокоиться. Затем Хлоя заснула. Мы тихо покинули ее комнату, гадая, как она будет себя чувствовать дальше.

Но увидели мы ее только на следующее утро, и хотя у нее был волдырь на пальце, она сказала, что он не болит, и все было хорошо. «Каждый совершает промахи, — сказала она. — Я думаю, что это была одна из моих ошибок».

Этот метод очень хорошо помогает как детям, так и взрослым.

Медитация. Десятилетия исследований показали, что медитация и молитва устраняют стресс и оптимизируют функционирование мозга. В клиниках Амена мы провели спонсируемое Фондом исследования и профилактики болезни Альцгеймера ОЭКТ-исследование. Мы оценивали форму медитации кундалини-йоги под названием «Киртан Крийя». Мы просканировали множество людей: в первый день, когда они позволяли своим мыслям блуждать, а затем на следующий день — во время медитации. В процессе медитации участники произносили простые звуки, известные как пять первичных звуков: «ма», «на», «са», «та». Гласная «а» в конце каждого звука произносится протяжно — «аааа» и считается пятым звуком. Произнося последовательно «са», «та», «на», «ма», нужно поочередно соединять большой палец с указательным, средним, безымянным и мизинцем. Звуки и соприкосновения пальцев повторяют в течение 2 минут шепотом, затем 4 минуты про себя, снова 2 минуты шепотом и 2 минуты вслух.

ДВИЖЕНИЕ КОНЧИКОВ ПАЛЬЦЕВ «КИРТАН КРИЙЯ»

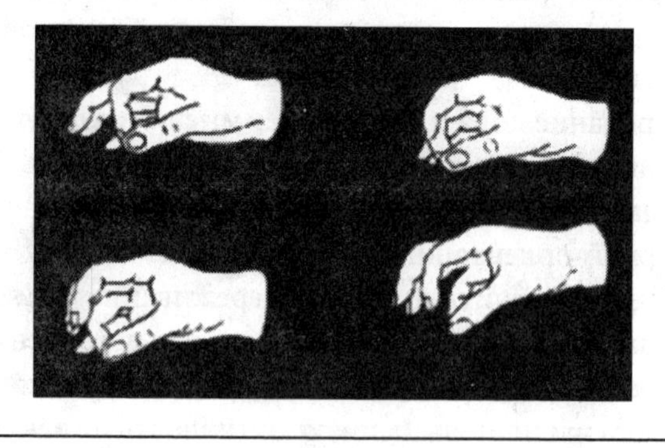

Сканирование ОЭКТ после медитации показало снижение активности в левой теменной доле, что, по мнению некоторых исследователей, указывает на своего рода отрешенность, выпадение из времени и пространства. Кроме того, выявлено значительное увеличение активности лобной коры, то есть медитация помогает скорее сосредоточиться, чем витать в облаках. Мы также наблюдали повышенную активность в правой височной доле — области, которую ассоциируют с духовностью.

Уилл, 45 лет (один из наших испытуемых с использованием техники «Киртан Крийя») заблудился по дороге в клинику и опоздал на встречу на 45 минут. Его ОЭКТ-скан показал серьезные повреждения левой передней стороны мозга. Когда я спросил его об этом, он сказал, что в возрасте 21 года пережил тяжелую аварию на мотоцикле. Именно после аварии Уилл начал медитировать. Такие, как у него, сканы ОЭКТ часто свидетельствуют о депрессии и раздражительности. Однако Уилл был счастливым и спокойным, пусть и испытывал трудности с ориентацией в пространстве. Его история напоминает мне о действии техники Байрон Кэти: там тоже использование методов дисциплинирования ума существенно уменьшает проблемы с мозгом.

Мой друг Энди Ньюберг из Университета Томаса Джефферсона тоже использовал ОЭКТ мозга для изучения нейробиологии медитации, отчасти потому, что это духовное состояние легко воспроизводится в лаборатории. Он сканировал мозг 9 буддийских монахов до длительной медитации и во время нее.

Сканирование показало явные изменения активности мозга в медитативном состоянии. В частности, активность снизилась в тех отделах мозга, которые участвуют в формировании чувства трехмерной ориентации в пространстве. Потеря ощущения места может объяснить духовное переживание трансцендентности — выхода за пределы пространства и времени, пребывания везде и нигде, соединения с Богом и Вселенной. Ученые также обнаружили повышенную активность в зонах лобной коры, связанных с устойчивостью внимания и глубокомыслием. Медитация, казалось, пробуждает человека, а не выключает. Еще одно функциональное томографическое исследование медитации показало, что происходит успокоение передней части поясной извилины и базальных ганглиев, то есть снижаются беспокойство и тревога, содействуя релаксации.

> Преимущества медитации выходят далеко за рамки успокоения психики. Исследования показали, что она улучшает внимание и планирование, снимает депрессию, беспокойство и сонливость и защищает мозг от деградации когнитивных способностей, ассоциируемой со старением.

В исследовании, проведенном исследователями из Калифорнийского университета, было выявлено, что у людей, которые регулярно медитируют, существенно больше размер гиппокампа и лобных долей. Кроме того, оказалось, что медитация помогает сбросить лишний вес, снимает мышечное напряжение и подтягивает кожу.

Многие думают, что требуются годы практики, чтобы научиться медитировать. Это не так. Увлекательное китайское исследование, проведенное неврологом (и моим другом) доктором Юанем Таном, показало, что у испытуемых, которые всего 20 минут в день в течение 5 дней осваивали медитацию, наблюдалось значительное снижение уровня кортизола.

В моей клинической практике я рекомендую медитацию как неотъемлемую часть плана лечения. Многие из моих пациентов сообщают, что чувствуют себя спокойнее и менее подвержены стрессу после нескольких минут ежедневной медитации.

Если вся концепция медитации кажется вам слишком паранормальной, обратите внимание, что вы можете заниматься ею практически в любом месте и в любое время. Вам не обязательно сидеть на полу скрестив ноги или делать любую из тех вещей, которые обычно связывают с медитацией.

Если вы находитесь на работе, то можете закрыть дверь в свой кабинет, сесть в кресле, закрыть глаза и на мгновение расслабиться, сделав 5–10 медленных, глубоких вдохов и выдохов. В домашних условиях вы можете сесть на краю своей постели после пробуждения и потратить пару минут на успокоение своего разума, делая медленные, глубокие вдохи и выдохи и представляя себя в самых красивых местах мира.

Я даю моим пациентам «правило 5–5–5». Дышать надо примерно в таком темпе: сделайте медленный вдох на протяжении 5 секунд, затем задержите дыхание на 5 секунд, а затем медленно выдохните в течение 5 секунд. Повторите это 5–10 раз.

Получите доступ к 12-минутной медитации в «Комнате отдыха».

Социальные связи

В умиротворении вашей психики никогда не стоит недооценивать влияние на вас тех, кто вас окружает. Начните наблюдать настроения и взаимоотношения тех, кто находится вокруг вас. Изо всех сил старайтесь держаться подальше от сердитых, раздражительных людей.

Моя сестра Мэри потеряла своего мужа, умершего от рака, а затем 15 лет спустя она потеряла своего жениха, умершего от внезапной остановки сердца. И все же Мэри смогла остаться сильной, в значительной степени потому, что у нее были поддерживающая ее семья и много-много друзей, которые оказали ей моральную поддержку в трудные времена. То, что у Мэри было столько поддерживающих ее людей, не случайно. В течение многих десятилетий Мэри регулярно общалась с родственниками и друзьями, и они пришли к ней на помощь, когда она нуждалась в них больше всего. Если у вас плохое настроение или вы переполнены АНЕМами, или вас одолевает беспокойство, вам обязательно нужно начать проводить время со своей группой поддержки. Если у вас нет такой группы, то озаботьтесь ее созданием в своей церковной общине, в своем районе или записавшись в группу волонтеров, занимающихся каким-нибудь благим делом.

Духовное здоровье

Ощущение смысла и цели жизни позволяет сохранять жизнерадостность и мотивацию. И помогает предотвратить мысли, которые пытаются украсть ваше счастье.

Стэйси Мэтьюсон очень страдала, когда ее сын пытался излечиться от тяжелой наркомании. После того как у него случилась серьезная передозировка и он чуть не умер, Стэйси решила, что с этим нужно что-то делать. Она запустила программу трезвости в колледже Университета Невады в Рено и в колледже местного сообщества. Затем она начала работать над развитием программ профилактики наркомании в средних школах. Работу Стэйси заметили и попросили ее войти в состав совета директоров Центра Бетти Форд.

Благодаря своим усилиям она смогла провести поправку в законодательство Калифорнии, согласно которой суды при рассмотрении вопросов опекунства должны принимать во внимание использование родителем предписанных психотропных веществ. Мы сотрудничали при создании программ лечения, ориентированных на здоровье мозга. Работа Стэйси давала ей глубокое ощущение смысла и цели и помогла обуздать ее АНЕМы, уменьшив ее страдание, а также страдания многих других людей.

Лечить или не лечить лекарствами?

Я — психиатр с классическим образованием и уже давно прописываю своим пациентам лекарства. Я не против использования лекарств при лечении эмоциональных или поведенческих расстройств. Но я против их бездумного использования. Учитывая стоимость и побочные эффекты препаратов для лечения беспокойства и депрессии, я предпочитаю сначала попробовать естественные средства. Например: физические упражнения, медитацию, терапию АНЕМов и натуральные биологически активные добавки, соответствующие типу мозга пациента. Если необходимы лекарства, подходите к этому вопросу осторожно и не торопитесь. Используйте наш метод определения типа мозга, описанный выше, как руководство.

УПРАЖНЕНИЕ 6. УСТРАНИТЕ АНЕМЫ И ОТВЕТЬТЕ НА 4 ВОПРОСА «РАБОТЫ»

Устраните АНЕМы

1. Всякий раз, когда вы грустите, злитесь, возбуждены или не контролируете себя, нарисуйте на листе бумаги две вертикальные линии, разделив его на три колонки.

2. В первой колонке запишите автоматические негативные мысли (АНЕМы), которые проходят через ваше сознание.

3. Во второй колонке идентифицируйте тип АНЕМов, или негативных мыслей. Обычно описывают 9 различных типов АНЕМов.

4. В третьей колонке возразите, исправьте и уничтожьте АНЕМы. Если вы похожи на меня, то в подростковом возрасте запросто возражали своим родителям. Подобным же образом научитесь возражать той лжи, которую вы говорите себе.

Ответьте на 4 вопроса «Работы»

Запишите тревожащие мысли, которые расстраивают вас. Затем спросите себя следующее:

1. Действительно ли это верно?

2. Можете ли вы точно знать, что это верно?

3. Как вы реагируете, когда вы верите в эту мысль?

4. Кем вы были бы без этой мысли? Или как вы бы себя чувствовали, если бы у вас не было этой мысли?

Разворот на 180 градусов: ответив на эти четыре вопроса, возьмите первоначальную мысль и измените ее на противоположную, а затем спросите себя: верна ли эта противоположная мысль? После этого примените эту противоположную мысль к себе и к другому человеку, если он вовлечен в содержание ваших тревог.

Глава 7

ОБРЕТИТЕ КОНТРОЛЬ НАД СВОИМ МОЗГОМ

ПОБЕДИТЕ ВОЖДЕЛЕНИЕ, ПРОБЛЕМЫ С ЛИШНИМ ВЕСОМ И ЗАВИСИМОСТЬ

Повышение самообладания — седьмой шаг на пути раскрытия потенциала женского мозга.

Человеческому роду сейчас больше чем когда-либо прежде нужно продемонстрировать свою власть — не над природой, а над самим собой.

Рэйчел Карсон

Тери подошла ко мне после лекции. Она участвовала в «Плане Даниила» — программе, организованной совместно с церковью *Saddleback*.

«До встречи с вами, — сказала она, — я знала, что я толстая, и я знала, что непривлекательна, но я всегда думала, что у меня отличный ум. А затем я услышала, как вы рассказывали о синдроме динозавра, когда вес повышается, а размер и функционирование мозга снижаются. Это совершенно сразило меня. В прошлом году от болезни Альцгеймера умер мой отец, и я не хочу такой же участи. Вот тогда я всерьез задумалась о своем здоровье. За последние восемь месяцев я сбросила 45 кг и чувствую себя лучше, чем когда-либо. Спасибо!»

Упомянутый Тери синдром динозавра — понятие, которое я ввел как аллегорию, напоминающую о важности поддержания вашего веса в норме. Данные 18 исследований констатируют обратную корреляцию между увеличением веса и размером мозга вместе со снижением его функциональности. Сайрэс Раджи с сотрудниками из Университета Питтсбурга опубликовали первое исследование на эту тему, и оно заставило меня похудеть на 10 кг. Я не собираюсь делать что-либо, что вредит моему мозгу.

ПРЕОБРАЗОВАННЫЙ МОЗГ И ТЕЛО ТЕРИ

Спустя несколько недель после прочтения данных доктора Раджи я приехал в Питтсбург на встречу в одну крупную медицинскую компанию, с которой мы собирались запустить совместный проект. Директор по маркетингу этой компании Том был болезненно полным, что расстроило меня. (Ведь если человек самой своей жизнью не пропагандирует деятельность своей организации, то он плохой сотрудник. Именно поэтому полному врачу вряд ли удастся внушить пациенту истины об изменении образа жизни ради выздоровления.) В рамках этого визита мы с Томом пошли обедать местный ресторан. Когда я услышал, что он заказал на десерт два суфле, я просто уже не мог сдерживаться дальше и сказал Тому, что ему нужно избегать синдрома динозавра.

Том засмеялся и спросил: «Что еще за синдром динозавра?»

«Разве вы не знаете, что есть подтвержденные данные о том, что при повышении массы тела фактический размер и функционирование мозга снижаются? Самое первое исследование такого рода было проведено в этом самом городе».

«В самом деле?» — спросил Том.

«Том, вы хотите прогрессировать в своей карьере или вы уже остановились?»

«Мне предстоит сделать еще много работы. Я еще далеко не закончил».

«Тогда вам нужно иметь здоровый мозг и ответственно подойти к вопросу вашего веса».

Через месяц Том написал мне по электронной почте о том, что похудел на 8,5 кг. Он не хотел быть вымирающим динозавром. Получив это письмо, я решил, что мне нужно почаще говорить людям о синдроме динозавра. Я не хочу никого обидеть, но я считаю своим долгом сообщать правду. Избыточный вес и ожирение оказывают значительное негативное воздействие на здоровье мозга. Знание о синдроме динозавра сработало для Тери и Тома и подействовало на многих других людей, которые написали мне.

Одна из самых больших радостей в моей жизни — это помогать людям обрести контроль над своим мозгом и своей жизнью. Подобно Тери и Тому вы можете сделать свой мозг лучше, даже если раньше плохо к нему относились. Мы постоянно доказываем это в своих клиниках.

Вот шесть очень четких шагов, которые помогут получить контроль над своим разумом, весом, вредными привычками и любыми зависимостями, от которых вы можете страдать:

1. Выработайте у себя зависть к здоровому мозгу. Создайте якорные изображения, которые бы ежедневно напоминали вам о том, почему вы стремитесь к здоровью мозга.
2. Получите комплексную оценку своего здоровья, результаты основных анализов. И определите свой тип мозга. Этот шаг позволит вам получить помощь, специально предназначенную для вашего мозга. Универсальные подходы не работают.

3. Избегайте всего, что вредит вашему мозгу. Отнеситесь к этому вопросу очень серьезно. Вы не можете управлять своим разумом, если ваш мозг соприкасается с токсинами, травмирован или не получает полноценного питания.
4. Придерживайтесь привычек, полезных для здоровья мозга, чтобы усилить его резерв и задействовать все его процессы исцеления.
5. Улучшите качество ваших решений, чтобы получить больше контроля над своей жизнью.
6. Изучите и внедрите в жизнь науку перемен.

Ни одна из этих стратегий не вызывает трудностей. Просто им нужно следовать с умом и постоянно. Мы уже рассмотрели подробно первые четыре шага. В данной главе я расскажу о шагах 5 и 6. Но сначала почитайте про Арианну. Ее история говорит о том, как важно избегать всего, что вредит вашему мозгу.

Арианна

В свои 23 года Арианна страдала от булимии. Она ненавидела себя, когда поддавалась искушению, и вызывала рвоту. После того как ее обследовали и составили план лечения, ей стало намного лучше, но через четыре месяца терапии у нее случился рецидив. Когда я попросил ее подробно описать, что произошло, она сказала: «Я пошла с друзьями в ресторан, где мы распили бутылку вина. Я выпила примерно два бокала. Хотя я пообещала себе, что не буду есть, потому что я уже поужинала, после вина я заказала тарелку начос. Затем около полуночи я по-настоящему возненавидела себя, поэтому я вызвала рвоту».

Когда мы с Арианной обсудили эту ситуацию, до нее дошло, что эта проблема никогда не возникла бы, если бы она не выпила вина. Это алкоголь снизил ее управление импульсивным поведением, что привело к заказу начос, ненависти к себе, рвоте и еще большей ненависти к себе. Когда вы избегаете вещей, которые вредят вашему мозгу, качество ваших решений значительно улучшается. После этого рецидива Арианна прекратила принимать алкоголь. Конечно, булимия — очень сложное явление, но зачастую она связана с алкоголем, недостаточным сном, плохим питанием и низким уровнем сахара в крови — и все это приводит к проблемному поведению.

УЛУЧШИТЕ КАЧЕСТВО СВОИХ РЕШЕНИЙ

Лучший способ уменьшить стресс
в своей жизни — прекратить все портить.
Рой Баумейстер, д.н.

Многие люди сталкиваются с рядом барьеров, которые ставят под угрозу принятие разумных решений. К этим барьерам относятся тяга к еде, недостаток энергии и финансовые проблемы. Принимать отличные решения не так трудно, если вы приведете свой мозг в соответствующее состояние. Вот самые главные шаги, которые помогут вам повысить качество своих решений.

- *Начните с четких приоритетов. Знайте свои цели и обращайте внимание на них каждый день.*
- *Принимайте решения о своем здоровье заранее. Хорошо иметь несколько простых правил. Например: никакого хлеба и алкоголя в ресторанах перед едой, поскольку и то и другое снижает функционирование коры лобных долей и негативно влияет на принятие решений.*
- *Обязательно завтракайте и включайте в завтрак высококачественный белок, чтобы сбалансировать уровень сахара в крови. Недостаток сахара в крови связан со снижением притока крови к мозгу и с ухудшением его деятельности. Ешьте в течение дня, чтобы поддерживать уровень сахара в крови.*

- *Исключите из рациона простые сахара и искусственные подсластители. Они вызывают тягу к еде и ведут к дурным решениям.*
- *Спите ночью не менее 7 часов. Недосыпание приводит к плохому кровоснабжению мозга и влияет на разумность принимаемых решений.*
- *Не ставьте себя в уязвимое положение. Предваряйте его заранее. Если вы знаете, что на вечеринке, на которую вы собираетесь пойти, будут подавать нездоровые блюда, то заранее поешьте, чтобы не чувствовать себя голодной и не потерять самоконтроль. Моя жена часто носит еду с собой, чтобы у нее было что перекусить на всякий случай.*

Когда вы начинаете вести полезный для мозга образ жизни, это может доставить неудобства тем, кто вас окружает, особенно если привычки ваших близких совсем иные — вредные для мозга. И в глубине души некоторые из окружающих (даже те, кто любит вас больше всего), возможно, не хотят, чтобы вы преуспели, потому что это заставит их чувствовать себя неудачниками. А порой они просто не знают, как реагировать на ваш новый образ жизни. Многие из моих пациентов заметили недоумение своих родственников, друзей и коллег. Вот почему необходимо взять под контроль вашу жизнь. Вы должны быть готовы к препятствиям, которые встретятся на вашем пути, чтобы разобраться с ними и продолжать принимать правильные решения.

Вы будете лучше подготовлены к проблемам, если начнете жить согласно аббревиатуре ГЗОУ. Это известный термин, используемый при лечении зависимостей. Он расшифровывается так.

- *Не будьте слишком Голодны. Ешьте часто, но высококачественные продукты и маленькими порциями. Принимайте БАДы для оптимизации своего мозга и уровня сахара в крови.*

- *Избегайте проявлений Злости. Сохраняйте контроль над своими эмоциями и не позволяйте негативным моделям мышления управлять своей жизнью. Смотрите методы устранения АНЕМов в главе 6.*
- *Не будьте слишком Одиноки. Социальные навыки и позитивное окружение крайне важны для поддержания свободы от вредных привычек, которые управляют вами. Составьте команду своих сторонников и позитивных образцов для подражания.*
- *Не допускайте чрезмерной Усталости. Сделайте полноценный сон приоритетом для оптимизации функционирования мозга, способности к рассудительности и самоконтролю.*

Многие люди и компании, да и все наше общество, будут пытаться навязать вам вещи, которые угрожают здоровью вашего мозга и провоцируют появление старых деструктивных привычек. На наши головы обрушивается вал соблазнительных сообщений о еде, кофе, сигаретах, алкоголе, магазинах и многом другом. Рекламные ролики по ТВ, рекламные щиты и реклама на радио постоянно демонстрируют нам изображения счастливых, привлекательных людей, наслаждающихся жирным фастфудом, ухудшающими принятие решений коктейлями и обезвоживающими напитками с кофеином. В фильмах блистательные знаменитости курят, пьют, дерутся и ведут себя безрассудно. Все это взывает к вашим эмоциональным центрам памяти в мозге и рискует спровоцировать возврат к старым привычкам.

Корпорации очень искусно навязывают нам еду и напитки, которые вредны для здоровья. Рестораны и заведения быстрого питания проводят для сотрудников тренинги, как продавать больше — и в итоге добавляют объема нашим талиям. Вот некоторые хитрые способы, которые используют продавцы, чтобы попытаться заставить вас съесть и выпить больше:

- *«Хотите порцию большего размера всего за 39 центов?»*
- *«Желаете картофель фри в придачу?»*
- *«Я принесу сначала хлеба?» (Это разожжет ваш аппетит, и вы съедите больше!)*
- *«А что вы возьмете на закуску?»*
- *«Не желаете еще выпить?» (Это снижает вашу способность к оцениванию происходящего.)*
- *«Вам большой стакан? Так дешевле!»*

«Нет!» — вот ответ умного мозга на все эти вопросы. Употребление еды и напитков в большем объеме, чем вам нужно, только потому, что это выгодно, на деле обойдется вам гораздо дороже.

К сожалению, супруги, друзья, сослуживцы, соседи и даже дети тоже могут невольно осложнять ваше движение в правильном направлении. Скажем, приятель, который курит, может закурить у вас перед носом, несмотря на то, что вы пытаетесь бросить курить. Соседка может прийти на ваш день рождения с коробкой домашней выпечки. На работе руководитель может пригласить вашу команду в кафе на «счастливый час», когда можно купить напитки дешевле, или кто-то из соседнего отдела будет предлагать вам конфеты из чашки на своем рабочем столе.

Недавно я вернулся домой, а там кругом были одни девушки. Хлоя только что закончила третий класс и пригласила друзей поплавать в нашем бассейне. Когда я вошел в дом, мать одной из ее подруг пришла с коробкой жирного картофеля фри, чизбургерами и большими бутылками сладких газированных напитков. Про себя я подумал: «Это будет интересно».

Женщина предложила их моей жене с выражением гордости: «Я была на одной вечеринке, и там предлагали еду, поэтому я принесла немного и вам». Тана вежливо сказала, что мы не едим такие блюда.

«О-о, ну что вы, это картофель фри, чизбургеры и газированные напитки. Они всем нравятся».

«Не всем», — сказала Тана, все еще пытаясь сохранить дружелюбный тон.

Женщина посмотрела на меня: «А разве вы не едите?»

«Мне кажется, я уже много лет не видел такой еды в нашем доме. Спасибо, что не забываете о нас, но вы можете взять ее с собой», — сказал я, стараясь быть вежливым, но менее явно, чем Тана.

«Я просто оставлю это на случай, если вы проголодаетесь», — сказала она и ушла вместе со своей дочерью.

Я посмотрел на Тану, а она посмотрела на меня. «Что случилось?» — спросил я. «Похоже, что нам только что навязывали еду». Я взял эту еду и быстро выбросил ее. Я не хочу испытывать тягу к тому, что может повредить мне.

Но не только люди пытаются нам что-то навязать. Места и внешние ориентиры могут вызывать проблемы поведения. Куда бы вы ни пошли, вы видите напоминания, которые соблазняют вас вернуться к вашим старым, нездоровым привычкам. В среде зависимых людей это называется «скользкие места». Если вы идете в кино, вам приходится ехать мимо забегаловки, где вы в свое время общались с друзьями и балдели. Вы отправляетесь в круиз на Аляску, желая увидеть красивые пейзажи, и тут же сталкиваетесь с невероятно большим количеством продуктов питания, десертов и свободно продающимся алкоголем. Присоединяетесь к своим коллегам на конференции в Лас-Вегасе — и сразу же подвергаетесь всевозможным искушениям, угрожающим здоровью и исцелению вашего мозга.

Умение говорить «нет» всем этим искусителям дома ли, в городе, на работе и в школе очень значимо для вашего успеха.

Еще 10 советов о том, как принимать отличные решения

1. Если вы отправляетесь на званый ужин с друзьями или семьей, позвоните заранее хозяину вечеринки и сообщите ему о том, что вы находитесь на специальной диете, полезной для мозга, и не можете есть определенные продукты.

2. Если вас пригласили на вечеринку, где принято курить, пить и употреблять какие-то препараты, либо не ходите туда, либо идите с другом, который поддерживает вас в ваших усилиях и отвезет вас домой, если вы начнете испытывать искушение.
3. Будьте прямолинейны с теми, кто навязывает вам какую-то еду. Объясните, что вы соблюдаете определенную диету, и, когда вам предлагают торт, чипсы, пиццу, вас тем самым вводят в пагубное искушение.
4. Вместо того чтобы выходить с друзьями на перекур, выберите полезные виды отвлечений: например прогулку.
5. Если люди предлагают вам что-то из вредной пищи, скажите, что вы уже сыты. Если они будут настаивать, объясните, что вы следите за своими калориями. Если же продолжают настаивать, спросите их, почему они стремятся саботировать ваши усилия стать здоровой.
6. Некоторые сразу же выбрасывают торт или пиццу в мусорный бак, как только хозяин вечеринки отворачивается. Иногда лучше сделать так, чем ставить под угрозу свое выздоровление.
7. Избегайте ворчунов, сплетников и жалобщиков. Они унижают вас.
8. Скажите хозяину вечеринки, что вы не пьете алкоголь, и точка.
9. Берите с собой полезную еду, чтобы вам не пришлось питаться в кафетерии на работе или в школе.
10. Возьмите под контроль свое собственное тело и не позволяйте другим людям сделать вас толстыми и глупыми.

ИЗУЧИТЕ И ВНЕДРИТЕ В ЖИЗНЬ НАУКУ ПЕРЕМЕН

Как облегчить осуществление перемен, будь то похудение, победа над зависимостью или изменение личных привычек? Вот семь шагов.

1. Решите, что вы действительно хотите. Это поможет вашей лобной коре пойти вперед. Ваш мозг реализует на практике то, что определено. Определите цель.

Вообразите ярко, правдоподобно и подробно «будущее успеха». Спросите себя, как вы будете чувствовать себя через год, пять и десять лет, если будете следовать нынешним курсом и преуспеете. Ответ? Потрясающей, здоровой, энергичной, с наилучшими когнитивными способностями в своей жизни (мудрость плюс умственная энергия).

Вообразите ярко, правдоподобно и подробно «будущие неудачи». Спросите себя, как вы будете чувствовать себя через год, пять и десять лет, если вы не измените свое поведение. Какой будет ваша жизнь, если вы продолжите двигаться тем же курсом? Больной мозг, раннее старение и смерть.

2. Знайте свое критическое поведение. Спросите себя, что вам нужно, чтобы стать здоровой. В отношении любой проблемы, например устранение тучности или зависимости, необходимо знать те действия, которые нужно предпринять, чтобы достичь вашей цели; затем осуществляйте эти действия много раз.

Например.

- *Сдайте анализ крови, чтобы не пропустить что-то существенное, скажем: недостаток витамина D, сбои в работе щитовидной железы или изменения уровня тестостерона.*
- *Знайте тип своего мозга (импульсивный, компульсивный, печальный или беспокойный) и получите соответствующую помощь.*
- *Спите достаточно — это очень важно для поддержания здорового функционирования коры лобных долей.*
- *Сбалансируйте свой сахар в крови, чтобы устранить тягу к сладкому.*
- *Постоянно ешьте цельную, высококачественную пищу, но в меру.*

- *Ведите журнал ваших калорий, чтобы не превышать их норму.*
- *Устраните любые продукты, к которым у вас может быть аллергия, например молоко или мучное.*
- *Избегайте мест, которые могут вызвать у вас желание что-то съесть.*
- *Управляйте своими мыслями, чтобы вам не приходилось «лечить» их едой или лекарствами.*
- *Постоянно занимайтесь физкультурой.*
- *Принимайте соответствующие биологически активные добавки.*
- *Положитесь на поддержку социальной группы.*

3. Выявите свои самые уязвимые стороны. Проявляйте любопытство в отношении своего поведения. Исследование своих ошибок и неудачных дней может быть очень поучительным, если вы действительно начнете думать о них.

Марта, 53 лет, очень успешный адвокат, вошла в мой офис, испытывая грусть и стыд. Я лечил ее от приступов тревоги и чрезмерного употребления алкоголя. Через несколько месяцев она добилась существенных успехов и полностью прекратила пить. Но затем Марта оступилась и устроила себе пьянку на выходные после серьезной ссоры с мужем.

«Я не понимаю, как это произошло, — сказала она мне. Потом запнулась и сказала: — Я знаю, что это неправда». Мы работали над этими четырьмя вопросами много раз. «Я просто сильно расстраиваюсь, когда терплю неудачу».

Я подошел к доске в моем офисе и нарисовал для нее график, чтобы показать ей, как люди изменяются.

«Вот человек приходит ко мне, — сказал я ей, — у него есть удачные и неудачные дни, но обычно неудачных больше. Мы начинаем сотрудничать, чтобы изменить некоторые вещи, и он поправляется. Однако никогда не бывает так, чтобы человек начал поправляться и шел прямой дорожкой к здоровью. Это переменчивый процесс. Но именно тяжелые времена, ошибки и неудачи учат нас, если мы принимаем их и извлекаем из них уроки. Следует обратить неудачи себе на пользу».

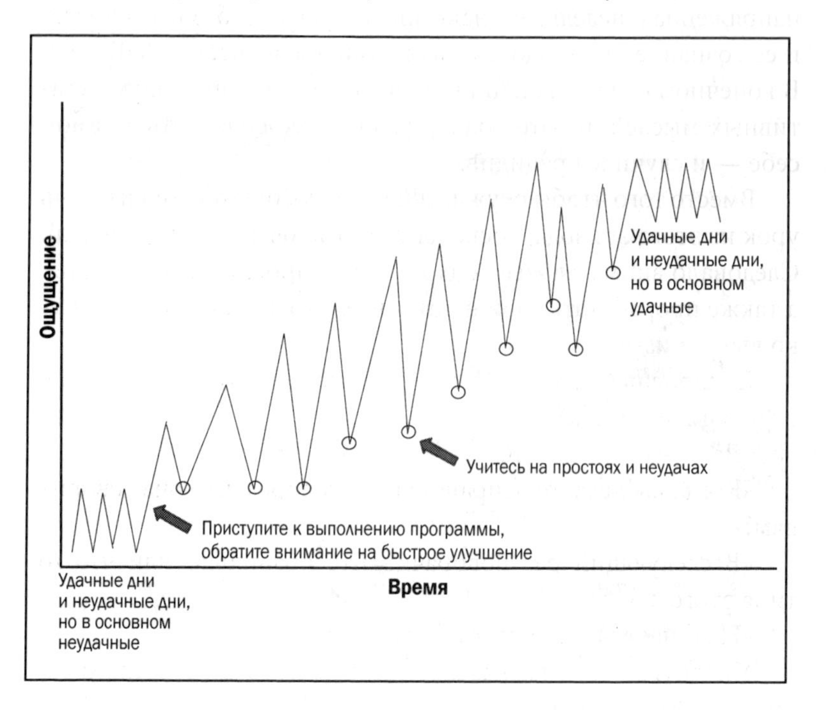

Бывший глава аппарата Белого дома Рам Эмануэль однажды сказал: важно, чтобы любой серьезный кризис не проходил зря. То же самое касается ошибок и неудач. Изучите их, учитесь на них, будьте любопытными. По своему опыту знаю, что самые успешные люди признают свои ошибки и учатся на них.

И мы с Мартой исследовали ее рецидив с точки зрения науки о мозге. За неделю до рецидива она засиживалась допоздна, работая над сложной задачей. В течение трех ночей она спала меньше 5 часов. Кроме того, она стала нерегулярно питаться и не занималась физкультурой. Она не принимала рекомендованные ей БАДы и начала питаться фастфудом. Недосыпание, нерегулярное питание и недостаток физических упражнений — все это способствовало снижению кровоснабжения и активности мозга. Когда эти факторы объединились с проблемами в общении с мужем, у которого также была напряженная неделя, ее накрыло ощущение безнадежности, и ее сознание стало одолевать огромное количество АНЕМов. В конечном счете она напилась, чтобы приглушить шум негативных мыслей, но это только усилило ее ненависть к самой себе — и случился рецидив.

Вместо того чтобы осуждать себя, я посоветовал ей извлечь урок из этого эпизода, поскольку он был очень поучительный. Следовало внимательнее подходить к вопросам сна и питания, а также проработать свои негативные мысли, которые так легко вышли из-под контроля.

Я спросил Марту: «У вас в машине есть система *GPS* с функцией подсказок?»

«Да», — ответила она.

«Когда вы делаете неправильный поворот, что она говорит вам?»

«В следующий раз поворачивайте правильно или что-то типа этого».

«Начинает ли он вопить или ругать вас?»

Улыбнувшись, она сказала: «Они не продали бы много таких *GPS*. Конечно, нет».

«Но разве это не то, что вы делаете с собой, когда совершаете ошибку? Ошибаясь, извлекайте уроки из ошибки, делайте правильный поворот и поезжайте туда, куда вам надо».

Будьте исследователем и исследуемым!

Изменения происходят постепенно. И плохие времена подчас более поучительны, чем хорошие. Отслеживать черные и белые полосы помогает ведение журнала. Определите, когда вы наиболее уязвимы (например, если не выспались, забыли съесть завтрак, сделали чрезмерную паузу между приемами пищи или на вечеринках и общественных мероприятиях).

Создайте простые правила на эти случаи, например такие:

1. Я буду есть здоровые продукты перед тем как покушаться на нездоровые.
2. Я разделю на части свои заказы.
3. Я буду есть сначала овощи.
4. Я съем что-нибудь, прежде чем пойду на игру с мячом, чтобы избежать искушения есть там конфеты.
5. Я буду использовать маленькие тарелки.
6. Я позволю себя сделать поблажку в рационе, но только после прочтения своего мотивационного списка и звонка поддерживающим меня друзьям. (Это правило дает вам паузу и социальную поддержку.)
7. Осознав искушение, я сосредоточусь на чем-то другом, например на прогулке, чтении стихов или выпью стакан воды, до тех пор, пока желание не уйдет.
8. В книге Кэрри Паттерсон и ее коллег под названием «Как изменить что-то: новая наука личного успеха» есть фраза, которая суммирует все эти шаги: «Превратите плохие дни в полезную информацию».

4. Научитесь любить то, что вы ненавидите. Если вы собираетесь измениться, следует избегать импульсивности и сделать правильный выбор приятным. Узнайте, как найти приятное в трезвости, или найдите отличные низкокалорийные, полезные продукты, которые вам нравятся. Ищите формы физической активности, которые вам нравятся. Одна из моих подруг сказала мне, что ненавидит зарядку, но любит гулять со своими детьми. Самое главное — психологический настрой.

> Единственный способ поддерживать изменения — делать то, что приносит вам удовольствие!

Думайте как здоровый человек. Заказал бы здоровый человек эту еду? Как он действовал бы в этой непростой ситуации? Сила воли — это тоже навык; если вы сможете отвлечь себя всего на минуту, искушения часто уходят.

Не потакайте себе. Вы можете быть причиной расстройства своего поведения. У меня однажды была пациентка, которая боролась с собственным весом.

Она сказала, что часто чувствовала себя так, словно ей *нужно* капитулировать перед своими желаниями. У нее было две дочери, одна из которых закатывала истерику каждый раз, когда не удовлетворяли какое-то ее желание. «А если вы уступали истерике своей дочери, — подсказывал я ей, — она вела себя лучше или хуже?» — «Хуже, конечно», — отвечала моя пациентка. Когда вы капитулируете перед собственной истерикой, вы создаете свои собственные внутренние расстройства поведения, которые губят ваше здоровье и вас — преждевременно. Будьте любящим, эффективным родителем для самого себя.

5. Важно, с кем вы проводите время! Культивирование плохих или хороших привычек — это командный вид спорта. Для создания и поддержания привычек необходимы союзники. Друзья, наставники и тренеры поддерживают ваше позитивное поведение. Попросите их о помощи. Завязывание новых знакомств и появление новых друзей повышает ваши шансы на успех до 40%, и это особенно верно в отношении похудения и занятий фитнесом.

Следует прекратить тратить деньги на еду, которая вредит вашей семье, коллегам или друзьям. Это делает их уязвимыми для неудачи, и это вопрос вашей собственной целостности.

Сообщники — это люди, которые поощряют ваше нежелательное поведение или соучаствуют в нем. Если вы хотите изменить свое поведение, надо найти других друзей или превратить сообщников в друзей.

6. Пусть ваше пространство работает на вас. Мы обычно не замечаем, как наша среда управляет нами. Наше окружение существенно влияет на наши мысли, чувства и действия.

Если вы хотите взять на себя управление своей собственной жизнью, необходимо взять под контроль свою среду обитания.

Постройте заборы, которые удерживают хорошее и не пускают внутрь плохое:

- *Вычистите кухню от вредных продуктов.*
- *Поместите на стол чашу с фруктами.*
- *Избегайте внутренних проходов в магазинах, где находятся упакованные готовые продукты, и покупайте продукты, размещенные по периметру магазина.*
- *Мысленно оградите ту часть меню ресторанов, где перечисляются высококалорийные закуски и алкогольные напитки.*
- *Очистите дом от алкоголя и наркотиков.*

Контролируйте расстояние:

- *Разместите ближе тренажерное оборудование.*
- *Уберите подальше вредную еду.*
- *Не ходите возле тех мест, которые провоцируют ваши вредные привычки.*

Используйте подсказки, чтобы изменить привычки:

- *Используйте личные высказывания, такие как, «Нет ничего вкуснее здоровья».*
- *Подсказки нужно разместить так, чтобы они помогли вам в решающие моменты.*

Применяйте все средства.

- *Контролируйте свою ходьбу с помощью шагомера.*
- *Загрузите на свой мобильный приложения для контроля за калориями.*
- *Разместите в ванной комнате бумажный календарь, чтобы отмечать свой вес.*
- *Используйте кастрюли, чаши и тарелки меньшего объема, чтобы уменьшить порции.*

7. Помните о своем предназначении на Земле. Молитесь о благословении здоровьем ваших детей, внуков, коллег и друзей. Вы — их ведущий, и ваше руководство будет в течение нескольких поколений влиять на их.

НЕДОСТАЮЩЕЕ ЗВЕНО

Большая часть руководств по самосовершенствованию упускает один ключевой момент: чтобы изменения произошли, нужен здоровый мозг. Если ваш мозг не в порядке, вы тоже не в порядке. Для любых успешных перемен нужно, чтобы ваш мозг работал нормально. Если он поврежден, необходимо вылечить его. И крайне важно избегать того, что вредит вашему мозгу и придерживаться привычек, полезных для мозга. Забота о здоровье тела и мозга — предпосылка к созданию и сохранению изменений.

УПРАЖНЕНИЕ 7. ПРИМИТЕ СВОИ НЕУДАЧИ

Новые данные нейробиологических исследований говорят о том, что существует значительная разница между мозгом человека, который учится на своих ошибках, и мозгом того, кто этого не делает. При совершении ошибок у одних людей в мозге активизируются центры беспокойства, которые заставляют их избегать мыслей об этих ошибках, а у других в сходной ситуации активизируются центры удовольствия, которые помогают им принять свои неудачи и извлечь из них урок. Если вы собираетесь совершенствовать свое поведение, чтобы принимать здравые решения и лучше контролировать себя, вам следует учиться во времена ваших неудач. Например, я любил есть попкорн в кинотеатрах. Но теперь эта жареная кукуруза исключена из моего списка здоровой пищи. Я придумал способ разобраться с этой вредной привычкой — стал есть перед походом в кино, а также брать с собой здоровые закуски, которые я действительно люблю.

В течение следующего часа перечислите по крайней мере пять повторяющихся ошибок, которые вы склонны совершать. Напишите, почему, на ваш взгляд, они постоянно возникают, а затем составьте список из пяти решений, которые помогут вам преодолеть трудные времена. Вот пример ошибки одного из моих недавних пациентов.

ОШИБКА. Когда мы куда-то выбираемся с друзьями, я нередко выпиваю там 2–3 бокала вина. Иногда это заставляет меня объедаться, и впоследствии мне хочется сбросить лишние калории. На следующий день я обычно чувствую себя ужасно.

ПРИЧИНА. Я развил эту привычку, чтобы меня принимали друзья и чтобы меньше беспокоиться, поскольку алкоголь помогает мне расслабиться.

Пять заранее запланированных способов устранения этого шаблона поведения

1. Перед тем как пойти куда-то вечером, имейте ясную цель (например, повеселиться, пообщаться с друзьями и развивать самоконтроль).

2. Заказывайте минеральную воду, например с ломтиком лайма, и пейте ее в течение вечера.

3. Перед выходом в свет для сохранения нормального уровня сахара в крови съешьте что-нибудь полезное.

4. Возьмите с собой закуски.

5. Если вы ощущаете беспокойство, используйте технику устранения автоматических негативных мыслей или четыре вопроса упражнения «Работа» из главы 6.

Глава 8

СИНДРОМ ДЕФИЦИТА ВНИМАНИЯ С ГИПЕРАКТИВНОСТЬЮ (СДВГ) И ЖЕНСКИЙ МОЗГ

«МАЛЬЧИШЕСКОЕ» СОСТОЯНИЕ ГИПЕРАКТИВНОСТИ, КОТОРОЕ РАЗРУШАЕТ ЖИЗНЬ ЖЕНЩИНЫ

Преодоление проблем с концентрацией внимания — восьмой шаг на пути раскрытия потенциала женского мозга.

Вы хотите сказать, что я не ленивый, не сумасшедший и не глупый?
Кейт Келли и Пегги Рэмандо

Чтобы разобраться, есть ли у вас проблемы с концентрацией внимания, посмотрите, какие из нижеследующих утверждений относятся к вам:

1. Вы легко начинаете скучать.
2. Вы обычно витаете в облаках во время разговора с кем-либо.
3. Вы легко отвлекаетесь на что-то.
4. Вы нередко становитесь инициатором конфликтов.
5. Вы часто говорите вещи, о которых позже сожалеете.
6. Вы забываете сделать то, что обещали.
7. Вы отвлекаетесь даже во время секса.
8. Вы обнаруживаете, что ваша дезорганизация создает проблемы для вас и/или других.

9. У вас бывают вспышки гнева по несущественным поводам или вообще без поводов.
10. Нередко ваше сознание отключается во время разговоров.
11. Вам нужна музыка или звук работающего вентилятора, чтобы усыпить свое сознание перед сном?

Если подходящих вам утверждений более 4, то есть вероятность, что у вас СДВГ (синдром дефицита внимания с гиперактивностью). Чтение этой главы может помочь вам.

Кэтрин

Я встретил Кэтрин, когда она привела своего 18-летнего сына в нашу клинику. Ему было трудно учиться в колледже, он часто пропускал уроки и не сдавал задания, даже когда делал их. В ходе оценки детей и подростков в клинике Амена родители заполняют опросник и на себя. Проблемы с психическим здоровьем зачастую бывают у разных членов семьи, и мы хотим убедиться, что каждый, кто нуждается в помощи, получает ее. В опроснике Кэтрин набрала очень большой балл в графе, посвященной СДВГ. Она решила сама записаться на прием.

Особенности, подобные СДВГ, были описаны еще в XVIII веке. Философ Джон Локк описал группу незадачливых молодых студентов, которые «как ни старались… не могли не отвлекаться». Отличительные симптомы этого состояния такие: непродолжительная устойчивость внимания, патологическая отвлекаемость, дезорганизация, беспокойство и импульсивность. Многие полагают, что это расстройство касается гиперактивных мальчиков с проблемным поведением. Но оно затрагивает и девочек. И часто остается незамеченным, потому что девочки, как правило, не столь гиперактивны и имеют меньше проблем с поведением. Игнорирование СДВГ у женщин может иметь разрушительные последствия для их здоровья, настроения, отношений, карьеры и финансов.

Всю свою жизнь Кэтрин чувствовала себя глупо. Хотя она и закончила колледж, в начальных и младших классах средней школы ее считали неспособной ученицей. Она чувствовала, что ей нужно стараться усерднее, чем всем остальным. Она выполняла домашние задания дольше своих подруг. Она часто не выходила гулять в выходные, потому что была перегружена домашними заданиями. Даже теперь, сказала она мне, хлопоты по хозяйству отнимают у нее больше времени, чем она и муж считают необходимым. Кэтрин боролась с булимией в юности и молодости и жаловалась на давнее ощущение тревоги и беспокойства.

Она перестала ходить в кино. «Я не могу сидеть на месте больше 15 минут. А постоянное вставание с места и хождение раздражает других». Из-за своей патологической рассеянности она часто прерывала своего мужа в театре и спрашивала о том, что только что произошло или что было сказано.

Ей было трудно завершать что-то до конца и часто приходилось платить штрафы за просрочки платежа, даже когда у нее были деньги.

Муж Кэтрин жаловался на то, что она ищет конфликта. «Порой мне кажется, что она сама создает проблемы», — сказал он. «Если у нас все хорошо, она непременно начинает придираться ко мне или вспоминает какие-то события из прошлого, которые ее расстраивают. За 25 лет нашего брака у нас не было ни одного месяца без ссор».

Кроме того, Кэтрин была дезорганизована. Она рассказала мне, что в ее шкафах просто «зона бедствия». «Если вы заглядываете туда, вам надо надевать каску», — так прокомментировал их состояние ее муж. Кроме того, Кэтрин все время опаздывала.

В ходе обследования Кэтрин и ее сыну сделали сканирование мозга. Их сканы ОЭКТ были похожи: относительно здоровая активность мозга в покое, но низкая активность лобной коры при сосредоточении. По моему опыту могу сказать, что высокая активность в покое и снижение активности при концентрации характерно для СДВГ. Чем больше страдающий этим недугом старается, тем хуже для него.

Кэтрин очень хорошо отреагировала на лечение. Она сказала, что стала энергичнее. Она чувствовала себя более сосредоточенной и эффективной в своей повседневной жизни. Уровень ее тревожности стабилизировался, и она была в состоянии спокойно досмотреть фильм, не вставая и следя за сюжетом. Ее муж сказал, что она стала спокойнее, меньше ворчит и ищет конфликтов. Плюс к этому Кэтрин сказала мне с улыбкой о том, что был и еще один приятный бонус. Я многократно видел подобные улыбки прежде и догадывался, о чем она скажет дальше. «Поскольку я могу сосредоточиться лучше, мои оргазмы стали легче и гораздо интенсивнее».

СКАН МОЗГА КЭТРИН:
обратите внимание на отключение лобных долей при сосредоточении

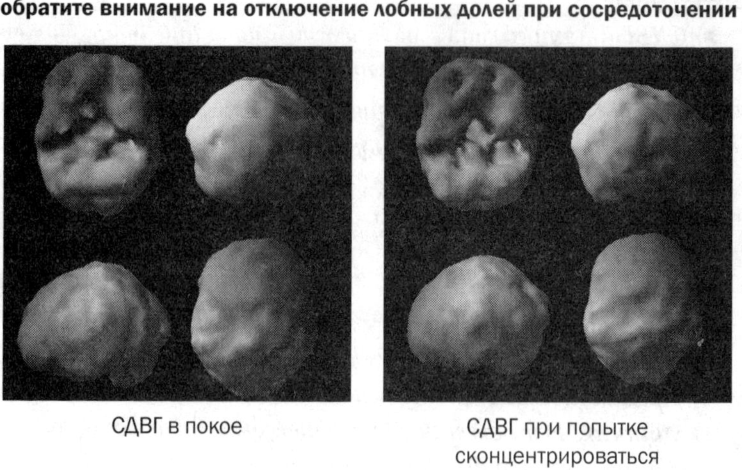

«Что нужно для оргазма?» — часто спрашиваю я зрителей на своих лекциях. Кто-то скажет: «Компетентный любовник». Другие могут крикнуть: «Большое воображение». Я продолжаю спрашивать, пока кто-то не скажет: «Внимание». Действительно, для получения оргазма человеку надо сосредоточиться на происходящем. Когда концентрация Кэтрин улучшилась, ее способность испытывать любовный экстаз возросла.

Считается, что 17 млн человек в Соединенных Штатах страдают СДВГ. Это наиболее распространенная поведенческая проблема, проблема при обучении у детей и одно из наиболее распространенных расстройств у взрослых. Синдром дефицита внимания приводит к неудачам на работе, распадам отношений, одиночеству, злоупотреблению наркотиками.

Эта глава **о** том, как СДВГ влияет на женский мозг. Мы рассмотрим мифы и неправильные представления об СДВГ, обсудим его основные симптомы, различные типы и способы его лечения.

К сожалению, в нашем обществе существует множество мифов об СДВГ. Вот список общих заблуждений и истин, касающихся СДВГ, какими их вижу я.

Мифы о СДВГ

- *СДВГ — это самая «модная» болезнь. Это причудливый диагноз и лишь повод для плохого поведения.*
- *Диагноз СДВГ ставят слишком часто. Каждому ребенку, который начинает немного шалить, сразу же дают лекарства.*
- *СДВГ — это болезнь гиперактивных мальчиков.*
- *СДВГ — это лишь незначительная проблема. Нам не нужно производить столько шума из-за нее.*
- *СДВГ — это американское изобретение, придуманное обществом, которое ищет простые решения сложных проблем.*
- *Причиной СДВГ являются плохие родители или плохие учителя. Если бы наше общество было тверже и жестче с ними, не было бы этих проблем.*
- *Страдающие СДВГ должны больше стараться. И нечего оправдывать их.*
- *Все перерастают болеть СДВГ в возрасте 12–13 лет.*
- *Стимулирующие лекарства для СДВГ опасны и вызывают привыкание.*
- *Для лечения СДВГ достаточно принимать только медпрепараты.*

Правда о СДВГ

- *СДВГ не является чем-то новым. В 1902 году педиатр Джордж Стилл описал группу детей, которые были гиперактивны, импульсивны и невнимательны. К сожалению, он не смог понять, что СДВГ — это болезненное расстройство, и назвал этих детей морально ущербными.*
- *СДВГ затрагивает примерно 6% населения, но менее 2% получают лечение. Детский психиатр Питер Дженсен обнаружил, что только 1 из 8 детей, которым поставлен диагноз СДВГ, принимает лекарства. Нередко детей с СДВГ, особенно девочек, не лечат вообще.*
- *Многие страдающие СДВГ совсем не гиперактивны. И их расстройство не замечают, поскольку они привлекают меньше негативного внимания к себе. Часто этих детей, подростков или взрослых просто называют своенравными, ленивыми, немотивированными или «не очень умными». Среди женщин СДВГ достаточно распространен, однако у мужчин это расстройство диагностируют в 3–4 раза чаще. Такие различия могут объясняться проблемами гендерной предвзятости и малым количеством случаев гиперактивности среди женщин.*
- *СДВГ является значимой социальной проблемой:*
    - У девушек с СДВГ в 7 раз чаще развиваются асоциальные расстройства и расстройства настроения, в 3 раза чаще возникают зависимости и в 2 раза чаще — тревожные расстройства. У них нередко бывают расстройства пищевого поведения, такие как булимия и ожирение.
    - Девушки с СДВГ склонны к конфликтам с матерями и проблемам в романтических взаимоотношениях. В одном исследовании было выявлено, что 75% пациентов с СДВГ имеют межличностные проблемы.
    - Подростки с СДВГ в 3 раза чаще бросают школу (по крайней мере 25% из них 1 раз остаются на второй год).
    - В одном исследовании сообщалось, что 52% подростков и взрослых, у которых не лечили СДВГ, злоупотребляют наркотиками или алкоголем.

  - Страдающие СДВГ курят почти в 2 раза чаще, чем остальное население.
  - Они втрое чаще прибегают к помощи врачей по сравнению с остальным населением.
  - Чаще попадают в дорожно-транспортные происшествия, им чаще выписывают штрафы за превышение скорости, вождение без лицензии и лишают водительских прав.
  - Родители детей с СДВГ разводятся втрое чаще, чем остальное население.

- *СДВГ встречается в любой стране, где его изучают. В наших клиниках обследуют и лечат людей со всего мира. Мы наблюдали пациентов с СДВГ из Гонконга, Ливана, Эфиопии, Западной Африки, Израиля, России. Страдающим СДВГ представителям кочевых народов приходится нелегко, потому что они подвергаются остракизму со стороны своих соплеменников, поскольку им трудно соответствовать социальным нормам.*
- *Родители или учителя, конечно, могут усугубить симптомы СДВГ, но главными его причинами являются генетические особенности, плохое питание и токсины окружающей среды. Поведение таких детей и взрослых порой заставляет даже опытных родителей и учителей опускать руки.*
- *Чем больше стараются страдающие СДВГ пациенты, тем хуже все становится. Томографические исследования мозга выявляют, что у большинства пациентов с СДВГ во время выполнения заданий на сосредоточенность отключается лобная кора. Иначе говоря, когда они пытаются сконцентрироваться, отдел мозга, связанный с сосредоточением внимания и доведением начатого до конца, фактически подавляется. В каком-то смысле их мозг предает их.*
- *Немало людей так никогда и не излечиваются от СДВГ и имеют симптомы, которые мешают им всю жизнь. Статистические данные говорят о том, что по крайней мере у половины детей с СДВГ симптомы этого расстройства сохраняются и во взрослой жизни.*

Как я уже упоминал выше, согласно одному исследованию, 75% людей с неизлеченным СДВГ имеют межличностные проблемы. Почему? В своих лекциях я часто обращаюсь к аудитории с вопросом: «Кто из вас состоит в браке?» Многие в аудитории поднимают руки. Я продолжаю: «Помогает ли вашему браку высказывание вслух всего, что вы думаете?» Аудитория смеется. «Конечно, нет, — говорю я дальше. — Взаимоотношения требуют такта. Они требуют предусмотрительности. Но когда у вас недостаток активности в лобных долях мозга, как у большинства страдающих СДВГ, вы часто говорите первое, что приходит вам в голову, и это задевает чувства других людей».

Мозг — хитрый орган. У всех нас есть странные, безумные, тупые, сексуальные, жестокие мысли, которые никто не должен слышать. Именно кора лобных долей мозга защищает нас от того, чтобы мы произносили любые глупые мысли вслух. Она действует как тормоз. Однажды я был на конференции с одной из моих знакомых, которая страдает СДВГ и в свое время пережила черепно-мозговую травму. Перед нами сидели две полные женщины и обсуждали свои проблемы с весом. Одна женщина сказала другой: «Я не знаю, почему я такая толстая. Я ем как птичка». Моя знакомая посмотрела на меня и сказала достаточно громко, чтобы все вокруг услышали: «Да, как кондор». Я посмотрел на нее в совершенном смущении. Ужаснувшись, моя подруга поднесла руку ко рту и сказала: «О боже, я это произнесла?» Я утвердительно кивнул головой, а женщины с отвращением отодвинулись от нас.

Я согласен с тем, что многие врачи слишком быстро выписывают стимуляторы, сначала не мешало бы попробовать какие-то натуральные средства. Однако исследования, проведенные в Гарварде, показали, что дети с СДВГ, которых лечили медпрепаратами, реже употребляли наркотики, чем дети, у которых не лечили СДВГ. А шведские исследователи сообщают о том, что пациенты с СДВГ, принимающие лекарства, реже подвергаются аресту. Как правило, не леченный СДВГ имеет больше побочных эффектов, чем эти лекарства, если они правильно прописаны. Однако чтобы эффективно лечить СДВГ, нужен комплексный подход «Четыре круга», который включает обучение, поддержку, упражнения, питание, биологически активные добавки, а затем, при необходимости, лекарства. К сожалению, подавляющее большинство американцев с диагнозом СДВГ лечат только медпрепаратами.

Почему существует так много мифов об СДВГ? Ответ прост. Дети, подростки и взрослые с СДВГ выглядят как остальные люди. До тех пор, пока вы не узнаете историю жизни человека с СДВГ, вы не сможете определить у него СДВГ.

На основе наших исследований десятков тысяч пациентов с СДВГ с помощью ОЭКТ-сканов, мы смогли выявить проблемные системы мозга и причину негативного влияния СДВГ на поведение. *Когда вы видите воочию симптомы СДВГ в мозге, мифы исчезают, и возникает новая эра понимания и эффективного лечения.*

ОТЛИЧИТЕЛЬНЫЕ СИМПТОМЫ СДВГ

Характерные симптомы СДВГ таковы: непродолжительная устойчивость внимания, рассеянность, дезорганизация, прокрастинация[1] и недостаточный внутренний контроль. Некоторые женщины могут быть вдобавок гиперактивны, но это бывает нечасто.

Неустойчивость внимания — основной симптом СДВГ, но он проявляется не во всех сферах жизни. Люди с СДВГ имеют проблемы с регулярным, рутинным, повседневным вниманием. Например, им крайне сложно выполнить домашнее задание, вовремя платить по счетам, убираться в доме, делать отчет о расходах на работе, слушать супруга или регулярно принимать БАДы или лекарства. Однако на что-то новое, необычное, стимулирующее, интересное или страшное страдающие СДВГ обращают внимание без проблем. Они как будто нуждаются в стимуляции, чтобы обратить внимание на что-

[1] Постоянное откладывание важных дел на потом. — *Прим. ред.*

то, и именно поэтому ходят на страшные фильмы, занимаются рискованными видами деятельности и склонны нарываться на конфликт в своих взаимоотношениях. Многие пациенты с СДВГ играют в игру «Пусть у меня будут проблемы». Если такой человек расстроен, он способен сосредоточиться, и, возможно, даже чрезмерно сосредоточиться, на какой-то проблеме. Эта черта часто вводит окружающих, даже врачей, в заблуждение. Ведь если человек способен уделять внимание вещам, которые его интересуют (но не большинству других вещей), он вроде бы не похож на страдающего СДВГ. Люди думают, что он просто ленив и рассеян.

Рассеянность — это еще один распространенный симптом СДВГ. В норме человек способен блокировать несущественные, отвлекающие вещи. Но не страдающие СДВГ: их мысли и разговоры, как правило, крутятся по кругу. Люди с СДВГ обычно чересчур восприимчивы. Им мешают (раздражают кожу) этикетки на одежде — обостренная тактильная чувствительность. И одежда должна быть им впору, иначе они испытывают дискомфорт. Им может понадобиться белый шум ночью, чтобы уснуть; в противном случае они слышат все в доме.

Рассеянность часто влияет на способность женщины испытывать оргазм. Как мы говорили выше, оргазм требует сосредоточенности. Необходимо сосредоточиться на своих ощущения достаточно долго, чтобы он возник. После правильного лечения СДВГ сексуальная жизнь многих людей становится намного лучше.

Многие страдающие СДВГ дезорганизованны. В их комнатах, на столах, в выдвижных ящиках столов и в чуланах царит беспорядок. Они неорганизованны и в плане времени и нередко опаздывают. Такой человек всегда приходит на работу на 10 минут позже и, как правило, с большой чашкой кофе в руках, поскольку ему требуются стимуляторы, вроде кофеина и никотина.

Обычно у страдающих СДВГ плохой внутренний контроль. Они не думают, прежде чем сказать что-то или сделать — именно поэтому они часто оказываются в неприятных ситуа-

ОБЫЧНЫЕ СКАНЫ СДВГ
(обратите внимание на снижение активации при попытке сосредоточиться)

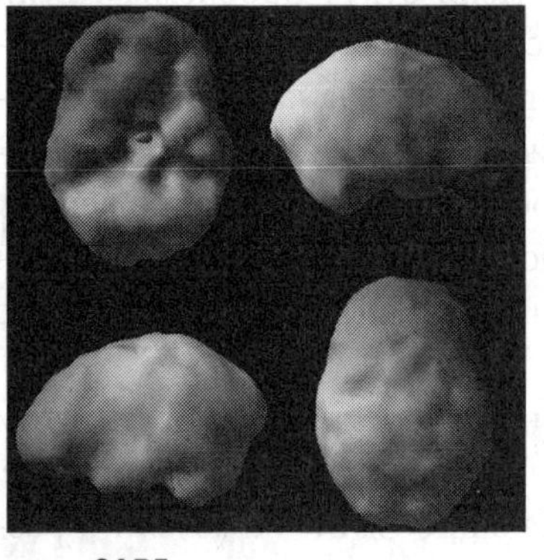

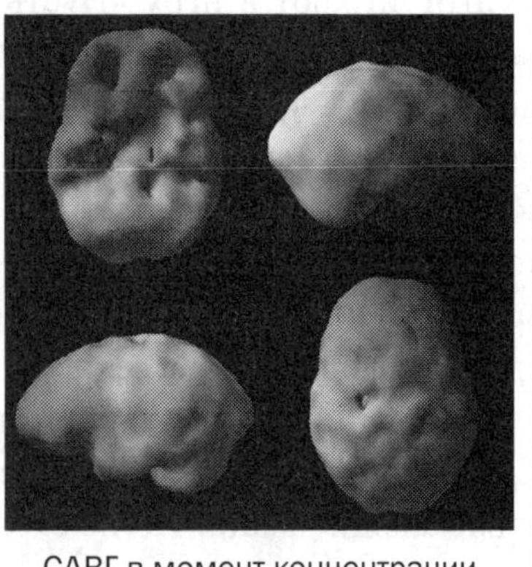

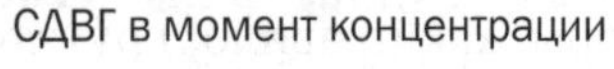

СДВГ в состоянии покоя

СДВГ в момент концентрации

циях. При СДВГ также имеются проблемы с долгосрочными целями. Такие люди живут только нынешним моментом. Они откладывают дела до последней минуты, и им трудно копить деньги на черный день. Это подход к жизни, который я называю кризисным управлением. Кажется, будто их жизнь переходит от одного кризиса к другому.

Наши исследования свидетельствуют, что СДВГ затрагивает в первую очередь следующие области мозга:

- *Кору лобных долей, управляющую концентрацией, устойчивостью внимания, оценкой происходящего, организацией, планированием и контролем импульсов.*
- *Переднюю поясную извилину — переключатель передач мозга.*
- *Височные доли, связанные с памятью и опытом.*
- *Базальные ганглии, которые производят и перерабатывают нейротрансмиттер дофамин, влияющий на лобную кору.*
- *Лимбическую систему, связанную с эмоциональным состоянием и настроением.*
- *Мозжечок, связанный с координацией движений и мыслей.*

ЭФФЕКТИВНОЕ ЛЕЧЕНИЕ СДВГ

Ниже я буду говорить о шести различных типах СДВГ и о том, как важно знать свой тип, чтобы получить адекватную помощь. Однако существует ряд процедур, общих для всех пациентов с СДВГ, помимо предписаний врача.

1. Принимайте каждый день мультивитамины. Они помогают в обучении и предотвращают хронические заболевания. Независимо от типа СДВГ у вас или вашего ребенка, рекомендую мультивитамины и минеральные добавки каждый день. Когда я учился в медицинской школе, профессор, который преподавал нам курс питания, говорил, что если бы люди питались сбалансированно, витаминные и минеральные добавки были бы им не нужны. Однако сбалансированный рацион — это нечто архаичное для многих наших семей, питающихся фастфудом. По своему опыту могу сказать, что семьи с СДВГ в особенности имеют проблемы с планированием и, как правило, едят вне дома. Защитите себя и своих детей, принимая мультивитамины и минеральные добавки.

В исследовании (его данные опубликованы в 1988 году британским журналом *Lancet*) 90 детей в возрасте 12–13 лет были разделены на три группы. Одна группа не принимала таблетки, вторая группа принимала обычные мультивитамины и минералы, и последняя группа принимала таблетки-плацебо, похожие внешне и на вкус на витаминные.

Оказалось, что группа принимавших таблетки с витаминами и минералами показала существенное увеличение невербального интеллекта; две другие группы ничем не отличались. Субклинический недостаток витаминов и минеральных веществ в организме, возможно, способствовал тому, что эти ученики учились ниже своих способностей.

2. Дополните свой рацион жирными кислотами омега-3. Было выявлено, что страдающие СДВГ имеют недостаток омега-3 жирных кислот в крови. Ценность этих жирных кислот была доказана тремя двойными слепыми исследованиями. Особенно важны две из них — эйкозапентаеновая кислота (ЭЗПК) и докозагексаеновая кислота (ДЗГК). Обычно прием ЭЗПК очень помогает людям с СДВГ. Взрослым я рекомендую принимать 2000–4000 мг/сутки; детям 1000–2000 мг.

3. *Исключите кофеин и никотин.* Они не дают заснуть и снижают эффективность других методов лечения.

4. *Регулярно занимайтесь физкультурой: хотя бы 45 минут 4 раза в неделю.* Продолжительные, бодрые прогулки — как раз то, что нужно.

5. *Не больше получаса в день смотрите телевизор, играйте в видеоигры, пользуйтесь сотовым телефоном и другими электронными устройствами.* Это может быть непросто, но даст заметный эффект.

6. *Относитесь к еде, как к лекарству, потому что она им и является.* Большинству пациентов с СДВГ становится лучше, когда они придерживаются программы полезного для мозга питания, которая описана в главе 5. В исследовании, проведенном в 2008 году в Голландии, исследователи обнаружили, что, когда дети с СДВГ стали придерживаться ограничительно-элиминационной диеты, симптомы СДВГ уменьшились более чем на 50% у 73% детей, что в принципе столь же эффективно, как и воздействие стимулирующих медпрепаратов, но без их побочных эффектов.

Элиминационные диеты не так-то легко составить. В ходе этого исследования дети могли питаться только рисом, индейкой, бараниной, овощами, фруктами, маргарином, растительным маслом, чаем, грушевым соком и водой. Но результаты оказались впечатляющими. С такой строгой диеты можно начать, а впоследствии можно вернуть в рацион некоторые продукты, что позволит увидеть, какие из них были причиной аномального поведения. Работа с диетологом может дать серьезные результаты. В этом исследовании ученые также обнаружили, что улучшилось и поведение детей.

7. *Никогда не кричите на страдающих СДВГ.* Нередко они ищут конфликта или возбуждения как средства стимуляции. Могут легко вывести вас из себя или заставить злиться. Не теряйте самообладания с ними. Если такой человек заставляет вас взорваться, его низкоэнергетическая лобная кора активизируется, и это ему неосознанно нравится. Никогда не позволяйте своему гневу стать чьим-то лекарством. Такая реакция вызывает привыкание у обеих сторон.

Эффективное лечение человека с СДВГ может изменить всю его жизнь. Тогда почему лекарственные препараты типа риталина и аддерала столь неоднозначны? Потому что они помогают одним пациентам, но лишь усугубляют состояние других. Пока я не начал делать сканы, я не знал причины этого. Из сканов я узнал, что СДВГ — это не какой-то один тип расстройства. Насчитывается по крайней мере 6 различных типов, и они требуют разного подхода к лечению.

Вот краткое описание шести типов и их лечения.

Тип I: Классический СДВГ. У пациентов наблюдаются основные симптомы СДВГ (непродолжительная устойчивость внимания, рассеянность, дезорганизация, прокрастинация и отсутствие перспективной оценки поведения), а также гиперактивность, нервозность и импульсивность. На ОЭКТ-сканах мы видим снижение активности лобной коры и мозжечка, особенно при концентрации. Этот тип, как правило, диагностируется на ранних этапах жизни. В данном случае я использую стимулирующие биологически активные добавки, которые повышают уровень дофамина в мозге, такие как зеленый чай, L-тирозин и радиола розовая. А если они неэффективны, то стимулирующие препараты.

Я также обнаружил, что может быть очень полезна диета с повышенным содержанием белка и ограничением простых углеводов.

Тип 2: Невнимательный СДВГ. Пациенты демонстрируют основные симптомы СДВГ, но кроме этого у них наблюдаются упадок сил, пониженная мотивация, отстраненность и склонность зацикливаться на себе. На ОЭКТ-скане мы тоже видим снижение активности в лобной коре и мозжечке, особенно при концентрации. Этот 2-й тип обычно диагностируют в более позднем возрасте, если вообще диагностируют. Он чаще встречается у девочек. Это тихие дети и взрослые, их считают ленивыми, немотивированными и не очень умными. Для данного типа я тоже рекомендую стимулирующие добавки, которые повышают уровень дофамина в мозге: зеленый чай, L-тирозин и родиолу, а также стимулирующие препараты. Здесь тоже может быть полезным высокое содержание белка и пониженное содержание простых углеводов в диете.

Тип 3: СДВГ с чрезмерной фиксацией. Для этих пациентов тоже характерны первичные симптомы СДВГ, но в сочетании с когнитивной негибкостью, проблемами с переключением внимания, склонностью зацикливаться на негативных мыслях и навязчивом поведении, потребностью в единообразии. Кроме того, имеется предрасположенность к беспокойству и обидчивости, и они, как правило, любят спорить и идти наперекор. Подобные люди обычно происходят из семей алкоголиков либо страдающих другими зависимостями, а также с обсессивно-компульсивными расстройствами. На ОЭКТ-сканах мы видим снижение активности в лобной коре при концентрации и повышенную активность передней поясной извилины, что приводит к зацикливанию на негативных мыслях и определенном поведении. Стимуляторы сами по себе обычно лишь ухудшают состояние таких пациентов, поскольку они начинают уделять больше внимания тому, что их беспокоит. Этот тип я часто начинаю лечить простыми добавками, повышающими уровень серотонина (например, 5-ГТФ) и дофамина (например, зеленый чай и L-тирозин). Я рекомендую диету со сбалансированным сочетанием здоровых белков и «умных» углеводов.

Тип 4: СДВГ височных долей. Основные симптомы СДВГ у этих пациентов сочетаются со вспыльчивостью. Иногда они испытывают периоды тревоги, головные боли или боли в животе, предаются мрачным мыслям, имеют проблемы с памятью и трудности с чтением, и подчас неправильно интерпретируют обращенные к ним замечания. В детстве у них нередко бывают травмы головы, или в их роду у кого-то из родственников наблюдались припадки ярости. На сканах ОЭКТ мы видим снижение активности лобной коры при концентрации и активности височных долей. Стимуляторы обычно делают этих пациентов еще более раздражительными. Я, как правило, использую комбинацию стимулирующих добавок (зеленый чай и L-тирозин) наряду с ГАМК, чтобы помочь успокоить и стабилизировать настроение. Если у пациента есть проблемы с памятью или обучением, я назначаю ему вдобавок БАДы, улучшающие память: гинкго, винпоцетин[1] и гуперзин А. Если необходимы лекарства, я назначаю комбинацию противосудорожных препаратов и стимуляторы, а также диету с более высоким содержанием белка.

Тип 5: Лимбический СДВГ. Первичные симптомы СДВГ у этих пациентов сопровождаются хронической меланхолией и негативизмом в сочетании с упадком сил, низкой самооценкой, раздражительностью, социальной изоляцией, отсутствием аппетита и сна. На ОЭКТ-сканах мы видим снижение активности лобной коры в состоянии покоя и при концентрации и увеличение активности глубокой лимбической системы. Стимуляторы здесь тоже вызывают проблемы с обратной реакцией или симптомы депрессии. Хорошо помогает стимулирующий БАД *S*-аденозилметионин (*SAMe*). Вместо *SAMe* можно использовать L-тирозин или DL-фенилаланин.

Тип 6: СДВГ «Кольцо огня». Помимо основных симптомов СДВГ для этих пациентов характерны капризность, вспышки гнева, оппозиционные черты характера, отсутствие гибкости, поспешность мышления, чрезмерная болтливость и чувствительность к звукам и свету. Я называю этот тип «Кольцо огня»,

---

[1] В США винпоцетин (экстракт барвинка) зарегистрирован как пищевая добавка (БАД), а в России — как лекарственное средство. — *Прим. ред.*

поскольку на сканах мозга людей с этим типом СДВГ видно характерное кольцо.

Рекомендую комбинации добавок ГАМК, 5-ГТФ и L-тирозина. Иногда может понадобиться стимулятор.

Знание вашего типа существенно для получения правильной помощи.

СДВГ в близких взаимоотношениях

Обведите те утверждения, которые применимы к вашему партнеру (если он у вас есть):

1. Вам кажется, что ваш партнер часто не слушает вас.
2. Вы не особенно верите в способность своего партнера выполнять обещанное.
3. Ваш партнер часто откладывает дела до последней минуты.
4. Ваш партнер часто ставит вас в неловкое положение перед другими людьми какими-то беспечно произнесенными словами или действиями.
5. Ваш партнер постоянно опаздывает или торопится.
6. Вам кажется, что ваш партнер порой вызывает проблемы только ради того, чтобы поссориться с вами.
7. Вам всегда приходится бегать за своим партнером, чтобы поговорить с ним о каких-то важных проблемах.
8. Вам кажется, что ваш партнер выходит из себя по малейшему поводу и без повода.
9. Ваш партнер, похоже, чрезмерно чувствителен к шуму или прикосновению.
10. Вам кажется, что он часто принимает спонтанные решения, о которых позже сожалеет.
11. Вашему партнеру неинтересны повседневные дела.
12. Вашего партнера трудно будить по утрам, и он бывает особенно ворчливым в это время.
13. Ваш партнер, видимо, не умеет выразить словами свои сокровенные чувства.

Если вы обвели больше четырех утверждений, есть подозрение, что ваш партнер страдает СДВГ. Получение квалифицированной помощи позволит наладить ваши взаимоотношения.

СДВГ нередко разрушает взаимоотношения, как показывают следующие пять коротких историй.

История 1: расстояние и расстройство

Ронда работала офис-менеджером в медицинской фирме своего мужа. Самуил был семейным врачом с обширной врачебной практикой. Он хотел, чтобы жена работала в его фирме, чтобы защитить активы семьи и контролировать сотрудников. Вначале Ронда была рада помочь, но вскоре она обнаружила, что работа отнимает у нее слишком много времени и сил. Ей стало трудно совмещать работу и семейную жизнь. Двое их детей (Билли 8 лет, а Саре 5 лет) совершенно отбились от рук, потому что оба родителя целый день были на работе. До того как Ронда пошла работать в фирму Самуила, ей удавалось управляться с работой по дому и сохранять здесь некое подобие порядка. Теперь же она стала полностью дезорганизованной. Из-за отсутствия концентрации ей приходилось оставаться на работе сверхурочно, а это заставляло ее переживать, что она ничего не успеет сделать по дому. Самуил видел растерянность жены и предложил ей помощь. Ронда расценила это как пощечину ее способности «быть, как все другие женщины, которые работают и содержат семьи». Недостаток сосредоточения и неспособность завершать дела привели к тому, что на работе и дома у Ронды все пошло вразнос. Она пришла ко мне, когда была уже на грани того, чтобы бросить свою работу и, возможно, даже расторгнуть свой брак. Понадобилось провести терапию с ней и ее мужем, чтобы вернуть все в нормальное русло (стабилизировать ситуацию).

История 2: хронический конфликт

Салли и Джордж поначалу были очень увлечены друг другом. Их взаимоотношения пылали страстью. После женитьбы они практически все время проводили друг с другом, поскольку оба работали в своей семейной фирме. К сожалению, они начали ссориться, и затем их ссоры стали постоянными. Ссорились они главным образом из-за каких-то мелочей, и делали это регулярно, притом оскорбляя друг друга или как-то иначе делая друг другу больно. Казалось, будто что-то направляло их взаимоотношения к ссоре. И очевиднее всего это проявлялось в день важных деловых переговоров. Салли была главным переговорщиком в их бизнесе. Перед большинством таких переговоров Салли сознательно ссорилась с Джорджем. Это приводило к большим скандалам и страданиям. Вопли, проклятия, кидание друг в друга чем попало и угрозы развода в моменты этих бурных всплесков эмоций были в порядке вещей. «Салли обожала эти ссоры, — сказал Джордж. — Я никогда не понимал, как она могла переходить от ненависти ко мне к абсолютной невозмутимости во время переговоров. Она была мастером ведения переговоров после ссор». Джордж также отметил, что без скандалов Салли была не так спокойна на деловых встречах. «Ссоры были словно ее наркотиком», — сказал он. Конфликты, похоже, улучшали ее работоспособность, но разрушали их брак. И только после того как семейный врач признал, что Салли страдает СДВГ (и последующего лечения), их брак смог сделать благоприятный поворот, которого они оба так отчаянно желали.

История 3: домашнее насилие

Отношения между Бобом и Бет, наверно, всегда были проблемными. Даже период их свиданий был непростым — со множеством размолвок и примирений. Они познакомились в средней школе: друзья представили их друг другу на одной вечеринке. Оба употребляли изрядное количество наркотиков, включая марихуану и алкоголь. Боб еще баловался кокаином.

Он сказал, что это помогало ему учиться и добиваться большего успеха на работе. У обоих были семейные проблемы. И никто из них не проявлял особого интереса к учебе. Они поженились после того, как Бет забеременела. Ссоры стали регулярной частью их совместной жизни, особенно по вечерам, когда они выпивали. И Бет тоже не давала Бобу спуску. Действительно, ее муж даже называл ее «министерством войны», потому что, по его утверждениям, она часто затевала ссоры на ровном месте. Боб же, по общему признанию, был очень вспыльчив, а алкоголь и употребление наркотиков полностью избавили его от какого бы то ни было самоконтроля. Несколько раз соседи Боба и Бет вызывали полицию, потому что слышали крики, раздававшиеся из их дома.

После нескольких инцидентов «взаимного домашнего насилия» судья постановил провести психиатрическую экспертизу обеих сторон. Поначалу пара посмеялась над таким решением, но когда адвокат заставил их посмотреть на их совместную жизнь (злоупотребление наркотиками, постоянные скандалы, отсутствие значимых достижений и негативное воздействие, которое их поведение оказывало на их сына), они начали относиться к ситуации серьезно. Оба добились существенных улучшений благодаря комбинированному лечению, включавшему психотерапию, БАДы и лекарства. После непростого начала их супружества теперь эту пару было не узнать.

История 4: развод

Хэл и Кэти очень любили друг друга, когда поженились. У них было много общего, даже общие цели. Оба были страстными натурами. Сначала Кэти нравилась спонтанность Хэла. Ей было трудно расслабиться, и Хэл забавлял ее. Однако после нескольких месяцев брака Кэти стало очень огорчать поведение Хэла. Он часто приходил домой поздно, забывая позвонить ей. Он не заканчивал дела, которые начинал. Он отказывался убирать собственную одежду или свои тарелки со стола. Он, не задумываясь, говорил Кэти обидные слова. Кэти обнаружила, что она становилась для него раздражителем. Она ненавидела это чувство. Отстраненность между Хэлом и Кэти возросла до такой степени, что оба начали задумываться о романе на стороне. Когда Хэл поддался этому искушению, их брак завершился разводом.

История 5: самоубийство

Мать Джона описывала его как «три мальчика в одном». Он был очень активным и озорным малышом. Во втором классе его признали интеллектуально одаренным, но к четвертому классу ему надоело учиться. Его успеваемость в школе существенно упала после девятого класса, и в предпоследнем классе средней школы он вообще бросил учебу. Затем Джон поступил в корпус морской пехоты, где преуспел. После того как он уволился со службы, Джон женился на своей возлюбленной и начал работать в ведомстве шерифа в своем маленьком городке Среднего Запада. Из-за мучившего беспокойства он начал много пить. Бывали ночи, когда он был так пьян, что избивал свою жену. Дважды он ее даже изнасиловал. Жена взяла их новорожденного сына и ушла от Джона. Его уволили с должности шерифа за кражу одной рюмки в состоянии алкогольного опьянения. Разведясь с женой, он женился еще трижды. И всегда неудачно. Он переходил с одной работы на другую и не мог осесть на одном месте. Наконец, от безысходности и от ощущения себя хроническим неудачником он покончил с собой в 36 лет.

СДВГ был сопутствующим фактором во всех приведенных выше историях для одной или обеих сторон. Это необычные истории. Невылеченный СДВГ часто оказывает значимое негативное влияние на все аспекты жизни женщины, независимо, сама ли она страдает от этого или кто-то, о ком она заботится.

Когда лечение работает

Я держу в своем столе блокнот, где записываю то, что говорят мне люди, приходящие в нашу клинику после излечения. Ниже приводятся реальные комментарии женщин, которые лечились от СДВГ.

- *«Я стала острее осознавать окружающий меня мир. По пути на работу я впервые увидела холмы. Я увидела залив, когда шла по мосту. Я даже заметила цвет неба!»*
- *«Я ощутила полную трансформацию своего мировосприятия».*

- *«Мой муж сказал, что у него больше нет беспокойства».*
- *«Я смотрю на своих детей и говорю: «Разве они не симпатичны?», вместо того, чтобы жаловаться на них».*
- *«Я могу наслаждаться моментом. Мои мысли стали спокойнее, безмятежнее и терпимее».*
- *«Я могу сидеть и смотреть кино впервые в своей жизни».*
- *«Я могу справляться с ситуациями, при которых раньше предавалась истерике. И вижу, когда начинаю реагировать слишком остро».*
- *«Я стала видеть свою жизнь гораздо отчетливей».*
- *«У меня была чудовищная нагрузка. Ни один нормальный человек не справился бы с ней!»*
- *«Меня поражает, что простое лечение помогло увести меня от желания спрыгнуть с моста и привело к проявлению любви к моему мужу и наслаждению моими детьми».*
- *«Ко мне как будто бы вернулось зрение!»*
- *«Я уже не несусь вперед на бешеной скорости».*
- *«Впервые я почувствовала себя руководителем своей жизни».*
- *«Я теперь способна видеть вещи в перспективе».*
- *«Я раньше думала, что я глупа. Казалось, что все остальные могли сделать больше, чем я. Теперь мне кажется, что мне не чужда интеллектуальная жизнь».*
- *«Мой аппетит стал нормальным».*
- *«Я выбралась из проклятой черной дыры, где находилась».*
- *«Я раньше была человеком, который гулял в одиночку в центре Детройта в 2 часа ночи. Теперь, проходя курс лечения, я никогда не сделала бы подобной глупости. Раньше я просто не думала о последствиях».*
- *«Теперь я могу выступать перед людьми. Раньше мой ум всегда отключался. Я организовала свою жизнь так, чтобы не выступать публично. Сейчас мой мозг стал спокойнее, яснее».*
- *«Я чувствую себя вроде бы как все нормальные люди».*
- *«Я уже не так боюсь других, как раньше».*

- *«Мой муж, возможно, сейчас уже не так счастлив, как было до моего лечения. Теперь я могу сосредоточиться, и он уже не выигрывает все споры».*
- *«Я не теряю самообладания».*
- *«Это похоже на пробуждение после того, как ты проспала всю свою жизнь».*
- *«Я чувствую, что контролирую свою жизнь».*
- *«Шесть месяцев назад я ни за что не стала бы ездить по автострадам Лос-Анджелеса. Теперь я могу ездить там без проблем».*
- *«Я не выношу бесполезную конфронтацию, а раньше я обожала ее».*

ПОЧЕМУ Я ТАК СТРАСТНО ПОМОГАЮ ЖЕНЩИНАМ С СДВГ

Внешне Брианн, моя старшая дочь, была идеальным ребенком. Она была легкой в общении, приятной, ее комната всегда была чистой, и она хорошо училась в школе. Однако я не считал ее особенно умной. Мне очень печально писать об этом, но именно так я думал. Мне приходилось снова и снова учить ее элементарным вещам: она выучила свое расписание только к пятому классу. Когда она была в третьем классе, я попросил свою коллегу протестировать ее, и она, по сути, сказала мне то же самое — моя дочь не очень умна.

Она не сказала это прямо, но я смог понять ее. Однако психолог сказал, что у Брианн все будет хорошо, потому что она очень прилежная. Действительно, в восьмом классе Брианн выиграла президентскую стипендию — не за учебу, а за прилежание.

А вот в десятом классе все начало разваливаться. Брианн ходила на подготовительные курсы для поступления в вуз, и каждую ночь засиживалась до часа или двух ночи, чтобы сделать свою домашнюю работу. Затем однажды вечером, когда она учила биологию, она пришла ко мне в слезах и сказала, что ей кажется, что она никогда не сможет быть такой умной, как ее подруги. Это разбило мое сердце. На следующий день я нашел оригинал скана ее мозга в 8 лет. Когда я впервые начал делать сканирование в 1991 году, я просканировал всех, кого знал, — троих своих детей, свою мать и даже себя. В то время у меня был опыт человека, который видел всего 50 сканов. Теперь, 7 лет спустя, я видел их тысячи. Посмотрев опытным глазом, я был шокирован тем, что увидел. У мозга Брианн была общая низкая активность, особенно в лобных долях.

В ту ночь я вернулся домой и рассказал Брианн о том, что я увидел, и сказал ей, что хочу провести новое сканирование ее мозга. Поскольку для этой процедуры требовалось сделать инъекцию, она запротестовала. «Я не хочу сканирования, папа. Ты думаешь только о сканировании». Но я — детский психиатр и знаю, как добиться своего в общении с детьми. Я чувствовал, что это было необходимо, и поэтому спросил ее, что нужно сделать, чтобы просканировать ее мозг. Она сказала мне, что нужно провести телефон в ее комнату. Я начал думать, что, возможно, она умнее, чем я думал. Ее новый ОЭКТ-скан был практически идентичным тому, что я сделал семью годами ранее. Я заплакал, когда увидел его.

На следующий вечер, дав ей небольшую дозу лекарств, я сделал ей повторное сканирование, и ее мозг нормализовался. Трудности в учебе Брианн не имели ничего общего с ее умом. Низкая активность ее мозга ограничивала доступ к его ресурсам. Я начал давать ей небольшие дозы лекарств и специальные БАДы. Несколько дней спустя она сказала, что ей стало гораздо легче учиться. Она начала выздоравливать.

Результаты ее тестов были как никогда позитивными. Придя с урока биологии, она сказала, что впервые поняла все, что там говорили. Обычно застенчивый ребенок в классе, она теперь поднимала руку и даже принимала участие в дебатах. Как-то раз за ужином она подмигнула мне и сказала: «На сегодняшних дебатах я была в ударе». Это был уже не тот ребенок, которого я знал. Через четыре месяца после сканирования она впервые в жизни стала круглой отличницей. Она повторила этот подвиг и в оставшиеся школьные годы, и во время большей части обучения в колледже. После колледжа Бриан смогла поступить на ветеринарный факультет Эдинбургского университета — один из лучших ветеринарных факультетов в мире. Она имеет совершенно другое восприятие себя — восприятие, которое соответствует реальности: она умная, знающая и способна смотреть вперед в светлое будущее. Хотя Брианн решила отказаться от учебы в Эдинбургском университете, когда родила своего первого ребенка, она знала, что была достойна того, чтобы ее туда зачислили, а это было очень существенно для ее самоощущения.

Всякий раз, когда я рассказываю историю о Брианн на лекциях, многие женщины приходят ко мне после их завершения со слезами на глазах и говорят мне, что они могут рассказать о том же. Если бы они только знали, насколько жизнь была бы другой для них. «Вы не можете изменить прошлое, — говорю я им, — но вы, конечно, можете начать с того, где вы находитесь сейчас, и постараться изменить будущее». Я хочу, чтобы ваше будущее было наилучшим, чтобы вы смогли раскрыть потенциал своего женского мозга независимо от того, где вы начали.

УПРАЖНЕНИЕ 8. ЗНАЙТЕ О ТОМ, ЧТО ЛИШАЕТ ВАС СОСРЕДОТОЧЕННОСТИ И ЭНЕРГИИ И ЧТО УСИЛИВАЕТ ИХ

Во-первых, если вы думаете, что у вас СДВГ, поговорите с вашим лечащим врачом. Как вы видели из историй, описанных в этой главе, лечение СДВГ окажет позитивное влияние на все сферы вашей жизни.

Даже если у вас нет СДВГ, почти все мы хотим быть более энергичными и сконцентрированными.

Отметьте для себя, что из нижеследующего лишает вас сосредоточенности и энергии, а что, наоборот, повышает их. Затем предпринимайте шаги, чтобы уже сегодня избавиться от первого и усилить второе.

Что лишает нас сосредоточенности и энергии	Что усиливает нашу сосредоточенность и энергию
Любые проблемы с мозгом	Общая программа по оздоровлению мозга
Черепно-мозговая травма	Сосредоточенность на защите мозга
Неполноценный сон	Адекватный сон, по крайней мере, семь часов ночью
Недостаток сахара в крови	Частое употребление в пищу небольших порций, содержащих по крайней мере какой-то белок, чтобы поддерживать нормальный баланс сахара в крови
Неправильное питание	Здоровое питание, полезное для мозга
Злоупотребление алкоголем/наркотиками	Отказ от алкоголя и наркотиков
Депрессия	Поиск эффективных методов лечения депрессии
Беспокойство	Медитирование для расслабления
Хронический стресс	Планомерное уменьшение стресса
Гиподинамия	Физическая активность
Гормональные проблемы (например, щитовидной железы, уровень тестостерона, эстрогена, кортизола)	Оптимизация уровня гормонов
Недостаток витамина D	Оптимизация уровня витамина D

Что лишает нас сосредоточенности и энергии	**Что усиливает нашу сосредоточенность и энергию**
Медицинские проблемы, такие как дефицит витамина B_{12}	Устранение любых медицинских проблем
Многие лекарства	Употребление рыбьего жира для уменьшения воспаления и активизации кровообращения
Сахарный диабет	Наблюдение за своим питанием и занятия физкультурой
Токсины в окружающей среде	Свежий воздух и устранение каких-либо токсинов
Любое хроническое воспаление	Придерживайтесь распорядка дня, принимайте рыбий жир и фолиевую кислоту, правильно питайтесь
Химиотерапия	Принимайте витамины B_3 и B_6, L-тирозин, DL-фенилаланин, экстракт листьев зеленого чая с L-теанином, азиатский женьшень, родиолу, ашваганду, и SAMe
Чрезмерное употребление кофеина	Получайте порцию кофеина из чая, который, как было доказано, помогает не толстеть и ускоряет восстановление мышц после разминок а также продолжительность концентрации внимания и релаксации

Выполняйте простую медитацию, описанную в главе 6. Доказано, что эта практика способствует притоку крови к лобной коре. По возможности медитируйте хотя бы 12 минут в день в течение 8 недель.

Глава 9

БУДЬТЕ КРАСИВОЙ ВНУТРЕННЕ И ВНЕШНЕ

ОСТАНОВИТЕ НЕГАТИВНЫЕ МЫСЛИ И СОСТАВЬТЕ ПЛАН, ПОЗВОЛЯЮЩИЙ ВАМ ВЫГЛЯДЕТЬ И ЧУВСТВОВАТЬ СЕБЯ ПРЕВОСХОДНО

Сосредоточенность на внутренней и наружной красоте — это девятый шаг по раскрытию потенциала женского мозга.

Истинная красота женщины — отражение ее души.
Она с любовью дает заботу, проявляет свою страсть.
Красота женщины возрастает с годами.

Одри Хепберн

После долгого перелета мы с Таной приземлились в Лос-Анджелесе, уставшие и готовые найти нашу машину, чтобы отправиться домой. Впереди нас на трапе была пожилая женщина, выглядевшая потерянной. Она пыталась попросить помощи у стюардессы, но сотрудница авиакомпании была занята и проигнорировала ее. Тана, увидев страх в глазах этой пожилой женщины, немедленно пришла к ней на помощь. Она посмотрела ей в глаза и выслушала ее. Женщина рассказала, что ее муж недавно умер и она приехала в Лос-Анджелес, чтобы быть рядом со своим сыном. Она сказала, что муж обычно отвозил их туда, куда им нужно. Тана схватила ее за руку и повела к выдаче багажа, чтобы подождать там встречи с ее сыном. Когда я смотрел за тем, как Тана заботится об этой женщине, я подумал, что она выглядела красивой как никогда. Хотя большинство людей думают о красоте в плане размера, формы или цвета, настоящая красота — это отношение, общение и помощь.

Однажды на работе я получил голосовое сообщение от женщины, которая славилась своей красотой. Помню, когда я слушал это сообщение, я затаил дыхание.

Уже через час, встретившись с ней, я не считал ее красивой. Ее поведение, манеры и эгоцентризм устранили всякую привлекательность. Я помню, как удивлялся тому, насколько быстро исчезла у меня всякая симпатия к ней.

Несомненно, внешняя красота заставляет людей обращать внимание на вас, но если она не совпадает с красотой внутренней, то скоро исчезает и даже становится отталкивающей.

И я встречал много женщин, которые не были привлекательны внешне, но их чувство юмора, страсть, забота, ум и достоинство заставляли меня с нетерпением ждать встречи с ними. Их способность привлекать людей была глубже и продолжительнее.

Что значит быть красивой? Художники, поэты, дизайнеры моды обсуждают определение красоты с начала времен. Если вы попытаетесь соответствовать идеалу любого из них, вы сведете себя с ума, сделаете себя несчастной и упустите самые эффективные косметические процедуры. Потому что лучший способ стать красивой — это работать изнутри.

Это не означает, что внешность не имеет значения. В конечном счете мужчин привлекают женщины, которые выглядят здоровыми. Мужчину, как правило, влечет к стройной, плодовитой, здоровой женщине. Его генетический мозг смотрит на женщину и неосознанно решает, действительно ли он хочет, чтобы его дети несли ее гены. Подсознательно мы ищем признаки здоровья, такие как чистая кожа и белые белки глаз. Ряд ученых считают, что симметрия тела тоже играет значимую роль в нашем представлении о красоте. Возможно, это объясняется тем, что асимметричные черты говорят о скрытых проблемах со здоровьем, которые могут привести к рождению нездоровых детей. В исследовании, проведенном в Университете Нью-Мексико, студенты-мужчины признавали изображения симметричных женских лиц более привлекательными, чем асимметричные. Кроме того, женщины, которые благословлены симметрией, имеют больше сексуальных партнеров и, как правило, теряют девственность раньше.

Совершенствование мозга поможет вам стать красивее внутри и снаружи. Знаете ли вы, что состояние вашей кожи отражает состояние вашего мозга? Полезные для здоровья привычки, такие как полноценный сон, правильное питание, физическая активность и некоторые простые добавки — повышают привлекательность. А вредные привычки: курение, переедание и хронический стресс — заставляют вас выглядеть и чувствовать себя старше своих лет.

ОТ ЗАЦИКЛЕННОСТИ НА ТЕЛЕ — К УВЕРЕННОСТИ В СЕБЕ

Да, это правда, что мужчины любят смотреть на женщин. Мы не можем не смотреть, да и вы не можете не смотреть на нас. Ведь 50% человеческого мозга связано со зрением. Прежде чем потенциальный партнер получит возможность насладиться вашей глубокомысленностью, чувством юмора или интеллектом, он видит, как вы выглядите. И его решение добиваться вас зависит от того, нравится ли ему то, что он видит. Поэтому вам нужно заботиться о своей внешности.

Однако то, что он находит привлекательным в вас, может быть не тем, что вы думаете.

У каждого мужчины свой собственный уникальный идеал красоты. И он обычно не имеет ничего общего с анорексичными моделями на обложках, которым пытаются подражать многие молодые женщины. Некоторым нравятся стройные женщины, но многие мужчины предпочитают женщин в теле. Если опросить множество мужчин разных культур, то оказывается, что те черты, которые они считают привлекательными, охватывают широкий спектр форм и размеров, цвета волос и глаз — широкий спектр типов.

Правда исследования, проведенные в Университете Шеффилда и в Университете Монпелье во Франции, показывают, что есть огромная разница между тем, как человек описывает своего идеального партнера и тем, кого он (или она) на самом деле выбирает в качестве своей второй половины. Любовь и привлекательность имеют свою логику, которая может полностью изменить наши сознательные представления о красоте. Нечто, что действительно притягивает нас друг к другу, отличается от того, что мы думаем. И тем не менее больше, чем когда-либо, мы, кажется, одержимы тем, что заставляем себя соответствовать какому-то недосягаемому, ограниченному идеальному образу красоты. И при этом мы порой не замечаем того, что действительно имеет значение.

Дабы получить представление о масштабах этой одержимости, достаточно посмотреть свежую статистику по операциям пластической хирургии. Согласно данным американского Общества пластических хирургов, в 2011 году было проведено 13,8 млн косметических операций, что на 5% больше, чем в 2010 году. (И это произошло в период экономического спада!) Если точнее: было проведено 1,6 млн серьезных операций, в том числе подтяжки лица и увеличение груди, и 12,2 млн «минимально инвазивных» процедур, в том числе инъекции ботокса, заполнение мягких тканей и лазерная эпиляция. На все это в совокупности было потрачено 10,4 млрд долларов.

Женщины стремятся выглядеть моложе, стройнее и иметь меньше волос на теле. В том числе и девочки-подростки 13–19 лет, на которых пришлось 2% общего количества всех процедур, а также молодые женщины в возрасте 20–29 лет, на долю которых приходится около 800 000 процедур. Но все же больше всего процедур провели женщины в возрасте 40–45 лет — 6,4 млн процедур. Они хотят сохранить свою молодость либо, возможно, решить проблемы, которые беспокоили их в течение многих лет, например нос с горбинкой или грудь, которая кажется слишком маленькой. Но, похоже, во многих случаях «проблема» решалась не сразу. Число пациентов, вернувшихся на дополнительные процедуры, выросло на 8% в 2011 году.

Так что работы выполняется много. Но разве это не странно? Если бы вас попросили рассказать о по-настоящему красивых женщинах, которых вы знали в вашей жизни, ваше описание, вероятно, имело бы мало общего с формой их носа или размером их груди. Вы бы скорее сказали что-то вроде этого:

- *«Она просто излучала уверенность и любовь».*
- *«Она казалась такой энергичной».*
- *«Она светилась энергией. Она казалась такой здоровой и бодрой».*
- *«Ее глаза сияли. Ее кожа светилась».*
- *«Она была такой бодрой и умной».*
- *«Она заставила меня чувствовать себя комфортно».*
- *«Она выглядела такой счастливой».*
- *«Она заставила меня чувствовать себя в своей тарелке».*

По-настоящему незабываемой женщину делают ее внутренние качества, которые находят отражение внешне. И эти качества имеют свою основу в той части ее тела, которая управляет всем, — в мозге.

И дело не в том, что красота неглубока. Настоящая красота глубока настолько, насколько глубок мозг. Красивое лицо не помешает, но красота — это не размер ваших глаз или полнота ваших губ. Женщина может иметь идеальные черты, но, если она злая, ехидная, депрессивная или погружена в себя, она будет далеко не так привлекательна, как могла бы быть. С другой стороны, женщина с неправильными чертами и кривой улыбкой может быть убийственно красивой, если она обладает особым отношением к жизни.

Много лет назад я смотрел интервью французской актрисы Жанны Моро. Ей, должно быть, было уже за шестьдесят. Она никогда не делала никаких пластических операций или косметических процедур, и она, безусловно, выглядела на свой возраст. Но в ней было что-то привлекательное, да и сексуальное, потому что она настолько честная, умная, чувственная и уверенная в себе. У нее особое понимание мира и человеческого сердца. Трудно сказать, что конкретно делает ее такой красивой. Французы могли бы сказать, что в ней есть «*je ne sais quoi*» — нечто, чего нельзя описать, объяснить и до конца понять, но окружающие это чувствуют безошибочно. Вот это нечто было у Жанны Моро. И интервьюер, видимо, тоже почувствовал это. Он был заинтригован ею.

К счастью, любая женщина может иметь свои привлекательные качества. И это не требует каких-то экзотических процедур или дорогостоящих хирургических операций. Все начинается с работы над своим внутренним здоровьем, с развития полезных привычек и воспитания «красивого» отношение к себе и к своей жизни.

Очень многое вы можете сделать уже сегодня — из того, что поможет вам раскрыть красивую, чувственную, невероятно привлекательную женщину, которая уже живет внутри вас и только и ждет, чтобы ее выпустили наружу. В этой главе я дам вам стратегии, которые помогут вашему мозгу и телу выглядеть потрясающе.

Так что это ваш выбор. Вы можете потратить десятки тысяч долларов на пластическую операцию, которая, скорее всего, приведет к другим пластическим операциям. Возможно, вы будете довольны результатами, но нет никакой гарантии, что вы всегда будете выглядеть достаточно хорошо в собственных глазах. И уж точно это потребует много времени, денег и боли. Другой вариант — это работать над тем, чтобы ваш мозг, разум были здоровыми. И первое, с чего следует начать, — это ваши мысли по поводу собственного тела.

БОЛЬШИНСТВО ЖЕНЩИН НЕНАВИДЯТ СВОЕ ТЕЛО

Если вы похожи на большинство женщин, то, наверно, ненавидите свое тело. В недавнем опросе, проведенном журналом *Glamour* с участием 300 женщин, у 97% из них находились негативные слова по поводу своего тела, которые они произносили в течение обычного дня. Вот типичные фразы:

- *«Ты, жирная, никчемная свинья».*
- *«Ты слишком худая. Ни один мужчина не захочет тебя».*
- *«Некрасивая. Огромная. Толстая».*

Некоторые из участниц опроса сообщили, что критические мысли о своем теле были «мимолетными». Но для других эта проблема была серьезнее. Они страдали от самоуничижающих мыслей о своем теле постоянно. В целом сообщалось, что женщина в среднем имеет 13 таких негативных мыслей каждый день. А некоторые женщины были настолько склонны к такой форме самобичевания, что к ним приходит до 100 подобных мыслей ежедневно.

К сожалению, негативные представления о своем теле закладываются рано. По данным исследования Университета Флориды, почти половина девочек от 3 до 6 лет считают, что они толстые, и почти треть из них хотели бы что-то изменить в своем теле. И, похоже, многие из них делают что-то по этому поводу.

Исследование 10-летних девочек, проведенное несколькими общественными организациями в рамках компании «Сделай это реальностью», дало шокирующие результаты. До 80% девочек по крайней мере раз в жизни сидели на какой-то диете.

Если мужчина говорит те же ужасные вещи, которые вы говорите себе, вы сочтете его самым худшим отродьем, достойным наказания. Однако большинство женщин говорят себе массу гадостей.

Еще одно интересное открытие, сделанное в ходе исследования, проведенного журналом *Glamour*, которое интересно для меня, как психиатра, показало, что если женщина недовольна своей карьерой или взаимоотношениями, она, скорее всего, недовольна и собственным телом.

Любые неприятные эмоции — стресс, одиночество и даже скука — усиливают поток негативных мыслей о собственном теле.

НЕОБУЗДАННЫЕ МЫСЛИ ВЫЗЫВАЮТ СТРАДАНИЕ

Вскоре после того как мы впервые встретились, Тана и я пошли на семинар, который проводила моя подруга Байрон Кэти. Это было в Эсалене в Биг Сур, что на побережье Северной и Центральной Калифорнии. Тана — красивая женщина, внешне и внутренне (и я говорю это не только потому, что она, скорее всего, будет читать эти строки). И, честно говоря, я был шокирован, узнав о ее неуверенности в себе. К концу мероприятия, проходившего в выходные, Кэти, как ее называют ее друзья, попросила нас записать свои мысли о том, почему мы ненавидим собственное тело. С разрешения Таны я цитирую то, что позднее она писала в своем дневнике.

Из журнала Таны

Я сидела на берегу с закрытыми глазами в коконе из подушек, внимая грохоту волн Тихого океана. Услышав глубокий, напряженный голос женщины, описывающей причины ее ненависти к своему телу, я резко вышла из своего безмятежного состояния. Ее список был практически идентичен моему:

«Я ненавижу свое тело, потому что я слишком толстая, старая, слишком часто болею, мое тело предает меня, я ненавижу свои бедра и зад, я ненавижу кожу вокруг глаз...»

Ее голос казался старше моего. И, если судить по голосу, она была грузной. Я открыла глаза, чтобы посмотреть, на нее. Я была ошеломлена. Говорившая женщина весила минимум 150 кг. Как мог ее список быть таким же, как мой? Я чувствовала, что становлюсь напряженной и беспокойной, не понимая причину моего дискомфорта. Мне стало тяжело дышать. Стараясь не показывать свои эмоции, я снова закрыла глаза и сосредоточилась на звуке волн. Постепенно я восстановила равновесие и начала расслабляться.

Еще одна женщина встала и сказала: «Я ненавижу свое тело, потому что я толстая, невзрачная и немолодая, и мой муж ушел от меня к молодой женщине». Эта женщина была убеждена, что все ее проблемы от того, что она недостаточно красива, стройна и не способна манипулировать мужчинами! Она на самом деле так утверждала! Возможно, неточно, но диалог продолжался в таком ключе:

«Я ненавижу свою жизнь. Я знаю, все было бы иначе, если бы я могла быть худее, моложе и красивее».

«А что вы ненавидите в своем теле?» — спросила Байрон Кэти, красивая женщина за 60, излучавшая ощущение покоя и радости.

«Оно слишком толстое, слишком старое и провисает. Если бы я могла быть моложе и иметь крепкое тело, моя жизнь была бы другой. Мой муж оставил меня ради 26-летней женщины. Она худенькая, красивая. Она может увести любого мужчину, которого захочет. У таких женщин другая жизнь».

«Итак, вы хотите иметь такой же контроль над своим мужем, как и та другая женщина?»

«Да. Я хочу быть молодой и красивой и иметь красивое тело, чтобы быть в состоянии манипулировать мужчинами».

«Так вы не хотите его любить, потому что он любит вас, а хотите быть в состоянии манипулировать им?»

«Да. Я хочу быть одной из тех красивых женщин, которые способны повелевать мужчинами и заставить их влюбиться в себя».

Дэниэл побуждал меня к общению в выходные, а я сказала ему, что он, должно быть, курит коноплю, из которой хиппи делают марихуану! Все выходные я слушала, как другие вставали и обсуждали свои прошлые травмы, комплексы, зависимости, и я колебалась между тем, что завидовала их откровенности, и мыслями о том, что они, возможно, сошли с ума, выставляя себя напоказ перед незнакомыми людьми.

Неожиданно, без предварительного обдумывания, я обнаружила, что встала на ноги! Меня как будто буквально оторвали от земли, и я услышала не свой голос, который начал говорить. Я была марионеткой, и кто-то другой дергал меня за ниточки. Мне казалось, что меня не осталось в этом вопросе. Дрожа, я стояла, держа свой журнал в руке. И вот я стою в джинсах 2-го размера, с идеальной фигурой и только 16% жира в теле. Я стою перед той женщиной, похожая на красивую 26-летнюю манипулятивную женщину, которую она описала. Хотя я на 10 лет старше (немногие догадываются о моем возрасте). Сглотнув комок в горле, я начинаю со слезами на глазах, дрожащим голосом читать для Кэти из моего журнала.

«Я ненавижу свое тело, потому что оно недостаточно худое, недостаточно совершенно, у него рак, оно предает меня и стареет. Я ненавижу шрамы от рака и от моего кесарева сечения. Я ненавижу морщины, которые начинаются формироваться вокруг моих глаз.

Я ненавижу то, что, несмотря на все мои старания на тренировках, у меня всегда есть немного отвисшей кожи на животе из-за родов. Я просыпаюсь каждое утро и иду в тренажерный зал, независимо от того, насколько я устала или больна, а затем я стою перед зеркалом и разбираю себя по частям, выискивая недостатки. Они всегда есть».

Я остановилась на минуту, чтобы взглянуть на ту женщину и продолжила:

«Вы думаете, что ваша жизнь была бы лучше, если бы вы имели 4-й размер и были красивее? У вас просто будут другие проблемы. Вы всегда будете чем-то недовольны».

«Иногда я ненавижу все давление, оказываемое на меня, требующее выглядеть так, как я выгляжу. Иногда я хочу съесть целую пиццу и не смотреть, как люди наблюдают за мной, гадая, выброшу ли я ее! Иногда я хочу быть как все и стать невидимой. Но если вы будете как все и никто не будет вас замечать, однажды вы испугаетесь того, что никто не обращает на вас внимания, к которому вы уже привыкли. Вы в любом случае не сможете расслабиться. Иногда я ненавижу свое тело за то, что оно стареет, потому что я боюсь, что люди не будут любить меня или ценить, когда я уже не смогу поддерживать свою нынешнюю форму. Я истощена. И, кстати, мой первый брак все равно развалился. Я была недостаточно хороша».

Сдерживая слезы, которые угрожали выплеснуться мне на щеки, я отвернулась, заметив, что все взоры в комнате устремились на меня. Ощущая себя невероятно глупо, я жалела, что стою тут. Тишина в комнате усиливалась стуком у меня в висках. Я никогда еще не теряла контроля над своими чувствами и не была такой эмоциональной перед группой людей.

Я был уверена, что эти люди осуждают меня как глупую тетку, которая жалеет себя и ищет внимания. Я разрабатывала стратегию незаметного ухода. К счастью, это был последний семинар последнего дня. Я планировала выбежать из комнаты незамеченной.

Однако потом многие женщины подошли к Тане и сказали ей, что ее рассказ был для них очень важен. Если у такой красивой женщины были точно такие же мысли, они должны принять свое тело, стараться меньше переживать по этому поводу и получать удовольствие от своей жизни.

Я очень гордился Таной. То мероприятие семилетней давности по-прежнему вспоминается мне. Почему почти все женщины ненавидят собственное тело? И что можно сделать с этим?

Конечно, ответ на первый вопрос непрост. Дело не только в эталонах худых женщин, навязанных телевидением и журналами. Первое задокументированное использование корсета датируется 2000 годом до нашей эры. И женский мозг очень активен, поэтому многие женщины вечно тревожатся о том, все ли с ними в порядке. Это усугубляется еще относительно низким уровнем серотонина у женщин по сравнению с мужчинами, что также усиливает беспокойство. Затем возьмите общественное давление и сравнивание себя с другими женщинами, и в вашем мозге надолго поселятся негативные мысли.

Ответ на второй вопрос — что может быть сделано для решения этой проблемы — проще. Вот четыре стратегии, которые помогут иметь молодое и красивое тело и мозг.

1. Сконцентрируйтесь на улучшении здоровья своего мозга

Имея сбалансированный мозг, вы будете принимать здравые решения, которые помогут вам выглядеть и чувствовать себя лучше. Многие женщины говорили мне, что их партнеры утверждают, что они выглядят намного моложе спустя всего несколько месяцев после занятий по моей программе оздоровления мозга. Оказывается, что то, что хорошо для вашего мозга, хорошо и для вашей кожи. Вот стратегии, которые помогут вашему мозгу и телу выглядеть красивее.

Больше спите. Сон — это одна из лучших косметических процедур. Что ж, рассмотрим альтернативы. Как вы себя чувствуете после того, как не выспались ночью? И как вы выглядите? Опухшие глаза. Апатичный вид. Вряд ли это привлекательная картина. А есть и более серьезные последствия.

Ваш мозг действительно страдает от хронического недосыпания, а это влияет на все остальное, включая ваше мышление, настроение, здоровье. Дж. Кристиан Джиллин, изучавший эту тему со своей командой в Университете Калифорнии, Сан-Диего, говорит, что недостаток сна может иметь значимое влияние на функционирование мозга. Он обнаружил, что во время выполнения лингвистических задач языковые центры испытуемых, лишенных сна, были закрыты, хотя в целом их мозг был очень активен, и это приводило к большим стараниям с минимумом результатов.

А еще недосыпание может действительно сделать вас толстой! Исследования, проведенные в Университете Чикаго, выявили, что люди, лишенные сна, как правило, чаще употребляют в пищу простые углеводы, чем люди, которые спят достаточно. Когда вы сонная, вас тянет на печенье и конфеты вместо овощей, миндального масла и фруктов с низким гликемическим индексом. А это прибавляет вам лишние килограммы. Исследователи из Университета Кейс Вестерн в течение 16 лет следили за массой тела более чем 68 000 женщин. Женщины, которые в сутки спали 6 или менее часов, были значительно полнее, чем те, кто спал 7 часов и больше. Исследования, проведенные в английском Университете Уорвик, выявили, что дефицит сна практически удваивает риск ожирения у взрослых и детей. Отчасти причина может заключаться в том, что у людей, которые мало спят, повышен уровень грелина (гормон, который стимулирует аппетит) и снижен уровень лептина (гормон, сигнализирующий о насыщении). Это открытие было сделано в Стэнфордском университете, и здесь же обнаружили, что у тех, кто мало спит, наблюдается повышенный ИМТ. Другие исследования показали увеличение инсулиновой резистентности у малоспящих, то есть повышенный риск развития сахарного диабета. Диабет негативно влияет на кровообращение, что может заставить вас выглядеть старше и менее привлекательно.

Итак, недостаток сна делает вас пухлой, капризной, глупой и толстой. Зато полноценный сон заставляет вашу кожу сиять, улучшает настроение, сообразительность и помогает похудеть. Помните об этом, когда вы в следующий раз поддадитесь соблазну посмотреть по телевизору поздний фильм или прочитать свои текстовые сообщения. Спросите себя, какой вы хотите быть завтра утром. Если хотите быть красивой, выспитесь сегодня ночью.

Вот несколько идей, которые могут помочь:

- *Придерживайтесь регулярного режима сна.*
- *Создайте успокаивающий, расслабляющий ритуал отхода ко сну.*
- *Старайтесь не дремать в течение дня.*
- *Зарезервируйте свою спальню только для сна и секса. Уберите из нее телефоны, компьютеры и видеоигры.*
- *Не ешьте в конце дня продукты, которые могут расстроить ваш организм и нарушить ваш сон.*
- *Избегайте напитков с кофеином в конце дня или вечером. Ночью они будут бодрить вас, а на следующий день вам придется пить их еще больше, чтобы бодрствовать, — и весь цикл начнется снова.*

Активизируйте кровообращение. Кровь питает наш мозг и тело кислородом и питательными веществами и устраняет токсины. Она помогает сохранять энергичность, здоровье и работоспособность. Сниженное кровообращение заставляет вас выглядеть старой и морщинистой. Если вы хотите выглядеть хорошо и чувствовать себя сексуальной, полезно знать о том, что нарушает кровообращение. К самым очевидным причинам относятся: курение, употребление слишком большого количества кофеина, чрезмерный стресс, прием определенных лекарств и злоупотребление наркотиками. Менее очевидной причиной может быть пища, которую вы едите. Трансжиры, обработанная мука, сахар и химические добавки могут негативно влиять на кровообращение. А если у вас имеется скрытая пищевая аллергия, это усугубляет проблему.

Продолжайте двигаться. Физическая активность — это естественное чудодейственное лекарство для вашего мозга и тела. Она заставляет сердце качать живительную кровь в мозг, поставляя больше кислорода, глюкозы и питательных веществ. Польза от физических упражнений огромна.

- *Они способствуют синтезу новых клеток головного мозга.*
- *Улучшают когнитивные способности.*
- *Поднимают настроение, устраняют беспокойство и облегчают депрессию.*
- *Предотвращают умственную деградацию, помогая предотвратить или замедлить развитие болезни Альцгеймера и других видов слабоумия.*
- *Они способствуют балансу инсулина и сахара в крови, снижая риск диабета.*
- *Сжигают жир.*
- *Помогают предотвратить остеопороз, рак молочной железы и толстой кишки.*
- *Повышают тонус мышц и выносливость, что снижает риск несчастных случаев при падении.*

- *Они сглаживают симптомы СДВГ.*
- *Улучшают сон.*
- *Помогают женщинам справиться с гормональными проблемами.*
- *Они снижают риск гипертонии, инсульта и сердечно-сосудистых заболеваний.*

Согласитесь, что это невероятно (особенно если принять во внимание, что специально двигательной активности достаточно выделять всего 40–45 минут 4 раза в неделю). Как только вы преодолеете первоначальное сопротивление, вы почувствуете себя превосходно. И эти позитивные чувства перетекут в другие области вашей жизни, и вы начнете принимать разумные решения. Подвижные люди больше расположены питаться продуктами, полезными для мозга, спят дольше и лучше, общаются с единомышленниками, ориентированными на здоровый образ жизни, и лучше заботятся о себе. Поэтому стоит начать.

Мой план упражнений действительно прост. Четырежды в неделю в течение 45 минут ходите пешком в таком темпе, будто вы опаздываете на важную встречу. Кроме того, я рекомендую поднимать легкие тяжести дважды в неделю, разрабатывая основные группы мышц. Я не хочу, чтобы вы причинили себе боль, потому что это может вывести вас из строя на многие месяцы. *Моя программа нетрудна, но со временем принесет вам огромную пользу.* Постоянное выполнение упражнений улучшит ваше кровообращение.

Мало того, что ваша кожа приобретет прекрасный цвет, упражнения вдобавок усилят комфорт, который вы чувствуете в своем теле, повысят вашу уверенность в себе. И это и сделает вас красивой.

Сбалансируйте свои гормоны. Как мы видели в главе 4, для должного функционирования мозга и тела требуется баланс гормонов. Когда ваши гормоны будут оптимизированы, вы скорее будете чувствовать себя счастливой, энергичной и бодрой. Ваша кожа станет более упругой и молодой. Если гормоны не сбалансированы, вы можете выглядеть и чувствовать себя смущенной, раздражительной, уставшей и неспособной сконцентрироваться. Например, низкая гормональная активность щитовидной железы часто сопровождается общим снижением активности мозга, что делает вас раздражительной, подавленной и неспособной ясно мыслить. Кроме того, появляется сухость кожи, которая заставляет вас выглядеть старше. А низкие значения тестостерона у женщин не только могут уменьшить интерес к сексу, но и способны оказать негативное влияние на память. И, конечно, резкие гормональные колебания, связанные с ПМС и затем с менопаузой, могут существенно повлиять на настроение женщины, ее физическое благополучие, память и мыслительные процессы. Тяга к еде и проблемы с весом тоже идут рука об руку с гормональным дисбалансом.

Больше секса? Вы думаете? «Разумеется, ваш партнер был бы согласен». Некоторые исследования тоже подтверждают это. Сексуальная активность способствует увеличению уровня эстрогена и ДГЭА, а это связано с более гладкой и упругой кожей. Кроме того, секс увеличивает выработку окситоцина — гормона привязанности и доверия, и снижает уровень гормона стресса — кортизола. Секс не только сразу улучшает самочувствие. По некоторым данным, частые оргазмы мужчин связаны с увеличением продолжительность жизни. И у женщин, которые регулярно занимаются сексом, в крови наблюдаются значительно более высокие показатели эстрогена по сравнению с женщинами, которые занимаются сексом нечасто или вообще не занимаются. Эстроген помогает сохранить здоровье сердечно-сосудистой системы, снижает уровень «плохого» холестерина и увеличивает долю «хорошего» холестерина, сохраняет плотность костей и улучшает состояние кожи. Кроме того, он благоприятен для функционирования мозга.

Еще один гормон, уровень которого возрастает во время оргазма, — ДГЭА. Он, как полагают, оптимизирует функционирование мозга, балансирует иммунную систему и помогает поддерживать и восстанавливать ткани, способствуя сохранению здоровой кожи. Он также может позитивно влиять на здоровье сердечно-сосудистой системы. Благодаря регулярной половой жизни увеличивается и количество тестостерона. Тестостерон способствует укреплению костей и мышц и приносит большую пользу мозгу и сердечно-сосудистой системе.

Не забывайте, что сексуальная активность дает немалую физическую нагрузку и сжигает калории. А облегчение, которое приходит с оргазмом, может иметь успокаивающее, седативное действие и способствует хорошему сну. Все это, по сути, прекрасный косметический уход. Согласно исследованию Дэвида Викса, клинического нейропсихолога из Королевской больницы Эдинбурга, половая близость трижды в неделю (в рамках свободных от стрессов отношений) может помочь вам выглядеть на 10 лет моложе. Так что не говорите «нет» сексу по любви. Он поможет вам сбалансировать мозг и выглядеть отлично!

Потребление воды. Дабы быть красивой, нужно избегать обезвоживания. Именно потребление жидкости делает вашу кожу сочной и молодой. Хорошая гидратация помогает предотвратить появление разного рода складок и морщин. И не только это. Наш организм на 70% состоит из воды, а мозг — на 80%. При недостатке воды функционирование мозга снижается. И даже небольшое обезвоживание заставляет организм вырабатывать гормоны стресса. Это делает вас раздражительной и снижает способность ясно мыслить. Со временем повышенный уровень гормонов стресса может привести к проблемам памяти и ожирению. Таким образом, плохое настроение и путаница мыслей могут быть связаны с таким неожиданным фактом, как нежелание сделать маленькую паузу, чтобы выпить воды. Ждать до тех пор, пока вы уже не сможете игнорировать свою жажду, — это значит ждать слишком долго. Если вы чувствуете жажду, вы уже обезвожены.

Полезно бывать на солнце, но не слишком долго. Солнечные лучи необходимы для жизни на земле, но избыток солнца может повредить вашей коже. Это особенно верно сегодня, когда из-за истончения озонового слоя до нас доходит больше вредных солнечных лучей, чем прежде.

Немного солнца способствует здоровью кожи, повышая содержание витамина D в организме, но длительное пребывание на солнце может привести к преждевременному старению кожи и появлению пигментных пятен. Попробуйте достичь правильного баланса, проводя на солнца не больше 30 минут в день. Если вы собираетесь быть на солнце дольше, защитите себя одеждой или солнцезащитным кремом. Но будьте осторожны с солнцезащитными кремами, так как они могут содержать токсичные химические вещества. Я рекомендую растительные природные солнцезащитные средства с окисью цинка.

Биологически активные добавки, чтобы побаловать ваш мозг и кожу. Некоторые БАДы могут одновременно улучшить работу мозга и состояние кожи. Вот какие я рекомендую:

- *Витамин D. Это важный нутриент для мозга и кожи. Низкий его уровень связан с депрессией и проблемами с памятью, а также с такими кожными проблемами, как псориаз.*
- *Рыбий жир. Он желанен для вашего мозга, сердца, кожи и волос. Позволяет коже выглядеть моложе и здоровее, благодаря своим противовоспалительным свойствам. Обычная доза для поддержания здоровья составляет 1–2 г в день. Для лечения я рекомендую более высокие дозы.*
- *Масло энотеры*[1]*. Эту пищевую добавку часто принимают женщины, которые сталкиваются с гормональными проблемами. Но она также содержит ГЛК (гамма-линоленовую кислоту) — незаменимую жирную кислоту. Научные данные свидетельствуют о том, что ГЛК может помочь в сохранении здоровой кожи.*

---

[1] Русское название этого растения — ослинник (он растет на полях и пустошах в южных областях России, например в Рязанской). — *Прим. ред.*

- *Диметилэтаноламин (ДМЭА). Также известен как деанол. Этот аналог холина, витамина В. Диметилэтаноламин является предшественником нейротрансмиттера ацетилхолина. Исследования показывают, что ДМЭА имеет омолаживающие свойства, сглаживает морщины и улучшает внешний вид кожи. Гель для лица с 3%-ным ДМЭА был признан эффективным в уменьшении морщин на лбу и мимических морщин вокруг глаз.*

  Кроме того, он влияет на форму и полноту губ, на внешний вид кожи. Эти положительные эффекты, кажется, сохраняются даже после прекращения лечения. Кроме того, ДМЭА обладает противовоспалительным эффектом, увеличивает упругость кожи и повышает тонус мышц лица. Он может также помочь сгладить пигментные пятна. Обычно рекомендуемая доза составляет 300–500 мг в сутки.

- *Фенилаланин. Эта аминокислота, как было доказано, помогает поддерживать хорошее настроение и облегчает боль. Она также улучшает состояние кожи при витилиго — заболевании, при котором на коже появляются белые пятна из-за того, что клетки, ответственные за пигментацию кожи, умирают или теряют способность функционировать.*

- *Альфа-липоевая кислота. Альфа-липоевая кислота (АЛК) естественным образом присутствует в организме и может защитить клетки от повреждения при ряде условий. Крем с 5%-ным АЛК существенно улучшает состояние кожи лица. Обычная доза, рекомендованная для взрослых, — 100 мг 2 раза в день.*

- *Экстракт виноградных косточек. Виноградные косточки — это отходы винодельческого производства. Экстракт семян винограда может быть волшебным эликсиром для вашей кожи и мозга. Виноградные косточки содержат флавоноиды и олигомерные проантоцианидины (ОПЦ). Последние, как было показано, обладают антиоксидантной активностью в 20 раз большей, чем у витамина Е, и в 50 раз больше, чем у витамина С. Экстракт косточек обладает способностью связываться с коллагеном, который способствует молодости, эластичности и гибкости кожи. Считается, что он также влияет на функционирование мозга, устраняя бета-амилоидные бляшки, которые связаны с болезнью Альцгеймера. В другом исследовании было выявлено, что проантоцианидин помогает защитить организм от вредного воздействия солнечных лучей.*

- *Этот экстракт, кроме того, активизирует кровообращение, усиливая капилляры, артерии и вены. Есть научные данные о том, что он эффективен при отеке кожи, венозной недостаточности и варикозных венах. Обычно ежедневная доза экстракта виноградных косточек для взрослых составляет 50–100 мг.*

2. Устраните АНЕМы по поводу своей внешности, записывая их и возражая им

Техника четырех вопросов Байрон Кэти, описанная в главе 6, очень эффективна и может помочь вам примириться с вашей внешностью. Покажем это на примере двух пациенток.

Первой было за 30, она была не замужем и весила примерно на 15 кг больше нормы.

АНЕМ: Ты — жирная, бесполезная свинья.

ПРАВДА ЛИ ЭТО? — «Нет, очевидно, я не бесполезная и не свинья».

МОЖЕТЕ ЛИ ВЫ ТОЧНО ЗНАТЬ, ЧТО ЭТО ВЕРНО? — «Нет».

КАК ВЫ СЕБЯ ЧУВСТВУЕТЕ, КОГДА ВЕРИТЕ ЭТОЙ МЫСЛИ? — «Ужасно, никчемно, как будто никто никогда не полюбит меня. Я ненавижу себя и хочу быть кем-то еще. А затем начинаю объедаться жареным картофелем, печеньем и мороженым, пытаясь унять беспокойство, депрессию и безысходность, которые я ощущаю».

КЕМ БЫ ВЫ БЫЛИ ИЛИ КАК БЫ ВЫ СЕБЯ ЧУВСТВОВАЛИ БЕЗ ЭТОЙ МЫСЛИ? — «Намного лучше, счастливее, менее самокритичной».

ПОВЕРНИТЕ ЭТУ МЫСЛЬ НА 180 ГРАДУСОВ. — «Я не жирная, бесполезная свинья. Я ценная в столь многих областях... работа, семья, духовность. Да, мне действительно нужно работать над тем, чтобы укрепить здоровье, но оскорбление самой себя не поможет мне».

Следующая пациентка была разведенной женщиной 62 лет, она хотела завязать знакомства в Интернете.

АНЕМ: Я старая, и никто не заинтересуется мной.

ПРАВДА ЛИ ЭТО? — «Да. Я уже десятилетия ни с кем не встречалась, и никто не захочет увидеть мое старое обнаженное тело».

МОЖЕТЕ ЛИ ВЫ БЫТЬ ТОЧНО УВЕРЕННОЙ В ТОМ, ЧТО ЭТО ПРАВДА? — «Нет. Конечно, я не могу знать это наверняка».

КАК ВЫ СЕБЯ ЧУВСТВУЕТЕ, КОГДА ВЕРИТЕ ЭТОЙ МЫСЛИ? — «Одиноко, уродливо, и я ненавижу себя. Я подавлена и замкнута».

КЕМ БЫ ВЫ БЫЛИ И КАК БЫ СЕБЯ ЧУВСТВОВАЛИ БЕЗ ЭТОЙ МЫСЛИ? — «Я чувствовала бы волнение от перспективы встречи с новым знакомым, с кем можно весело провести время. Но если я буду вести себя так негативно, то никому со мной не будет весело. Я невесело провожу время сама с собой».

Поверните эту мысль на 180 градусов. «Я молода, и кто-то заинтересуется мной. Люди в моей семье жили по 80 и 90 лет. Если я позабочусь о себе, то смогу прожить еще 30 лет. Пора стать здоровой и встретить кого-то хорошего».

3. Уберите стресс из глаз и с кожи

Ваша кожа — это мозг снаружи. Многочисленные исследования показали, что, когда человек страдает от психологического напряжения, его мозг отвечает на это, посылая сигналы коже и заставляя ее реагировать так, будто ее атакуют физически. Это может привести к сыпи, покраснению или увеличению производства защитной смазки и снижению менее значимых функций кожи (например, роста волос). Увеличение маслянистости кожи и замедление роста волос, как правило, приводят к появлению пятен на коже и поредению шевелюры. Если вы будете волноваться о своей новой работе, тесте или свидании, то ваша кожа, скорее всего, отреагирует.

Связь мозга и кожи столь сильна, что некоторые называют кожу мозгом снаружи. Действительно, кожа производит многие из тех же самых нейропептидов (мелатонин, серотонин, кортизол), которые используются мозгом. Ясно, что здоровье и внешний вид вашей кожи — это отражение здоровья вашего мозга.

Нет ничего привлекательного в сморщенном лбе, нервном подергивании беспокойных глаз или отложениях опасного жира на животе, вызванного эмоциональным перееданием и избытком гормонов стресса, циркулирующих в вашей крови. И здесь снова подчеркнем, что последствия стресса могут быть глубже, чем вы видите. Хронический стресс подавляет кровоснабжение мозга. Это снижает общее функционирование мозга, ослабляет память и заставляет ваш мозг преждевременно стареть.

> Снижение активности в гиппокампе, миндалевидном теле и коре лобных долей расстраивает ваши когнитивные функции и эмоциональный баланс.

Хронический стресс непосредственно влияет на ваш внешний вид, заставляя кожу терять коллаген и эластин — два белка, которые придают лицу моложавый вид. Результат — обвисающая кожа и морщины. По жестокой иронии судьбы, это одновременно может нарушить гормональный баланс и приведет к появлению прыщей.

Если вы хотите выглядеть моложе и больше наслаждаться жизнью, вам нужно обязательно ослабить свой стресс. А это означает, что следует уделять внимание себе. Если в нашей жизни что-то идет не так, мы склонны обращаться за внешней помощью или жаловаться на свою проблему.

Мы не понимаем, что наше видение ситуации и наша эмоциональная реакция на нее являются большей частью проблемы. Начав обращать внимание на себя, можно уменьшить стрессовую реакцию, и это действительно изменит ситуацию. Способы успокоить женский мозг описаны в главе 6.

ЧТО НАНОСИТ ВРЕД ВАШЕЙ КОЖЕ, И ЧТО ДЕЛАЕТ ЕЕ КРАСИВОЙ

Разрушает кожу	Улучшает состояние кожи
Избыток кофеина	Ограничьте потребление кофеина
Алкоголь	Ограничьте потребление алкоголя
Курение	Немедленно бросьте курить
Плохое питание	Начните придерживаться рациона, полезного для мозга
Чрезмерное потребление сахара	Уменьшите потребление сахара
Диеты типа «йо-йо» (когда вы теряете вес и снова его набираете)	Поддерживайте стабильный вес
Обезвоживание	Пейте много воды
Недостаток сна	Хорошо высыпайтесь
Недостаток физической активности	Занимайтесь физкультурой не менее 4 дней в неделю
Хронический стресс	Медитируйте и делайте упражнения на глубокое дыхание
Посттравматический синдром	Обратитесь за лечением
Гормональный дисбаланс	Сбалансируйте уровень гормонов
Психическое расстройство	Получите необходимое лечение, например психотерапию и лекарства
Проблемы с памятью	Практикуйте привычки, полезные для мозга, или обратитесь за лечением, например медикаментозным
Солнечное облучение	Ограничьте пребывание на солнце двадцатью минутами перед нанесением крема
Старение	Принимайте витамин D, рыбий жир, ДМЭА, фенилаланин, АЛК и экстракт виноградных косточек

4. Вы будете красивее, если будете воспринимать благо в жизни

Концентрируйтесь на том, за что вы благодарны в своей жизни. Это на самом деле заставит ваш мозг работать лучше и сделает ваши глаза и улыбку ярче! После десятилетий исследований в области социальной психологии д-р Мартин Селигман из Университета Пенсильвании считает, что счастье можно культивировать. Все начинается с внимания к тому, что хорошо в вашей жизни. Он сообщил, что если участники исследования записывали три вещи, за которые они благодарили судьбу каждый день, они замечали существенное повышение чувства счастья всего за 3 недели. Если вы будете делать это упражнение ежедневно, вы не только почувствуете себя лучше, но и станете красивее и приятнее в общении.

Если вы страдаете, потому что думаете, что недостаточно красивы или хороши, пересмотрите свои представления о том, что такое красота. Вредные привычки и неправильные представления, укоренившиеся в вас с детства, могут помешать вам в полной мере ощутить красоту, которая является вашей истинной сущностью. Вы родились, чтобы быть красивой внутренне и внешне.

УПРАЖНЕНИЕ 9 . ПОЙДИТЕ НА МАССАЖ И НАСЛАДИТЕСЬ САУНОЙ

Чтобы выглядеть и чувствовать себя красивой, нужно уделять время расслаблению и заботе о собственном теле. Пойдите на расслабляющий массаж, а затем проведите 15 минут в инфракрасной сауне. Она, как считается, усиливает циркуляцию крови; снижает артериальное давление, увеличивает нагрузку на сердце до уровня быстрой ходьбы; облегчает боль, устраняет хроническую усталость, лишний вес и зависимости. В сауне активизируется кровообращение в коже, что приносит питательные вещества к подкожной клетчатке и помогает сохранить кожу здоровой. Работа потовых желез способствует удалению токсинов. Если вы не можете найти инфракрасную сауну, подойдет и обычная.

Глава 10

СЕКС И ЖЕНСКИЙ МОЗГ

ОПТИМИЗИРУЙТЕ СВОЙ МОЗГ РАДИ УВЕЛИЧЕНИЯ УДОВОЛЬСТВИЯ, ГЛУБИНЫ ОТНОШЕНИЙ И ЛЮБВИ

Усиление мозга ради прочных отношений — десятый шаг на пути раскрытия его потенциала. Женский мозг — это крупнейший и важнейший половой орган во Вселенной.

Милая. Дорогая. Я люблю тебя. Мы все жаждем услышать и произнести эти слова — и вложить в них всю душу! Мы произносим их от всего сердца, и наше сердце поет, когда мы слышим их. Упс! Я должен был сказать «мозг» вместо «сердца». Это наш мозг загорается и рассылает гормоны радости по всему телу, когда мы слышим такие волшебные фразы. И это наш мозг, а не сердце, разбивается, когда любовь уходит.

Если вы хотите больше любви в своей жизни, следует обратить внимание на свой мозг. Как у женщины, у вас есть целая система, встроенная в вашу физиологию, которая призвана подготовить вас к тому, чтобы любить и быть любимой и к захватывающим, удивительным взаимоотношениям.

Все, что вы делаете на благо этой системе, сохраняя здоровье своего мозга и поддерживая в норме гормональный баланс, поможет вам любить глубже и быть больше любимой. И у вас будут удивительные взаимоотношения.

Вот факты, которые вы можете использовать, чтобы оптимизировать свой мозг и активизировать любовную жизнь.

ИСТОРИЯ ЛЮБВИ

Акт 1: Вожделение

Если вы когда-нибудь были влюблены, то знаете, что бывают разные виды любви, и та, которую вы чувствуете, тоже может меняться в ходе развития отношений. Но вы можете не знать, что каждый вид любви управляется своей собственной системой мозга и включает различный набор гормонов и нейротрансмиттеров.

Доктор Хелен Фишер, антрополог из Университета Рутгерс, исследует эту тему уже много лет и является в ней ведущим экспертом. Она выделяет три вида любви — на основании специфических мозговых коррелятов, систем гормонов и нейротрансмиттеров, сопровождающих каждый вид. Эти виды любви возникают в пределах одних взаимоотношений, но на разных этапах.

Первый вид — вожделение. Это безудержная страсть, которую чувствует мужчина, когда впервые заметил красивую незнакомку, глядящую на него из другого конца комнаты. Или женщина, обратившая внимание на парня, с которым работает уже полгода, но сейчас вдруг увидела его по-новому, когда он выходил с утренней тренировки в тренажерном зале.

Согласно исследованиям профессора Сиракузского университета Стефани Ортиг, этот процесс влюбленности запускается около пятой доли секунды и задействует 12 разных областей мозга. Под мощной движущей силой андрогенов и эстрогенов, мы ощущаем сексуальную притягательность этого человека. Другие гормоны и нейротрансмиттеры добавляют приятных ощущений: это дофамин, окситоцин, адреналин и вазопрессин. Очень пьянящая комбинация, которая заставляет нас чувствовать себя так, словно в нас ударила молния, и это действительно влияет на наше сознание. Мир начинает выглядеть для нас по-другому. А тот мужчина, которого вы заметили? Вы даже не замечаете его недостатков. Его окружает сияние, словно героя с обложки любовного романа.

Структура мозга, которая в первую очередь задействована в этом процессе, называется «гипоталамус». Он также управляет другими нашими физиологическими потребностями, такими как голод и жажда. Сексуальное влечение обладает такой же силой. Оно и должно таким быть, ведь оно помогает человеку выжить!

Акт 2: Любовь

У большинства видов животных вожделение находит выход довольно быстро: происходит спаривание, и две особи расходятся разными путями. Но у человека все обстоит иначе. Первоначальная привлекательность является триггером, который приводит к возникновению одного из самых красивых и востребованных жизненных переживаний — любви.

Эта страстное, всепоглощающее чувство заставляет нас чувствовать себя на вершине мира, когда все идет хорошо, и бросает нас в пучину отчаяния, когда любовь отвергается или остается без ответа. Во имя любви влюбленные переплывают океаны, покоряют горы и убивают драконов, чтобы произвести впечатление, восторг или просто быть с любимым. По словам доктора Фишер: любовь сильнее вожделения. Люди не убивают себя ради секса, а из-за несчастной любви такое случается.

Как говорит Хелен Фишер, любовь — это не только чувство. Это на самом деле целенаправленное стремление, влияющее на наше поведение и мышление, повышая эффективность той деятельности, которая как-то связана с возлюбленным. По данным одного исследования, мимолетное упоминание имени возлюбленного во время выполнения задания, требующего принятия решения, существенно влияет на показатели влюбленных женщин. Женщины могли быть невыспавшимися и неспособными сконцентрироваться, но при упоминании того, что было связано с их возлюбленным, тут же становились очень внимательными.

Томографическое исследование мозга испытуемых, переживавших начальную стадию этого рода сумасшедшей любви, показывает очень высокую активность в области *переднего ядра покрышки, прилежащего ядра* и в других «центрах удовольствия» мозга. Именно эти центры активизируются, когда человек вдыхает кокаин. У влюбленных эти структуры мозга купаются в дофамине, он толкает нас к достижению награды, на которую мы нацелились. Другие химические вещества, чей уровень повышается в ходе этого процесса, связаны со стрессом и возбуждением: кортизол, фенилэфрин и норадреналин.

Кстати, фенилэфрин содержится в шоколаде. В этом смысле шоколад связан с любовью и потому может служить источником утешения для изголодавшихся по любви.

Как только вы попадаете на такой крючок, даже взгляд на вещи возлюбленного делает атмосферу наэлектризованной. Скажем, в нашем примере, когда вы подъезжаете к месту своей работы, вы сразу же ищете глазами *его* автомобиль на стоянке. И когда находите его, вся окружающая область становится интересной, важной и возбуждающей, в отличие от серости остального мира. Вы хотите быть только здесь.

Пока все это происходит, уровень нейротрансмиттера серотонина снижен. А недостаток серотонина, как известно, связан с навязчивым мышлением и, таким образом, способствует распространенному симптому любви: вы не можете избавиться от мыслей о предмете своей страсти.

Акт 3: Привязанность и долгосрочные обязательства

Никто не может предаваться острой, безумной любви вечно. Вы истощите себя и не сможете больше ничего делать. А если в результате всех этих волнений родится ребенок, активизируется еще один набор гормонов, чтобы подготовить вас к заботе о нем, — гормоны, которые приводятся в движение необходимостью выживания вида.

Нет, вы не можете оставаться безумно влюбленной бесконечно, но появляется другой вид любви. Переход, похоже, происходит где-то через 1,5–4 года существования ваших отношений. Гипоталамус снова включается в игру, но теперь к делу приступают гормоны окситоцин и вазопрессин, и это способствует привязанности и чувству принадлежности.

Все любовные гормоны должны быть правильно сбалансированы, и вот идеальный пример. Считается, что окситоцин и вазопрессин пересекаются с путями дофамина и норадреналина, и наоборот. И когда безумная любовь проходит и дофамин с норадреналином подавляются, все большую роль начинают играть химические вещества привязанности, что помогает обеспечить продолжение и развитие отношений.

Тестостерон тоже препятствует секреции окситоцина и вазопрессина. Исследования показали, что мужчины с высоким уровнем тестостерона вступают в брак реже, склонны к разводу и могут проявлять жесткость во взаимоотношениях. У мужчин с высоким уровнем тестостерона, как правило, безымянные пальцы длиннее указательных. Если вы хотите узнать, подходит ли потенциальный партнер для долговременных отношений, посмотрите на его руки!

ЗАРЯЖЕННОСТЬ НА ЛЮБОВЬ

Мозг влюбленных людей активизируется, когда они смотрят на фотографии своих возлюбленных. Д-р Фишер подтвердила это благодаря обследованиям мужчин и женщин, которые переживали приступ ранней любви, с помощью функциональной магнитно-резонансной томографии (фМРТ). Но когда она сравнила испытуемых мужского пола с испытуемыми женщинами, то обнаружила некоторые очень интересные различия.

У мужчин наибольшая активность наблюдалась в участках мозга, связанных с интеграцией визуальных раздражителей. Это были зоны зрительной коры мозга и другие области обработки зрительных данных, некоторые из которых непосредственно связаны с сексуальным возбуждением. Для возбуждения мужчин очень значимы визуальные раздражители. Мужчины оценивают привлекательность женщин в первую очередь чисто внешне. Не зря женщины прилагают столько усилий, чтобы поддержать привлекательную внешность. И отсюда понятно, почему мужчины гораздо больше возбуждаются от порнографии, чем женщины. От визуальных раздражителей у них действительно текут слюни.

Однако у женщин все по-другому. Фишер обнаружила, что разглядывание фотографий мужчин, которых они любят, активизировало у женщин структуру под названием «хвостатое ядро». Оно задействовано в запоминании, эмоциях и внимании. А еще у женщин активизировались ядра перегородки (которую тоже причисляют к центрам удовольствия мозга) и затылочная кора, отвечающая за зрительные образы. Кроме того, возбуждались участки мозга, связанные с воспоминаниями.

Таким образом, мужчины при оценке потенциальной партнерши больше ориентированы на ее внешний вид, и они чаще влюбляются с первого взгляда. С эволюционной точки зрения они ищут здоровую женщину, которая родит им детей, и стремятся «посеять свое семя».

Женщины же в первую очередь фиксируют образ любимого в памяти. Они помнят нюансы ухаживания и обычно никогда не забывают первую ссору с любимым и даже подробности того, кто и что тогда сказал. Опять же это должно давать женщине эволюционное преимущество. Получается, что ее жениху мало быть красивым, поскольку она стремится не к одной ночи страстной любви. Она ищет того, кто будет жить с ней и помогать ей растить общих детей. Вот почему ей так важно помнить все подробности своих отношений с этим мужчиной. Был ли он к ней участлив? Кажется ли он верным? Любит ли он ее семью, любят ли они его? Она всегда ищет подсказки, которые раскрывают его характер. И она помнит все это. И она помнит события вместе с их эмоциональным содержанием. Это обеспечивает очень прочное запоминание всего того, что связывает ее с человеком, которого она любит «всем своим мозгом».

Итак, в то время как он быстро влюбляется, она готовится посвятить себя продолжительным взаимоотношениям и начинает думать о совместном будущем. Таким образом, на ранней стадии взаимоотношений мужчина вашей жизни может захлестнуть вас своей страстью. Каждый раз, когда он видит вас, он очень возбуждается. Однако вовсе не от идеи о совместном будущем, которую вы уже начали формировать по мере построения структуры эмоциональных запечатлений в памяти. Если вы его понимаете, вы сможете правильно интерпретировать его сигналы — не будете думать, что он готов на большее, чем кажется. Вам стоит подождать. В конце концов в его организме активируются окситоцин и вазопрессин, и ваши цели начнут совпадать.

БОЛЬШОЕ «О»

У французов есть выражение для этого: *le petit mort* — «маленькая смерть». Речь идет о достижении оргазма, этой удивительной конвульсивной разрядки, кульминации полового акта. Первоисточник ощущений, которые вы чувствуете, находится в области гениталий, откуда ощущения расходятся по всему телу. Однако в действительности оргазм возникает в мозге. Исследователи, изучавшие мозг во время оргазма, выяснили, что не стоило бы его называть маленькой смертью, особенно для женщин.

Исследователь Барри Комисарук из Университета Рутгерс выяснил, что переживание оргазма очень похоже у мужчин и женщин, но последующие работы ученых из Нидерландов свидетельствуют: то, что при этом происходит в мозге, — очень разнится. Голландский ученый Герт Холстег с помощью сканов позитронно-эмиссионной томографии (ПЭТ) наблюдал, что происходит в мозге мужчин и женщин в момент оргазма. У мужчин наиболее активной частью мозга было переднее ядро покрышки, отвечающее за высвобождение дофамина. (Как вы помните, дофамин является частью системы вознаграждения и удовольствия, которое ощущают кокаиновые и героиновые наркоманы. На самом деле, поскольку переднее ядро покрышки связано и с оргазмическим удовольствием, и с наркотическим кайфом, как раз чрезмерная стимуляция этой структуры мозга наркоманами при употреблении наркотиков приводит к подавлению у них сексуального желания.)

Когда Холстег наблюдал своих испытуемых женщин, его ждал сюрприз. У женщин мозг вел себя как-то необычно молчаливо во время оргазма, в сравнении с мужчинами. В частности, глазнично-лобная кора слева и срединная задняя часть лобной коры, казалось, были деактивированы вообще. Эти зоны коры участвуют в самоконтроле и вынесении оценок. Холстег обнаружил также еще более подавленную активность в мозжечке (там наблюдалось еще большее снижение активности и эмоций по сравнению с мужчинами). Холстег заключил, что «в момент оргазма женщины не имеют никаких эмоций». Они полностью отдаются ощущениям своего тела.

Другое исследование показало, что у женщин во время секса наблюдается снижение активности миндалевидного тела и гиппокампа. Эти глубинные структуры мозга связаны со страхом и тревогой. Похоже, что во время секса мозг женщины подавляет негативные эмоции, и она чувствует себя безопасно и спокойно, а это необходимые условия для достижения ею оргазма. Интересно, что корковые представительства боли в мозге тоже активизируются, что подтверждает наличие у женщин связи между болью и удовольствием и объясняет некоторые садомазохистские практики. Профессор Комисарук поясняет, что оргазм (в отличие от секса) может блокировать сигналы боли. В своих исследованиях лабораторных животных и человека он обнаружил, что оргазм может тормозить сигналы боли, приходящие от тела по спинному мозгу. Как следствие, эти сигналы не достигают нейронов головного мозга, которые активизируются в ответ на боль.

Кроме того, в момент оргазма и после него и у мужчин, и у женщин происходит выброс в мозг окситоцина. Считается, что этот гормон поддерживает чувство связи и доверия. Неудивительно, что многие мужчины, обычно сдержанные, во время секса или сразу после него говорят женщине: «Я люблю тебя». Женщины нередко чувствуют это и не очень доверяют словам, сказанным в пылу страсти. Они хотят услышать их во время спокойной прогулки или за ужином.

Как улучшить оргазм

Если вы хотите улучшить оргазм (а кто не хочет?) или у вас есть проблемы в достижении оргазма, вы можете сделать некоторые вещи, которые помогут вам полнее насладиться этим ощущением.

Любите своего партнера. Исследователи из Женевского университета и Университета Санта-Барбары получили подтверждение тому, о чем мы все подозревали: чем больше женщина любит своего партнера, тем легче она достигает оргазма, и тем он сильнее.

Об этом рассказывают не только сами женщины. Так, благодаря магнитно-резонансной томографии (МРТ) мозга женщин, которым предъявляли имена их возлюбленных, было выявлено, что чем больше любви женщины проявляли, тем больше у них активировалась левая угловая извилина, связанная с памятью и эмоциями.

Вообще активность левого полушария мозга, ответственного за зависимость, увеличивалась в целом. Таким образом, оказывается, что для женщины любовь — это сильнейший стимулятор-афродизиак.

Пусть ваши ноги будут в тепле. Чтобы женщина расслабилась достаточно для того, чтобы испытать оргазм, ей необходимо чувствовать себя безопасно и комфортно, и теплые ноги при этом очень важны. Согласно данным исследователей из Университета Гронингена, это повышает шансы женщины на достижение оргазма на 30%. Возможно, потому, что зоны мозга, связанные с ощущениями в ногах, находятся прямо по соседству с представительством ощущений в половых органах. Так что если ваш партнер хочет, чтобы вы были более открытой для секса и достигли разрядки, предложите ему помассировать ваши ноги как часть любовной игры. Будет еще лучше, если он сделает это с согревающим гелем. Это должно помочь вам обоим настроиться на нужный лад.

А во время занятий любовью подставьте ему для поцелуев правую сторону шеи или позвоночника. (И можете попробовать проделать то же с ним.) Это гораздо более возбуждающе, чем поцелуи слева[1].

Сконцентрируйте свое внимание. По сравнению с мужчинами вам, как женщине, дана особая сила, когда дело касается оргазма. Многие женщины способны довести себя до оргазма одними только образными представлениями, без какой-либо физической стимуляции. Исследования Комисарука могут объяснить причину этого. Он обнаружил, что когда женщины сосредоточиваются на той части своего тела, которая стимулируется (пальце руки, ноги, груди или клиторе), то соответствующая зона сенсорной коры их головного мозга активизируется так, как это бывает при реальной стимуляции этих частей тела.

Это удивительная способность. И если вам трудно возбудиться, вы можете использовать ее, чтобы увеличить удовольствие во время секса. Вместо того чтобы думать о необходимых делах или вашем расписании на следующий день, сосредоточьтесь на настоящем моменте, на нарастающем ощущении в своем теле. Сосредоточьтесь на нем, и вы сможете существенно усилить то удовольствие, которое испытываете.

Запахи. Существуют определенные запахи, которые способны возбудить вас. И для каждой женщины этот аромат свой. Мускусный запах пота мужчины может заставить одних женщин упасть в обморок, а другие сочтут его отталкивающим. Определите самый эротичный для вас запах и найдите способ, чтобы от вашего мужчины исходил именно этот аромат. Это может быть запах одеколона, который вам нравится, или запах свежего белья. (Многие женщины тают от запаха детской присыпки. Если это относится и к вам, намажьте ею партнера после совместного душа.)

---

[1] Это правило отнюдь не железное. Для некоторых женщин верно как раз обратное, т.е. поцелуи слева. Видимо, это связано с доминантой того или иного полушария. — *Прим. ред.*

Целуйтесь. Женщинам, как известно, нужны предварительные ласки. Вам требуется больше времени для возбуждения, и вы должны быть доведены до сильного возбуждения, аналогичного тому, что испытывает ваш любимый, чтобы половой акт стал приятным для вас обоих.

Поцелуи — очень значимая часть этого процесса. Губы чрезвычайно чувствительны, они напичканы нервными окончаниями. В коже губ в 100 раз больше нервных окончаний, чем в кончиках пальцев.

При поцелуе активируются многочисленные механизмы мозга. И они, в свою очередь, выпускают химические вещества любви, помогающие вам расслабиться, снижающие уровень тревожности и делающие вас гораздо восприимчивее в процессе занятий любовью.

Скажите ему, чего вы хотите. Возможно, вы еще не осознали того, что партнер не способен читать ваши мысли. И если вы остаетесь пассивной во время занятий любовью, он никогда не будет знать, чего именно вы хотите. Он стремится угодить вам, но для него ваше тело загадка. Он может руководствоваться только тем, что нравится ему, а это вряд ли вдохновит вас. И мужчина совершенно не понимает собственной силы. То, что кажется ему нежным прикосновением, может на деле оказаться слишком серьезным надавливанием, которое вызовет у вас сильный дискомфорт. Лучше скажите ему прямо, чего вы хотите. Направляйте его руку. Скажите ему: «Мне так хорошо, когда ты…» (сами заполните пробел). Будьте готовы повторять ему это снова и снова. Он может не запомнить сразу. И не потому, что он не заботится о вас, а потому, что он мужчина, и его мозг работает по-другому. Так что не злитесь, что он якобы не слушает вас. Будьте терпеливы и напоминайте ему о том, что вам особенно нравится. В конце концов он все уяснит. И принимайте активное участие в ваших любовных утехах. Это не только увеличит сексуальное удовольствие для вас обоих, но и позволит усилить и углубить ваши взаимоотношения.

Поговорите с врачом. Если вы принимаете антидепрессанты (например, лексапро, золофт, прозак и др.), это может повлиять на вашу способность к оргазму. Такие препараты повышают уровень серотонина, который подавляет производство дофамина, играющего столь существенную роль в достижении оргазма. Ваш врач может выписать вам другое лекарство (например, велбутрин) или скорректировать дозировку. Либо он посоветует другие стратегии, например «перерыв в приеме лекарств» в то время, когда вы собираетесь заняться сексом. Для оргазма могут быть полезны гинкго или женьшень.

А если секс доставляет вам боль, обратитесь к гинекологу. Он может выявить проблему и помочь вам, возможно, выписав гормональный крем или другие препараты.

КОГДА ЛЮБОВЬ СВОДИТ НАС С УМА

Безответная любовь может быть убийцей в буквальном смысле. Любовь способна превратить человека в зомби, подтолкнуть совершить самоубийство или убийство. Человек порой безутешно горюет по поводу потерянной любви. Короче говоря, любовь способна свести нас с ума. И к этому причастен коктейль из гормонов и нейротрансмиттеров (во главе с дофамином), который заставляет нас реагировать на любовь почти как на дозу кокаина и страдать от отсутствия предмета любви подобно наркоману, лишенному очередной дозы. По словам доктора Фишер, 40% отвергнутых любовников впадают в глубокую депрессию — по крайней мере на время.

Как и Фишер, исследователи Андреас Бартельс и Земир Зеки прибегли к методу фМРТ, чтобы наблюдать активность мозга влюбленных людей, когда они смотрят на фотографии своих возлюбленных или снимки своих знакомых. Как и Фишер, они обнаружили, что, когда испытуемые смотрели на объект своей романтической привязанности, у них возрастала активность мозга в областях, связанных со счастьем[1]. В то же время наблюдалась меньшая активность в районе лобной коры и в глубинных структурах, ассоциируемых с чувством страха, печалью и депрессией. Похоже, влюбленные люди становятся счастливыми и глупыми. Особенно интересно то, что в некоторых областях, которые активизировались, высока концентрация дофаминовых рецепторов. Эти области мозга причастны к зависимостям от наркотиков, таких как героин и кокаин. Авторы отметили «потенциально тесную нейронную связь между романтической любовью и состоянием эйфории». Конечно, сходство между любовью и наркоманией, с ее желанием, целеустремленностью и ломкой, уже давно было замечено учеными и неучеными.

И если счастливая любовь сводит нас с ума, то ломка, возникающая, когда нашу любовь отвергают, рискует сделать нас сумасшедшими и опасными. Может привести к клинической депрессии, а иногда — и к агрессивному поведению. Фишер и ее коллеги проводили фМРТ людей, страдающих из-за отверженности, когда они смотрели на фотографии тех, кто их отверг. Исследователи обнаружили активацию областей, связанных с потерей и приобретением, сильным желанием и регулированием эмоций. Активация переднего мозга была точно такой же, как и при желании получить дозу кокаина у наркоманов. Этим можно объяснить и навязчивое поведение, ассоциируемое с отверженной любовью.

Теперь у нас есть научные факты, свидетельствующие о том, что любовь причиняет боль. Исследование Университета Мичигана показывает, что у людей, страдающих от разрыва любовной связи, активизируются те же участки мозга, что и при ощущении физической боли.

Каждый, кто хоть раз проходил через расставание с предметом любви, знает, насколько это мучительно. Ваше мышление зацикливается на человеке, который отверг вас. Вы не

---

[1] Строго говоря, в мозге нет никаких «областей счастья», и не очень понятно, что имел в виду автор. Возможно, центры удовольствия. — *Прим. ред.*

можете думать ни о чем другом. И это больно физически. Вы проходите через ломку, которая похожа на ломку наркомана, который пытается отказаться от кокаина.

А теперь пора позаботиться о вашем мозге с помощью методов оздоровления мозга, о которых мы говорим. И помните, что боль, которую вы чувствуете, является преимущественно результатом действия химических веществ, проносящихся через ваш мозг, но в конце концов все опять будет сбалансировано. Очень скоро вы осознаете, что этот мужчина не подходит для вас во многих отношениях, и вы, наверное, всегда это понимали.

Вы можете помочь процессу исцеления, составив список всех особенностей, которые вам в нем не нравились, и тех малозаметных намеков, которые вы игнорировали, пытаясь убедить себя, что он и есть тот самый единственный.

Как женщина, вы обладаете огромной способностью любить, преданностью и готовностью пожертвовать собой ради других. Да, сокрушенное сердце болит. Но это лучше, чем отсутствие сердца. Разбитое сердце позволяет прийти к большему пониманию людей и состраданию, и это станет очень ценным вашим качеством для нужного человека.

СИЛА ЛЮБВИ

В целом же любовь порождает хорошее самочувствие. А еще она полезна для вас. Любовь способна сохранять ваше здоровье — как соматическое, так и психическое. Давайте разберемся.

Любовь устраняет стресс и улучшает самочувствие. Любовь и секс (как и другие виды поведения, которые необходимы для выживания вида) подразумевают какое-то полезное и приятное вознаграждение. Речь идет о чувстве благополучия, уменьшении стресса и укреплении здоровья. Воздействие на мозг приятных событий может подавлять активность в областях, связанных с беспокойством, и вы чувствуете себя счастливой и спокойной.

А выброс окситоцина и эндорфинов во время и после оргазма имеет чрезвычайно успокаивающий и расслабляющий эффект. Вот почему вы спите так хорошо после секса. Это как если бы вы приняли успокоительное. И после хорошего ночного сна вы чувствуете себя лучше и на следующий день меньше подвержены стрессу.

Любовь сглаживает негативные эмоции. Известно, что, когда мы любим, мелочи не особенно беспокоят нас. Мы становимся гораздо терпимее, скажем, к капризничающему в магазине ребенку и даже к самым придирчивым родственникам. И этому есть объяснение. Влюбленность снижает нашу вегетативную реакцию на негативные эмоции. И к этой новой открытости для ежедневного жизненного опыта причастен блуждающий нерв. Исследования убеждают, что любовь снимает стресс и способствует хорошему самочувствию отчасти благодаря активности блуждающего нерва[1].

Если у вас есть склонность впадать в уныние, имейте в виду, что оргазм имеет антидепрессивный эффект. Не говоря уже о том, что сама сперма содержит простагландины и жирные кислоты, которые организм женщины получает через влагалище. Эти вещества могут модулировать ваш гормональный статус и настроение.

Любовь созидает наш мозг. Когда мы становимся старше, мы теряем клетки мозга. Однако, согласно данным исследований, проведенным в Принстонском университете, сексуальная активность способствует синтезу новых клеток мозга. По крайней мере, в исследованиях на мышах секс коррелировал с ростом нейронов гиппокампа (один из основных центров памяти мозга). Таким образом, если стресс и депрессия уменьшают

---

[1] Речь идет, видимо, о парасимпатической активности блуждающего нерва, которая ассоциирована с успокаивающим действием, чувством благополучия, полноты и покоя (этим же физиологи объясняют эффект глубокого диафрагмального дыхания, стимулирующего блуждающий нерв). — *Прим. ред.*

количество клеток в гиппокампе, то секс, похоже, стимулирует их рост.

Есть также свидетельства, что люди, ведущие активную половую жизнь, меньше рискуют стать слабоумными в пожилом возрасте. Барри Комисарук полагает, что это может быть связано с увеличением кровоснабжения мозга и соответствующим повышением содержания кислорода в крови. Он говорит, что сканы МРТ указывают на то, что нейроны головного мозга очень активны во время оргазма и потребляют больше кислорода. Насыщенная кислородом кровь приносит свежие питательные вещества к мозгу, сохраняя его здоровым и поддерживая рост новых нейронов.

Секс может влиять на умственные способности и по-другому. Оргазм повышает уровень эстрогена и тестостерона, которые полезны для вашего мозга. Они способствуют концентрации и скорости реакции.

Любовь делает нас здоровее. Активная сексуальная жизнь связана с увеличением продолжительности жизни, укреплением иммунитета и сокращением дней нетрудоспособности по болезни. Секс не только способствует плодовитости, но регулирует менструальный цикл и облегчает менструальные спазмы. Поступление в кровь большего количества гормонов, продлевающих молодость, вроде ДГЭА, эстрогена и тестостерона, полезно для сердечно-сосудистой системы, снижает уровень холестерина, увеличивает плотность костной ткани и делает кожу гладкой.

Когда мы занимаемся сексом, запускается производство человеческого гормона роста, что помогает нам выглядеть моложе, и вся эта активность поддерживает циркуляцию крови, особенно ее приток к коже. Секс является тонизирующим, сжигающим калории занятием, которое поможет поддерживать хорошую физическую форму. По данным исследования Королевского Эдинбургского госпиталя, регулярные занятия сексом (трижды в неделю) помогают выглядеть на 10 лет моложе!

Оргазм помогает устранить некоторые виды боли. Это происходит из-за повышения уровня окситоцина, который, в свою очередь, запускает эндорфины — вещества, снимающие боль. Кроме того, эстроген способствует ослаблению боли при ПМС. Он может даже унять мигрень. (Исследование страдающих мигренью показывает, что оргазм может уменьшить, а в некоторых случаях полностью устранить боль при мигрени.) Возможно, не стоит использовать головную боль как предлог отказаться от секса, а наоборот, воспринимать ее как повод заняться сексом. Результаты появятся незамедлительно.

КАК ПОДГОТОВИТЬСЯ К ЛЮБВИ

Подготовка к любви значит больше, чем выбор подходящего наряда и помады. Самым главным для обретения красоты является приведение в порядок вашего мозга. Когда ваш мозг работает хорошо, вы можете быть любящей, вдумчивой, внимательной, последовательной, романтичной и игривой. Однако существует много «мозговых проблем», например СДВГ и депрессия, которые могут помешать отличному сексу и радостным взаимоотношениям.

Если у вас возникли проблемы в спальне, может быть стоит обратить внимание на другие аспекты своей жизни и сначала позаботиться о них. Например, если вы каждый месяц катаетесь на горках ПМС либо проходите через перименопаузу и менопаузу, вам, наверное, не мешает взглянуть на баланс своих гормонов. Если вы находитесь в плохой физической форме и страдаете от лишнего веса, это может негативно повлиять на ваш энергетический уровень и образ собственного тела, а, следовательно, и на удовольствие от секса. Начните правильно питаться и заниматься физкультурой, принимайте полезные для мозга БАДы вроде рыбьего жира. Вы можете быть удивлены, насколько вырастет ваш интерес к сексу после того, как ваш ИМТ пойдет вниз.

Невылеченная травма мозга может вызывать различные симптомы: от неспособности сконцентрироваться до беспокойства, спутанности сознания, забывчивости и распущенности. А все это мешает налаживанию крепких связей и проявлению заботы о партнере. Если вы подозреваете, что страдаете от травмы головного мозга из-за полученной прежде раны или токсического воздействия, то проверьте это. Существует множество способов лечения, позволяющих вернуть мозг в норму.

Злоупотребление наркотиками и алкоголем убивает взаимоотношения. И все начинается с их негативного воздействия на функционирование головного мозга. Если вы принимаете запрещенные наркотики или даже разрешенные (алкоголь, табак, предписанные обезболивающие и бензодиазепины), они оказывают негативное воздействие на ваши близкие отношения. Вы, может быть, лечите себя наркотиками и алкоголем, чтобы притупить боль, но они на самом деле усиливают эту боль и мешают вам испытать истинную близость с теми, кого вы любите. Обратитесь за помощью, если она вам нужна. Это откроет вам дверь для любви, к которой вы действительно стремитесь.

СИЛА, КОТОРАЯ СМОЖЕТ ПРОДЛИТЬ ЛЮБОВЬ

Может ли любовь длиться десятилетия? Есть пары, которые сохраняют романтическую увлеченность друг другом всю свою супружескую жизнь. В чем их секрет?

Бьянка Ацеведо и Артур Арон из команды Хелен Фишер провели МРТ-сканирование мозга счастливых пар, состоящих в стабильных взаимоотношениях. Продолжительность наблюдений составила в среднем 21,4 года. Активность мозга оценивали во время предъявления изображений лица партнера либо фотографий знакомого, близкого друга. Они обнаружили, что большая удовлетворенность в браке была связана с активацией нескольких участков мозга, особенно при созерцании изображения партнера. Это были участки мозга, связанные с вознаграждением и мотивацией, сопереживанием, контролем стресса и регулированием эмоций. Удовлетворенность браком также коррелировала с активацией области мозга, которая регулирует настроение. Вообще, мозг членов благополучной семейной пары отличался здоровьем. Что здесь первично, а что вторично? Мы не знаем этого, но очевидно, что взаимоотношения могут действовать благотворно и могут свести вас с ума.

За годы моей работы с пациентами я видел различные типы отношений. Кроме того, исходя из своего опыта и из опыта моих друзей и семьи, я могу сделать вывод о том, что продолжительная любовь является результатом позитивного встраивания партнеров в мозг друг друга. Модули памяти и удовольствия переплетаются так, что другой человек становится неотъемлемой частью самой структуры вашего мозга, и вы становитесь частью его структуры.

Встроить себя в мозг вашего партнера несложно. Это требует мотивации, целеустремленности и немного знаний. Я составил список из 12 вещей, позволяющих произвести неизгладимое впечатление на того, кого вы любите, сохранить и развить эту любовь. Это эффективные средства. Используйте их, только если вы серьезно относитесь к вашим взаимоотношениям и намерены посвятить себя им.

Удивите своего партнера. Сделайте что-то удивительно умное и из ряда вон выходящее. И пусть в этом будет элемент неожиданности. Любовная записка, засунутая в карман. Особенный ужин в ничем не примечательный вечер. Плейлист, составленный из его любимых песен. Эти необычные поступки встроят вас в его память.

Делайте что-то особенное регулярно. Звоните ему каждый день, чтобы пообщаться, и приучите его слышать ваш голос. Готовьте его любимые блюда раз в неделю. Вскоре он начнет ожидать подобных вещей, и вы всегда будете в его сознании. Кроме того, периодически делайте что-то необыкновенное. Случайное подкрепление — это самая сильная форма воздействия. Планируйте романтические вечера по случайному графику так, чтобы он не знал, когда они произойдут, но всегда возбужденно ожидал их.

Много смотрите в глаза. Новые пары, похоже, делают это естественно, но не бросайте эту укрепляющую отношения привычку только потому, что ваши взаимоотношения уже зашли далеко. Это один из способов сохранить романтику в отношениях, и он особенно эффективен во время занятий любовью.

Узнайте, что нравится вашему партнеру в сексуальном плане. Дайте ему ясно понять, что его наслаждение — это и ваше наслаждение, и что вы хотите узнать все о том, что его заводит. Он будет рад видеть, как вы экспериментируете с ним. Вы не только научитесь угождать ему, но он поймет, что вы готовы предпринять особые усилия специально для него.

Научите партнера тому, что нравится вам. Для большинства мужчин доставление удовольствия партнерше улучшает их отношение к самим себе. И исследования показывают, что сексуальное удовольствие одного партнера увеличивает удовольствие другого. По данным Ирвина Голдштейна, когда мужчины принимают средства от импотенции (левитра), их партнерши бывают больше удовлетворены сексом: у них выделяется больше смазки и происходит интенсивный оргазм. Ведь мы чувствуем уровень возбуждения своего партнера, и нас это тоже возбуждает. Поэтому если вы попросите его сделать то, что вы хотите, он почувствует ваше возросшее возбуждение и возбудится еще больше.

Усильте продолжительную любовь сексуальными новинками. Когда все становится нудным и рутинным, возбуждение снижается. Новизна взбадривает, выделяется больше гормонов, и результатом этого становится захватывающий секс. Продолжайте в том же духе, и соблазн пойти на сторону уменьшится у вас обоих.

Делайте что-то рискованное. Если вы заставите сердце вашего партнера учащенно биться, когда он рядом с вами, он может связать чувство возбуждения и удовольствия с вами, и его чувства к вам будут крепнуть. Катайтесь на американских горках, совершайте полеты на воздушном шаре, плавайте на байдарках — все, что угодно с оттенком опасности, — это может побудить его еще сильнее влюбиться в вас. Однако рискуйте в меру, чтобы не было никаких травм.

Задействуйте все органы чувств. Ваш партнер обладает пятью органами чувств, вы можете угодить каждому из них. Для зрения носите сексуальную одежду, которую он любит, добавьте мягкий отблеск камина в час вашего свидания и положите на стол фотографию, где изображены вы оба. Для слуха говорите приятным тоном, включите подходящую музыку. Для осязания — узнайте, что ему нравится в интимном плане. И даже когда вы просто проводите время вместе, прикасайтесь к нему при разговоре, дотроньтесь до его руки, проходя мимо, дарите ему ласковые поцелуи. Вкусовым ощущениям угодить нетрудно, совместная трапеза сближает. И запах очень важен, поскольку обоняние связано с наиболее древней частью нашего мозга. Выясните, какие запахи он любит и (это тоже важно) какие не любит. Нравятся ли ему духи, которыми вы пользуетесь, или он предпочитает ваш естественный запах, выясните, какой аромат сводит его с ума, в хорошем смысле. Это то, что вам нужно.

Сделайте что-нибудь выдающееся для того, кем дорожит ваш партнер. Если вы проявите доброту и любовь по отношению к кому-то, кем он дорожит, то заработаете себе много очков. Начиная взаимоотношения с ним, вы вступаете в определенные отношения и с его семьей и друзьями. Он хочет, чтобы вы были в ладу с теми, кого он любит. Поэтому покажите ему, что люди, которые значимы для него, являются значимыми и для вас. В их число обычно входят дети от предыдущего брака, родители, друзья, сотрудники и работодатели, а также домашние животные. Ваши добрые дела и поступки по отношению к ним, обращаясь к глубинной лимбической системе партнера, помогают укрепить ваши отношения с ним.

Увековечивайте мгновения любви. Не бойтесь выражать свою любовь. Расскажите ему о своих чувствах. Напишите любовное письмо или стихотворение. Возлюбленные делали это с начала времен, и это работает.

Учитесь у попугаев. Барбара Уилсон — невролог, который держит и обучает попугаев. Она говорит, что эти птицы преподали ей важные уроки о взаимоотношениях, которыми могут воспользоваться многие люди: делиться едой с тем, кого ты любишь, чистить друг другу перышки, постоянно петь, строить гнездо вместе и копировать слова и поступки друг друга. Повторение признает значимость другого человека и свидетельствует о вашей заинтересованности друг в друге. Это хороший способ сказать: «Мы вместе. Я признаю тебя, ты важен для меня. Мы едины».

Увеличивайте уровень химических веществ любви. Мы говорили, что существует несколько химических веществ, имеющих отношение к чувству любви и привязанности. Вот что можно сделать, дабы увеличить уровень двух из них.

Окситоцин известен как гормон привязанности, доверия и ласки. Он усиливает наше чувство привязанности и близости с другими. Уровень окситоцина повышается при совместном просмотре романтических фильмов, прикосновениях, ласках и продолжительном взгляде, наполненном любовью. Согласно данным одного исследования, у женщин окситоцина больше, чем у мужчин, но уровень окситоцина у мужчин возрастает на 500% после занятий любовью. Отказ от секса из-за слишком большой занятости отталкивает партнеров друг от друга. Старайтесь быть вместе. Это способствует вашей привязанности друг к другу. (Есть даже одна компания, которая выпускает окситоциновый спрей для усиления любви. Наверное, мне как раз нужен такой спрей, он помог бы мне дома тогда, когда я говорю что-то глупое или вляпываюсь в какую-то неприятную историю.)

Еще одно химическое вещество любви под названием фенилэтиламин (ФЭА) работает в глубине мозга, предупреждая нас о том, что случится что-то радостное. Уровень ФЭА повышает темный шоколад, а также миндаль и сыр. Действительно, в сыре содержится больше ФЭА, чем в шоколаде. Мммм. Кто-нибудь, кроме меня, задумывался над тем, почему во французских ресторанах сыр предлагается в десертном меню? Теперь вы знаете. Отведав сыра, вы, скорее всего, получите еще один «десерт», придя домой.

Другой верный способ увеличить уровень гормонов привязанности — сосредоточиться на том, что вам нравится в вашем партнере больше всего. Вероятно, у вас есть свой «список» того, что вам нравится в нем и что вас раздражает. То, на чем вы фокусируете свое внимание, и определяет ваши чувства. Если вы зацикливаетесь на том, что вам не нравится (скажем, на том, что он неряха), то вы определенно будете чувствовать себя обеспокоенной. Если же вы сосредоточены на том, что любите и цените в нем (например, на том, что он самый добрый человек, которого вы встречали), то вы скорее будете испытывать к нему любовь. Составьте список из семи особенностей, за которые вы благодарны своему партнеру, а затем сосредоточивайтесь на той или иной черте каждый день. Менее чем через неделю вы заметите позитивные изменения в ваших взаимоотношениях.

> Чтобы быть отличным любовником, нужно знать особенности мозга своего партнера и подстраиваться под его мозг. Вот и весь секрет.

Не существует какой-то одной «любовной» стратегии, единой для всех. Почему? Мы очень разные. Одни из нас экстраверты; другие интроверты. Одни имеют низкую активность лобных долей, что заставляет их искать возбуждения, поэтому они любят фильмы ужасов, мотоциклы, жаркие споры и эксперименты в спальне. Другие, наоборот, имеют чрезмерную активность в передней части мозга, что заставляет их стремиться к предсказуемости. Они ненавидят страшные фильмы, мотоциклы, жаркие споры и против любой новизны в спальне.

Надо хорошо знать вашего партнера! Например, если он принадлежит к тревожному типу, для интимного настроя ему, скорее всего, понадобятся поддержка, теплая ванна, легкая музыка и массаж ступней.

Если у него компульсивный тип мозга, вы получите больше любви, когда будете предсказуемой и заставите его думать, что заняться сексом — это его идея. Поставьте для него успокаивающую музыку и следите за своими словами, потому что он не прощает обид.

Для разных типов нужны разные стратегии. Даже время женской менструации важно, потому что при этом изменяется мозг. В определенные периоды менструального цикла вам, может быть, захочется, чтобы ваш партнер был настойчивым и просто овладел бы вами, а в другое время, если ваш супруг попытается сделать такое, вы можете стукнуть его по голове.

К сожалению, большинство людей не имеют понятия об этих колебаниях, поэтому, когда возникают ссоры, они думают, что уже разлюбили друг друга, и начинают искать новых партнеров.

Большинство женщин стремятся к любви и имеют встроенные механизмы для прочных любовных отношений. Когда у вас здоровый мозг и здоровый баланс гормонов, вы чувствуете себя счастливее и сексуальнее и способны постоянно проявлять любовь, что привлечет ее в вашу жизнь. Вы способны создать удивительные связи. И рекомендации, приведенные в этой главе, могут помочь вам извлечь максимум из этой врожденной способности.

ПОПРОСИТЕ О ТОМ, ЧЕГО ВЫ ХОТИТЕ

Вы стесняетесь попросить своего партнера о том, чего вы хотите? Попробуйте это упражнение, заполнив пустые места в каждом пункте. Пусть ваш партнер сделает то же самое. Затем попрактикуйтесь друг на друге. Мы не умеем читать мысли и пожелания друг друга, и надо научиться выражать их.

ГОРЕ И ПРИКОСНОВЕНИЕ

Анжела и Хосе — одна из моих любимых пар. Впервые я увидел их несколько лет назад, в телепередаче доктора Фила о патологических обманщиках. У Хосе были серьезные проблемы с алкоголем, но благодаря нашей совместной работе он добился значительного прогресса и был трезвым больше 3 лет. Через 2,5 года лечения внезапно умер отец Хосе. Как и большинство людей, Хосе переживал горе. Он стал несдержанным и замкнутым. Анджела его невероятно поддерживала. Однако по прошествии некоторого времени она уже не знала, следует ли ей злиться на него или утешать его. Она не желала поощрять его плохое поведение и обратилась за помощью ко мне.

Когда мы теряем людей, которых любим, наша лимбическая система (причастная к привязанности), как правило, становится гиперактивной, что делает нас уязвимыми для депрессии. Как упоминалось ранее, у мужчины депрессия иногда выражается в виде гнева и замкнутости, а их печаль не так заметна.

Я посоветовал Анжеле дать Хосе больше нежности, заботы и любовных ласк. Окситоцин, гормон привязанности, менее активен у мужчин, но его уровень повышается после того, как мужчина испытывает оргазм. Мой коллега, доктор К. Пол Столлер, провел исследование и выявил, что печаль успешно устраняется с помощью интраназального введения окситоцина. Он испытал это на себе, когда переживал горе, потеряв в железнодорожной катастрофе своего 16-летнего сына Галена.

Я предложил Анжеле попробовать прикосновения и занятия любовью, чтобы естественным образом повысить у Хосе уровень окситоцина.

Если бы это не сработало, мы собирались проводить интраназальное введение окситоцина. Прикосновения помогли, и взаимоотношения Анжелы и Хосе продолжили развиваться и укрепляться.

УПРАЖНЕНИЕ 10. УПРАВЛЯЙТЕ СОБСТВЕННЫМ УДОВОЛЬСТВИЕМ

Один час практики с партнером (если у вас нет партнера, можно обратиться к помощи массажистки). Цель этого упражнения — больше узнать о своем теле, понять, что вам нравится и не нравится. Пусть это упражнение длится час без перерыва. Не привносите в него какие-то ожидания или давление, здесь требуется одно только ваше любопытство.

Руководство для любящего партнера. Начните с краткого общего массажа — массажа с головы до ног, спереди и сзади; включайте все области, которые хотите. Массируйте каждую область в течение 30 секунд. Используйте массажное масло с ароматом, который вам нравится. Оцените каждую область по шкале от 1 до 10, где 10 — наиболее приятное ощущение.

Рекомендуемые области для массажа в положении на животе: голова, шея, плечи, верхняя часть спины, поясница, ягодицы, внешняя поверхность ног, коленей, голеней, ступни. В положении на спине: лицо, плечи, руки (в том числе внутренняя поверхность локтей и запястья), грудь, живот, половые органы (но скажите ему, чтобы он не останавливался там), внутренняя поверхность бедра, верхняя часть ног, затем голени и стопы.

Пусть партнер записывает ваши оценки каждой зоны; таким образом, он будет знать, ласкание каких участков тела вам нравится больше. Во время этого упражнения сосредоточьтесь на ощущениях в своем теле, чтобы хорошо прочувствовать их.

Руководство для массажистки. Надо следовать той же процедуре, но исключить грудь и гениталии. Пусть массажистка запишет вашу оценку каждой зоны. Опять же во время этой процедуры сосредоточьтесь на ощущениях в своем теле. Таким образом, потом вы сможете рассказать своему партнеру о своих слабых местечках.

ДОПОЛНИТЕЛЬНЫЕ УПРАЖНЕНИЯ

Что заводит вас больше всего?

Выполните следующие упражнения, чтобы найти свои кнопки удовольствия.

- Попросите партнера использовать согревающий гель для массажа ступней.
- Пусть он целует вас с левой и с правой стороны шеи, чтобы увидеть, с какой стороны вам понравилось больше.
- Попробуйте около 10 запахов по 10 секунд каждый. Запахи, которые стоит испробовать: детская присыпка, ваниль, корица, нероли, роза, мускус, мята, жасмин, огурец, апельсин, солодка.

Практика приводит к совершенству

- Организуйте практические занятия с партнером. Скажите ему, чего вы хотите. Скажите ему не раз, пока он не поймет это правильно.

Используйте свое воображение

- Проверьте, насколько вы сможете возбудиться без прикосновения к вам. Сосредоточтесь поочередно на разных частях тела — пальце руки, ноги, соске или своем клиторе. Представьте себе, что их ласкают, и посмотрите, какие области заставляют ваш мозг реагировать сильнее всего.

Глава 11

ПОДГОТОВЬТЕСЬ К ПОЯВЛЕНИЮ ДЕТЕЙ И К ЗАБОТЕ ОБ ИХ МОЗГЕ ПОСЛЕ ТОГО, КАК ОНИ ПОЯВЯТСЯ

ПОДГОТОВКА К БЕРЕМЕННОСТИ. РАСКРОЙТЕ ПОТЕНЦИАЛ МОЗГА ВАШИХ ДОЧЕРЕЙ

Подготовка мозга и тела к появлению детей и забота об их мозге — одиннадцатый шаг на пути раскрытия потенциала женского мозга.

Когда вы — мать, вы никогда не остаетесь одна в своих мыслях. Мать всегда должна думать дважды — за себя и за своего ребенка.

Софи Лорен

Если у вас будет здоровый мозг, вы, скорее всего, побудите тех, кого вы любите, тоже стать здоровыми. И это особенно верно, когда вы задумываетесь о рождении и воспитании детей. Рекомендации этой главы помогут вам взять под свой контроль самый главный аспект беременности — свое здоровье (особенно здоровье мозга) и здоровье вашего ребенка.

ПОДГОТОВКА К БЕРЕМЕННОСТИ

Чтобы дать своему ребенку наилучший старт в жизни, вам нужно создать в своем организме благоприятную среду для его развития. Стоит начать работать над этим как можно раньше.

Как только вы решили, что собираетесь забеременеть, начните следовать плану оздоровления мозга, которому вы учитесь здесь.

Начните питаться правильно до того, как забеременеете. Чтобы у вас родился здоровый младенец, вам нужно есть здоровую пищу. И лучше всего, чтобы вы стали придерживаться такого рациона до зачатия. Исследования показывают, что у матерей, которые до зачатия питаются плохо, как правило, рождаются младенцы с малым весом, которые к тому же в большей степени подвержены риску появления полноты и диабета 2-го типа. Поэтому если вы думаете о том, чтобы забеременеть, теперь самое время начать наблюдать за тем, что вы едите. Таким образом, в ваш рацион нужно включить много постного белка, хороших свежих фруктов и овощей, цельного зерна и сократить количество сахара и полуфабрикатов. Пейте много чистой воды.

Принимайте биологически активные добавки. Не забывайте о своих БАДах, включая хорошие поливитамины и 400–800 мг фолиевой кислоты. Она способствует предотвращению врожденных дефектов нервной трубки у развивающихся младенцев. Голландские исследователи сообщают, что риск эмоциональных проблем у детей значительно меньше, когда у их матерей наблюдался соответствующий уровень фолата. Желательно начать принимать фолиевую кислоту до беременности, во время нее и во время кормления грудью. Говяжья печень, чечевица, шпинат, спаржа, авокадо, зеленый горох, брокколи и папайя — хорошие источники фолиевой кислоты (фолата). Я рекомендую своим пациентам также принимать высококачественные поливитамины, чтобы удостовериться, что они получают фолат и другие необходимые питательные вещества.

Бросьте курить. Есть доказательства того, что женщинам, которые курят, не только труднее забеременеть, но они подвергаются повышенному риску возникновения внематочной беременности (когда оплодотворенная яйцеклетка имплантируется в фаллопиеву трубу или в другое место вне матки).

Задействуйте помощь собственной медицинской команды. Пройдите проверку у своего врача, чтобы удостовериться, что у вас нет никаких очевидных проблем. Неплохо сделать это еще до того, как вы задумались о беременности. Попросите врача проверить вас на наличие краснухи, которая может вызвать серьезные врожденные дефекты, если во время беременности вы подхватите какую-нибудь инфекцию. Если у вас не было краснухи и вы еще пока не беременны, ваш врач может посоветовать вам привиться от этой болезни. Кроме того, воспаление десен может вызвать обширное воспаление в организме, поэтому регулярно чистите зубы щеткой и зубной нитью.

Это действительно нетрудно. Чем больше вы сможете сделать до беременности и чем здоровее вы будете, тем лучший старт в жизни вы дадите своему ребенку.

Как разобраться с бесплодием

Есть много причин бесплодия, включая инфекции, травму, слабое здоровье, недостаток гормонов, аллергии и прочее. Одна из наиболее распространенных причин бесплодия — это стресс. Недовольство жизнью, частые расстройства, напряжение или злоба могут закрыть ваши фаллопиевы трубы, что затруднит зачатие. Научно доказано, что хронический стресс вызывает гормональные изменения, которые разрушают репродуктивную функцию.

Стресс не только преждевременно старит организм и кожу, он также ускоряет процесс старения репродуктивной системы. Женщинам с возрастом становится труднее забеременеть, независимо от того, естественно ли они стареют или от стресса. Однако не одни только женщины страдают бесплодием вследствие стресса. Исследователи в Индии показали, что эмоциональное напряжение вредит и мужским сперматозоидам. Кроме того, подверженность стрессу влияет на успешность лечения бесплодия, например, на успех экстракорпорального оплодотворения (ЭКО). Правда, лечение бесплодия само по себе создает стресс!

В журнале *Human Reproduction* было опубликовано исследование влияния стрессовых жизненных событий на лечение методом ЭКО. Исследователи попросили 809 женщин заполнить опросники, касающиеся стрессовых и негативных событий, которые произошли в их жизни в течение 12 месяцев до начала лечения бесплодия. Женщины, которые забеременели после лечения, сообщили о меньшем количестве стрессовых событий по сравнению с теми, которые не смогли зачать. Исследователи пришли к выводу, что стресс может снизить успех метода ЭКО.

В этом же журнале мне понравился один комментарий психолога факультета Национального университета заочного обучения в Мадриде, Испания. Он убежден, что во многих случаях бесплодия виноват стресс, и предполагает, что при бесплодии нужно первым делом лечить от стресса, а не проводить дорогие инвазивные процедуры, вроде ЭКО. И я его понимаю. Уменьшение стресса не вызывает побочных эффектов и не порождает каких-либо этических или религиозных проблем, касающихся искусственного оплодотворения.

БЕРЕМЕННОСТЬ

Катание на «американских горках» гормонов

Сотворение малыша внутри вас — это одно из величайших чудес в жизни, и оно требует значительного изменения гормонального баланса. Во время беременности и в период после родов мы видим самые существенные колебания гормонов, которые женщине доводится испытать в своей жизни. Различные гормоны играют важную роль в этой трансформации, и понимание того, что происходит в вашем организме, поможет вам справиться с этими изменениями.

Эстроген и прогестерон — это два наиболее значимых гормона во время беременности, и в этот период они оба вырабатываются в изобилии. Однако первый гормон, который вступает в игру, — это *хорионический гонадотропин чело-*

века (ХГЧ), он вырабатывается только в начале беременности и больше никогда. Именно ХГЧ стимулирует яичники на выработку большего количества эстрогенов и прогестерона, и именно наличие ХГЧ выявляют в домашних тестах на беременность.

По мере прогрессирования беременности плацента сама начинает производить большое количество эстрогена и прогестерона, и в этот момент доля ХГЧ снижается, поскольку он больше не нужен. Эстроген подготавливает матку для принятия оплодотворенной яйцеклетки, а грудь для кормления. Кроме того, он регулирует производство прогестерона.

Прогестерон выстраивает стенку матки таким образом, чтобы она могла поддерживать плаценту. Он также помогает снизить произвольные сокращения. С помощью обоих этих способов он не дает матке спонтанно выкинуть плод.

Гипофиз вырабатывает гормон пролактин, который необходим для производства молока и кормления. Как и в других случаях, именно баланс между различными гормонами необходим для гармоничного выполнения функций организма. Эстроген и прогестерон не дают пролактину начать производство молока до рождения малыша. После рождения уровень эстрогена и прогестерона резко падает, что дает пролактину возможность начать производство молока.

Окситоцин — это гормон, который выполняет ряд значимых функций. Он активно участвует в управлении родовыми схватками. И препарат окситоцина врачи используют, чтобы искусственно вызвать роды. Но этот гормон также связан с приятными ощущениями. Иногда называемый химикатом ласки, этот гормон, похоже, лежит в основе социальных привязанностей в целом и является важным фактором привязанности матери к своему ребенку. Окситоцин, вырабатываемый в мозге во время сексуального возбуждения и оргазма, вырабатывается и тогда, когда вы кормите младенца грудью. Это помогает установить доверительные и приятные взаимоотношения между матерью и ребенком. Исследователи израильского Университета Барилан выяснили, что увеличение количества окситоцина в крови беременных женщин служит индикатором сильной связи между матерью и младенцем после рождения, измеряемой взглядами, прикосновениями и словами.

«Мамулин мозг»: существует ли он? И минус это или плюс?

Я знал одну женщину, которая за свою жизнь лишь дважды попадала в аварию. И оба раза тогда, когда была беременной каждым из двух ее детей. Она объясняла это так: «Я просто не могу вести автомобиль, когда я беременна».

Многие беременные женщины утверждают, что им кажется, будто с их мозгом происходит много странных вещей. Они становятся забывчивыми, поэтому им трудно вести разговор или вспомнить, положили ли они соду в смесь для кекса.

Одни исследователи высмеивают идею о «мамулином мозге», однако множество других исследователей и женщины по всему миру утверждают, что это такое же реальное явление при беременности, как и вздутие живота. Действительно, после анализа проведенных научных исследований Американская психологическая ассоциация пришла к выводу, что 50–80% женщин сообщают о снижении концентрации внимания и памяти в период беременности. Некоторые ученые пришли к парадоксальному выводу о том, что часть этих «симптомов» говорит об изменениях в мозге, которые в итоге подготавливает женщин умнее и лучше к поддержанию здоровья и безопасности своего ребенка. Переизбыток половых гормонов готовит мозг к материнству: делает женщину чувствительным и эффективным опекуном — она меньше реагирует на стресс и больше нацелена на удовлетворение потребностей своего младенца.

Психолог Лаура М. Глинн высказывает предположение о том, что это объясняет, почему матери, услышав шевеление ребенка, тут же просыпаются, тогда как их отцы продолжают безмятежно спать. Глинн также сообщает: когда плод шевелится в утробе матери, возрастают ее сердечный ритм и проводимость кожи, что служит признаками эмоционального отклика. Это может связать мать с ребенком еще до его рождения. Фетальные клетки входят в кровь матери через плаценту. «Можно предположить, что эти клетки притягиваются определенными областями ее мозга», — говорит Глинн. Таким образом плод влияет на мозг своей матери, готовя ее к тому, чтобы она любила его.

Благодаря фМРТ было сделано одно удивительное открытие — мозг женщины может уменьшаться в объеме в течение третьего триместра беременности. Анестезиолог Анита Холдкрофт обнаружила, что мозг беременных женщин сокращается в среднем на 3–5%. Однако это открытие значит больше, чем кажется на первый взгляд. Доктор Луанн Бризендин объясняет, что уменьшение мозга, похоже, не является результатом потери его клеток. Мозг уменьшается в размерах из-за изменений в клеточном метаболизме. Это показатель того, что цепи мозга находятся в процессе реструктуризации и будут изменены с «однополосной автомагистрали» на «автостраду». Притом мозг уменьшается неравномерно. Некоторые очень важные его участки растут.

Не беспокойтесь: через несколько недель после родов мозг начинает снова разрастаться и обычно возвращается к нормальному размеру в течение 6 месяцев. Он снова становится больше, а также лучше, потому что сохраняется его усовершенствованная схема. В исследованиях на животных было выявлено, что крысы-матери лучше обучаемы и менее пугливы, а следовательно, лучше обеспечивают свою семью по сравнению с самками, которые не дали приплод.

Исследователь Крейг Кинсли сообщил в 2011 году, что его испытуемые матери оказались устойчивыми к стрессу и отличались хорошей памятью и другими когнитивными способностями. Кинсли объясняет это тем, что материнский мозг претерпевает революционные изменения. Поначалу он похож на хаотичную стройплощадку, и этим могут объясняться спутанность мышления и другие симптомы «мамулиного мозга». Однако после рождения ребенка и начала изменения и организации нейронов мозг становится эффективнее и целенаправленней. Происходит его трансформация из эгоцентричного центра в опекуна, ориентированного на других.

Вот один пример этого значимого изменения: в начале беременности обонятельная система изменяется, и женщина становится более чувствительной к запахам. Считается, что это делает ее восприимчивой, в частности, к запаху пищи, которая может быть вредной для нее и для растущего внутри ее ребенка, а это ключевой механизм выживания. Интересно, что эти перемены в ее обонянии на самом деле заставляют ее любить запахи, выделяемые ее ребенком, даже запах его испражнений. Все это часть процесса привязанности, который опирается на ряд неврологических изменений, происходящих в мозге матери.

Кинсли указывает на то, что процесс формирования привязанности, который призван повысить выживаемость следующего поколения, всегда приводит к позитивным изменениям у матери, в том числе к улучшению у нее пространственной памяти и способности к обучению. И, исходя из результатов исследований на животных, можно сказать, что эти изменения являются, по сути, постоянными и долговременными, сохраняясь и в пожилом возрасте.

Итак, установлено, что мозг матери уменьшается в ходе «перепрограммирования», но при этом очень значимые его участки развиваются. И эти области напрямую связаны со способностью матери заботиться о своих малышах. По данным обзора специальной литературы, проведенной Американской психологической ассоциацией, основные изменения, очевидно, касаются увеличения размера среднего мозга.

В ходе исследований на людях Пильонг Ким, работающая сейчас в Национальном институте психического здоровья в Вифезде, штат Мэриленд, сканировала мозг впервые родивших матерей через несколько недель после родов и затем повторно спустя 3–4 месяца. Ее выводы согласуются с полученными ранее результатами исследований на животных: происходило увеличение размеров гипоталамуса, лобной коры и миндалевидного тела. По словам Ким, эти области мозга отвечают за мотивацию и вознаграждение. Она пришла к выводу, что увеличение их объема имеет существенное значение — мотивирует мать ухаживать за своим ребенком и позволяет ей чувствовать себя вознагражденной за свое общение с ним, особенно за визуальный контакт и улыбку. Действительно, матери, у которых названные области увеличились сильнее, с большим энтузиазмом оценивали своих детей как особенных, красивых, идеальных и совершенных. Эти участки мозга связаны с планированием и предвиденьем. Они помогают матери понимать потребности ребенка и создавать планы, которые необходимы для заботы о нем.

Это и есть основа «материнского инстинкта» с его любовью, обаянием, беспокойством и необходимостью защищать. Все это помогает матери планировать посещение врача-педиатра в середине своей загруженной рабочей недели, сидеть в приемной и внимательно наблюдать за всеми, кто проходит мимо, готовить перечень вопросов, которые нужно задать врачу, и в нужное время залезть в свою сумку, наполненную закусками и игрушками.

Но если это так, то почему во время беременности и после родов возникает затуманенность сознания? Некоторые предполагают, что это происходит из-за недостатка сна. Но Ким, сама молодая мама, выдвигает идею о том, что это связано с изменением приоритетов. «Мы ясно демонстрируем, что матери очень хорошо помнят все, что касается их детей. Происходит много всего, и матери могут забывать о том, что не связано с их новорожденными детьми. В действительности все зависит от того, что нам действительно необходимо запомнить».

Всесторонний анализ имеющихся исследований был составлен Кэтрин Эллисон и представлен в ее книге «Мозг мамы: материнство делает нас умнее». Она — журналистка и лауреат Пулитцеровской премии. Кэтрин задействовала свое мастерство поиска информации на эту тему после того, как заметила изменения в себе в результате ее собственных двух беременностей. Эллисон приходит к выводу: «Мозг изменяется, когда вы становитесь матерью. Он становится эффективным, внимательным, мотивированным и сострадательным — а эти навыки полезны на рабочем месте. Это отнюдь не недостаток, как принято считать в нашем обществе, а великая ценность».

Таким образом, оказывается, «мамулин мозг» действительно существует. Но это, скорее, не проблема, а чрезвычайно полезная штука для женщины. Преобразования в мозге женщины могут быть призваны подготовить ее к тому, чтобы быть хорошей, спокойной, эффективной мамой, и эти изменения могут быть полезны ей всю ее жизнь. По-видимому, небольшая затуманенность сознания служит прелюдией к новому уровню внимания и разумных действий. Материнство требует многих жертв, но этот процесс вносит и существенный вклад в материнский мозг.

Здоровая беременность: что делать

В течение 30 лет я говорю о том, что всем нам нужно сделать, чтобы иметь здоровый мозг. И, конечно, то, что хорошо для мозга, полезно и для тела. Если вы беременны, то все, что на благо вашему мозгу и телу, идет на благо и маленькому существу, которое растет внутри вас. Старательно следуйте программе этой книги.

Физические упражнения. В старые времена к беременным женщинам относились так, будто они больны. Часто их предупреждали о том, что физическая активность им не рекомендуется. Так было еще в 50–60-х годах. Сегодня многие женщины занимаются физкультурой как сумасшедшие и не отказываются от нее, когда беременеют. Они хотят оставаться в хорошей физической форме. Женщины думают, что им будет легче перенести беременность и сам процесс родов, если они будут оставаться активными и здоровыми. И научные исследования поддерживают их в этом. Исследования, проведенные в политехническом институте Мадрида, убеждают, что умеренные физические нагрузки во время беременности оказывают благоприятное воздействие на здоровье матери и ребенка. Исследователи также обнаружили, что физические упражнения помогают снизить тенденцию, согласно которой у полных матерей рождаются чересчур упитанные младенцы. Новорожденные с избыточным весом сталкиваются с большими осложнениями при рождении и больше подвержены риску развития заболеваний во взрослом возрасте (например, диабета и некоторых видов рака). В ходе исследования было выявлено, что у матерей с лишним весом, которые во время беременности занимались физкультурой, рождались младенцы с нормальной массой тела.

Физические упражнения помогут вашему телу пройти через некоторые изменения, которые оно переживает. Например, поддерживать хорошую осанку, уменьшить боли в спине и другой дискомфорт. Двигательная активность снижает стресс и повышает вашу выносливость, что позволит вам легче пройти через роды. Как показывают некоторые исследования, женщины, которые занимаются спортом, имеют меньше шансов получить гестационный диабет — временную форму диабета, которая развивается у некоторых женщин во время беременности.

Если у вас был план тренировок до наступления беременности, вы можете изменить его по мере необходимости, чтобы не перенапрягаться вам с вашим ребенком. Не позволяйте вашему пульсу подниматься выше 140 ударов в минуту во время тренировок. Когда вы очень устали и задыхаетесь, вы можете поставить под угрозу снабжение кислородом вашего ребенка, поэтому прекратите занятия. Если вы не занимались физическими упражнениями, но хотите начать, начните медленно и наращивайте нагрузки постепенно. Пейте достаточное количество воды и не занимайтесь в жару. Не участвуйте в контактных видах спорта, не бегайте по пересеченной местности и не делайте ничего такого, в результате чего вы можете упасть. Можно даже работать с отягощениями для поддержания тонуса, но не поднимайте ничего тяжелого над головой. В основном полагайтесь на здравый смысл, чтобы ваши упражнения помогали вам сохранять форму и не вредили вам или вашему ребенку.

Существуют определенные медицинские условия, при которых физические упражнения во время беременности нецелесообразны, поэтому проконсультируйтесь с вашим врачом. Но если врач говорит, что все нормально, физические упражнения могут принести вам много пользы.

Как показывает обзор литературы, сексуальная активность во время беременности не наносит вреда плоду при отсутствии факторов риска, таких как венерические заболевания. Некоторые исследования свидетельствуют об одном из преимуществ секса, особенно на поздних стадиях беременности: он, похоже, предотвращает ранние роды.

Чего следует избегать

Не игнорируйте свой вес. Очень важно поддерживать оптимальный вес во время беременности: нельзя позволять себе набирать лишние килограммы. Вы знаете сами все проблемы здоровья, связанные с ожирением. Но знаете ли вы, что вы можете передать все эти проблемы вашему будущему ребенку?

Мы говорили, что у матерей с избыточным весом чаще рождаются дети с избыточным весом, которые потом страдают от ожирения в зрелом возрасте. У таких матерей, кроме того, дети чаще страдают СДВГ. Постарайтесь следовать принципам здорового питания, которые мы только что рассматривали.

Не курите. Когда вы курите, вы не только внедряете в собственный организм яд, который передается ребенку внутри вас, но и сокращаете поступление к нему кислорода. Результаты могут быть разрушительными. Согласно недавнему исследованию, которое появилось в журнале *British Journal of Psychiatry*, у женщин, куривших во время беременности, рождались дети, которые были подвержены высокому риску появления психотического поведения в подростковом возрасте. В другом исследовании на основе опытов на животных было выявлено, что курение во время беременности дает потомство, у которого нарушено воспроизводство миелина (жировой оболочки, которая защищает нервные волокна). Без этой оболочки импульсы не передаются должным образом. Исследователи пришли к выводу, что это, возможно, объясняет тот факт, что матери, которые курят, нередко рождают детей со склонностью к СДВГ, аутизму, злоупотреблению наркотиками и целому ряду психических расстройств.

Курящие матери имеют больше осложнений беременности и могут родить преждевременно. У их новорожденных часто оказывается очень низкий вес, а когда они подрастают, у них бывают такие физические симптомы, как астма, синдром внезапной смерти младенцев, колики и респираторные инфекции. Курение — это ужасная вещь как для вас, так и для вашего ребенка.

Воздерживайтесь от алкоголя. Бросая курить ради ребенка, следует воздерживаться и от употребления алкоголя. Злоупотребление алкоголем у беременных может привести к врожденным дефектам и фетальному алкогольному синдрому у их детей. Это также связано с поведенческими проблемами в детстве. Но значит ли это, что нужно вообще отказаться от алкоголя? Да, некоторые врачи говорят, что надо полностью отказаться от алкоголя. Я согласен: он не приносит никакой пользы ни вам, ни вашему ребенку.

Не употребляйте медпрепараты. Если вы курите и пьете, то это же делает и ваш ребенок. Если вы принимаете рецептурные лекарства, обсудите вашу беременность с врачом, чтобы посмотреть, стоит ли изменить их дозировку. А если вы принимаете успокоительные средства, то, пожалуйста, прекратите это делать, иначе ваш малыш, возможно, будет расплачиваться за это всю свою жизнь.

А как насчет кофеина? Имеются свидетельства того, что чрезмерное потребление кофеина тоже рискует привести к врожденным дефектам, преждевременным родам (а в некоторых исследованиях и к выкидышам). Вы ведь знаете, как начинает биться сердце, когда вы употребляете много кофеина? Ну что ж, сердце вашего ребенка тоже начинает учащенно биться. Одни врачи говорят, что следует полностью исключить кофе при беременности (в том числе скрытый кофеин в газированных напитках, шоколаде и в *Excedrin*). Другие врачи говорят, что менее 150 мг кофеина в день — это нормально (это около полутора чашек кофе). Чашка зеленого чая может быть очень вкусной и полезной, и в ней всего 40 мг кофеина. Все же я рекомендую, на всякий случай, полностью отказаться от кофеина. Это небольшая жертва, но она может означать многое для здоровья вашего ребенка.

С осторожностью пользуйтесь мобильным телефоном. В течение многих лет некоторые ученые предупреждали о том, что излучение мобильного телефона может привести к повреждению мозга, но требовались дополнительные исследования. Сейчас они проводятся. В частности, недавние эксперименты на мышах в Йельской медицинской школе предоставили первые доказательства того, что воздействие излучения мобильных телефонов на эмбрионы меняет их поведение во взрослом возрасте. Мыши, которые подвергались воздействию этого излучения в утробе матери, отличаются гиперактивностью и проблемами с памятью. Прежде чем делать окончательные выводы, необходимы исследования на людях, однако исследователи заявили, что желательно ограничить воздействие этого излучения на эмбрион.

Пусть ваш партнер убирает кошачий помет. В кошачьем помете часто содержится распространенный паразит *Toxoplasma gondii*. Помимо кошачьих фекалий, токсоплазма передается через недоваренное мясо и немытые овощи, и если перейдет от матери к ребенку, то может привести к мертворождению или повреждениям головного мозга. В одном недавнем международном исследовании, учитывавшем показатели более

45 000 женщин, было выявлено, что воздействие этого паразита делает женщин склонными к самоубийству. Мытье рук при работе с отходами животного происхождения необходимо для вашего здоровья, и особенно во время беременности.

Я знаю, что вам может показаться, что ради ребенка придется отказаться от многого (помимо отказа от уборки кошачьего туалета, что не должно составить труда), но лучше родить здорового ребенка и быть здоровой самой, а также иметь возможность лучше заботиться о своей семье и решать многие другие проблемы, с которыми все мы сталкиваемся каждый день.

Эмоциональная связь: она начинается раньше, чем вы думаете

Многие женщины говорят об особой привязанности, которую они чувствуют по отношению к своим детям. Существуют научные доказательства, которые не только подтверждают это, но и показывают, что такая привязанность начинается на очень ранней стадии.

Лаура Глинн объясняет, что, подобно тому, как плод влияет на развитие мозга матери, приходит и обратное влияние. Внутриматочные сигналы воздействуют на развитие структур мозга плода, а также на его когнитивные функции и регулирование физиологического стресса, что будет сказываться на ребенке в его дальнейшей жизни.

Например, исследования, проведенные на факультете сестринского дела Университета Пенсильвании, указывают на то, что агрессивное поведение в зрелом возрасте отчасти может быть объяснено влиянием среды в утробе матери. В частности, предродовое и послеродовое воздействие токсичных элементов, например табачного дыма или свинца, и недостаточное питание матери ассоциированы с делинквентным[1] поведением в подростковом возрасте и с по-

[1] Значит «отклоняющееся поведение» — в негативном плане. — *Прим. ред.*

следующими проявлениями насилия во взрослом возрасте. Дополнительными факторами риска являются материнская депрессия и стресс, коррелирующие с осложнениями при родах, черепно-мозговыми травмами и жестоким обращением с детьми.

Исследование, проведенное учеными из Университета Кардиффа, Лондонского Королевского колледжа и Университета Бристоля, выявило, что материнская депрессия до рождения ребенка связана с последующим появлением у него склонности к насилию. Дети женщин, переживших депрессию во время беременности, имеют в 4 раза большую вероятность стать агрессивными в 16 лет. Это касается как сыновей, так и дочерей. Каким-то образом депрессия матери создает химическую среду в ее утробе, которая предрасполагает ее детей к проявлению агрессивного поведения в дальнейшей жизни.

Во время беременности между вами и вашим ребенком открыты линии коммуникации и взаимного влияния, и то, что вы ему передаете, может иметь непредсказуемые последствия для младенца и его дальнейшего развития. Если у вас есть какие-то эмоциональные расстройства или проблемы с любой зависимостью, не игнорируйте их. Обратитесь за помощью сейчас, и вы сможете изменить к лучшему ход будущей жизни вашего ребенка.

ПОСЛЕРОДОВОЙ ПЕРИОД

Депрессия и психоз

Во время беременности организм женщины переполнен гормонами. Затем рождается ребенок, и это сопровождается внезапным крупным сдвигом в ее гормональном балансе. Уровень всевозможных эстрогенов и прогестеронов резко падает. Такого резкого изменения самого по себе уже достаточно, чтобы вогнать человека в панику. Однако добавьте к этому нарушение сна ради ухода за новорожденным, стресс от незнания, что нужно делать, озабоченность по поводу того, что вы недостаточно хорошая мать (особенно если это первый ребенок), и совершенно новую динамику семейных отношений — и вы получите все предпосылки для негативной эмоциональной реакции.

Если эта реакция не очень экстремальная и длится недолго, мы называем это послеродовой депрессией. Она возникает у 45–80% женщин в течение первых 10 дней после родов. Симптомы включают депрессию, приступы плача, нарушение сна, аппетита и, пожалуй, самое печальное — отчуждение от своего ребенка. Обычно эти симптомы исчезают после восстановления гормонального баланса, и состояние нормализуется.

Но иногда симптомы не проходят, и послеродовая депрессия развивается. Это происходит примерно в 10–15% случаев. А среди матерей-подростков это явление распространено еще больше, здесь эти цифры доходят до 26–32%. Это состояние очень огорчает мать, ребенка и всю семью. Серьезные симптомы появляются приблизительно через 4 недели после родов, хотя иногда они возникают впервые даже месяцы спустя. В один день все вроде бы нормально, а затем земля вдруг уходит из-под ног, и маме начинает казаться, что она уже не может ни с чем справиться.

Еще более серьезным является очень редкое заболевание — послеродовой психоз. Он встречается в 1–2 случаях на тысячу родов. Здесь симптомы действительно экстремальные и могут привести к самоубийству или детоубийству.

Существует ряд факторов, способствующих послеродовой депрессии, хотя точная причина пока не установлена. В той степени, в какой в это вовлечен гормональный дисбаланс, может помочь все, что способно помочь женщине вести здоровый образ жизни, правильно питаться, высыпаться и избегать токсинов. Кроме того, позитивный эффект могут дать сведение к минимуму стресса и поддержка со стороны родственников и друзей. В это трудное время следует избегать изоляции.

Обратитесь за профессиональной помощью, если симптомы не начнут исчезать после 2 недель или если они мешают вам работать, затрудняют уход за собой либо ребенком, или если у вас появились мысли нанести вред себе либо ребенку. Следует сдать анализ на гормоны щитовидной железы (а также другие необходимые анализы). Могут помочь физические упражнения, простые биологически активные добавки согласно вашему типу мозга (см. главу 6), гормональная терапия, антидепрессанты.

Нельзя игнорировать эту проблему, потому что она влияет не только на вас, но и на вашего ребенка и мужа. У детей, матери которых имеют невылеченную послеродовую депрессию, может возникнуть нарушение эмоциональной привязанности и появятся проблемы в дальнейшей жизни. У них часто возникают трудности с приемом пищи и сном, они могут быть гиперактивными и закатывать истерики, и у них может возникнуть задержка в развитии речи. Невылеченная депрессия может длиться до года или дольше и даже привести к хронической депрессии, а позже — и к тяжелой депрессии. Так что не отмахивайтесь от этого состояния, считая его обычным.

Поколения со здоровым мозгом: раскройте потенциал мозга вашего ребенка

Теперь, когда вы сделали все что можно для того, чтобы ваш мозг находился в оптимальном состоянии для вашего блага и ради вашего ребенка, пора подумать, что вы можете сделать, чтобы сохранить мозг своего ребенка в хорошей форме.

1. Берегите свой мозг и ваши отношения с отцом ребенка. Многие женщины игнорируют свои собственные потребности и любовные отношения в пользу заботы о детях, но это ошибка. Конечно, вы должны позаботиться об основных потребностях детей, но если вы будете пренебрегать вашими собственными, то ваше несчастье проявится вовне и повлияет на развитие детей.

2. Создайте совершенную окружающую среду, наполненную вниманием, зрительным контактом, прикосновениями и игрой. Нужное количество стимуляции помогает развиваться мозгу ребенка. Пение, музыка, игрушки и движение очень важны для него.

3. Передавайте свои привычки здорового питания. Дети, как правило, питаются так же, как их матери. По данным исследования Мичиганского университета, малыши менее склонны употреблять необходимое количество фруктов и овощей, если их матери не делают этого. А мы знаем, что пищевые предпочтения, установившиеся в детстве, сохраняются на протяжении всей жизни. Все, что хорошо для вас, хорошо и для вашего ребенка. Ешьте сбалансированную пищу с небольшим количеством белка, обилием свежих фруктов и овощей, умеренным количеством здоровых жиров (дети нуждаются в них, чтобы содержать свой мозг в оптимальной форме), минимумом обработанных продуктов, сахара и кофеина.

4. Начните вводить здоровое питание на ранних этапах жизни ребенка. После того как нашей дочери Хлое исполнилось 2 года, мы с ней начали играть в «Игру Хлои». Игра основана на очень простом вопросе: «Хорошо ли это для моего мозга или плохо?» Например, если я говорил: «Авокадо», она обычно отвечала: «Супер!» Если я говорил: «Печенье», она отвечала: «Плохо. Избыток сахара». Если я говорил: «Бокс», она отвечала: «Очень плохо. Наш мозг слишком мягкий, чтобы заключать его в шлем и биться им о других людей». Если я говорил: «Черника», она спрашивала: «Дикая? Черника содержит больше пестицидов, чем любая другая ягода. Но если она дикая, тогда все отлично».

Однажды, когда Хлое было 7 лет, мы пошли в Диснейленд. И когда мы стояли там в очереди на аттракцион «Пираты Карибского моря», мы с ней написали список тех вещей, которые полезны и вредны для мозга. Мы стали придумывать слова по алфавиту. Это отличное упражнение для детей, чтобы побудить их думать о мозге. Например:

Полезно

- *Абрикосы*
- *Авокадо*
- *Арифметика*
- *Бадминтон*
- *Бананы*
- *Баскетбол*
- *Бейсбол*
- *Бобы*
- *Болгарские перцы*
- *Боулинг*
- *Брокколи*
- *Корица*
- *Миндаль*
- *Миндальное молоко*
- *Морковь*
- *Объятия*
- *Огурцы*
- *Проявления творчества*
- *Рисование*
- *Сотрудничество*
- *Танец*
- *Уничтожать АНЕМы*
- *Цветная капуста*
- *Яблоки*
- *Ягоды*

Вредно

- *Алкоголь*
- *АНЕМы*
- *Беспокойство*
- *Бокс*
- *Гнев*
- *Запугивание*
- *Злоупотребление чем-либо*
- *Леденцы*
- *Наркотики*
- *Негативное отношение*
- *Печенье*
- *Плохое поведение*
- *Пончики*
- *Сахарная вата*
- *Слишком быстрое вождение*
- *Травмы головного мозга*
- *Чрезмерная властность*

Посмотрите весь список Хлои.

5. Тренируйтесь, но защищайте себя от травм мозга. Статистика пугает. Знаете ли вы, что каждые 15 секунд в Соединенных Штатах кто-то получает черепно-мозговую травму? Такие данные приводит Американская ассоциация по изучению черепно-мозговых травм. Травма головы, даже такая, которую считают мягкой, связана с агрессивным поведением, депрессией, проблемами с учебой, приступами паники, алкоголизмом и наркоманией в более поздние периоды жизни. До 70% травм влияют на лобную кору, которая связана с планированием, принятием решений и контролем над импульсами. Повреждение лобных долей может привести не только к трудностям в обучении, но и к проблемам в управлении эмоциями и трудностям при чтении, а также к неадекватному реагированию на сигналы общества.

Травмы мозга бывают разной степени. Очевидно, что травма, которая приводит к потере сознания, — это тяжелая травма, требующая немедленного внимания. Но ряд мелких травм тоже может привести к серьезным последствиям. Повторяющиеся падения, удары по голове или повторяющиеся удары или сотрясения мозга при игре в американский или европейский футбол могут со временем быть такими же сокрушительными, как и один сильный удар.

Получается, что, когда дело доходит до степени тяжести симптомов после травмы головного мозга, то девушки находятся в невыгодном положении. Если говорить про самые тяжелые травмы головного мозга у детей младше 10 лет, то, увы, девочки умирают от таких травм в 4 раза чаще мальчиков. Считается, что высокий уровень тестостерона у мальчиков защищает их мозг, наращивая мозговую массу так же, как он укрепляет и усиливает их мышцы. А эстроген у девочек делает их восприимчивыми к травмам. Интересно, что какой бы ни была причина этой разницы, во взрослой жизни все меняется с точностью до наоборот. Получив довольно сильную черепно-мозговую травму в 50–70 лет, женщины имеют вдвое больше шансов выжить, чем мужчины.

Необходимо защищать развивающийся мозг. Конечно, детям следует носить шлемы при езде на велосипедах, и они не должны висеть вниз головой на рукоходах, расположенных над бетонной плитой. Подумайте и о травмах, которые возможны в процессе занятий совместным спортом. Для любого ребенка вредно заниматься контактными видами спорта, где участники могут столкнуться головами или получить удар по голове. Американский и европейский футбол не безопасны ни для чьего мозга, не говоря уже о мозге детей.

Раньше футбол в первую очередь был уделом мальчиков, но сегодня такими видами спорта все больше начинают заниматься девушки, а, как мы уже видели, их мозг уязвимее.

Летающие футбольные мячи являются реальной угрозой. Подсчитано, что после мощного удара мяч может ударить по голове игрока с силой 87,5 кг! Теперь подумайте о чувствительном маленьком черепе вашей дочери и о драгоценном мозге, который находится под ним. Девочка встречает этот снаряд своими лобными долями, которые ей понадобятся в дальнейшей жизни, чтобы стать хорошей матерью вашим внукам, когда они появятся.

И даже чирлидинг, который раньше был довольно безопасным веселым видом активности, становится потенциально очень опасным, поскольку превращается в экстремальный вид спорта. Теперь девушек словно летчиц подбрасывают в воздух, и если они неудачно приземляются, у них могут возникнуть опасные травмы.

Есть много здоровых, приятных видов спорта, которые не ставят под угрозу здоровье мозга вашей дочери и ее будущее. Теннис, пинг-понг (мой личный фаворит), плавание, баскетбол, волейбол — все это замечательные способы физической активности для растущего организма. Наконец есть балет и другие виды танца. Побуждайте вашу дочь заниматься с удовольствием тем, что полезно для нее.

6. Устраняйте сразу любые эмоциональные проблемы или проблемы с обучением. Если вы подозреваете, что у вашего ребенка есть поведенческие, эмоциональные проблемы или проблемы с обучением, проверьте его. Не устраненные вовремя небольшие проблемы могут обернуться серьезными. Раннее лечение способно пресечь трудности в зародыше и изменить весь ход жизни вашего ребенка. Иногда все, что нужно, — это изменение образа жизни или использование натуральных пищевых добавок. Чем раньше вы станете применять программу оздоровления мозга для своего ребенка, тем лучше. И следует начать с консультаций с лечащим врачом вашего ребенка. Расскажите ему о том, что вас беспокоит.

Помогите своей дочери-подростку: оберегайте ее, пока ее лобная кора не заработает полноценно!

Теперь, когда вы благополучно прошли с дочкой через ее детство, появляется следующее препятствие — подростковый возраст. Вот когда ваша девочка превращается в строчащего эсэмэски, постящего в твиттер, закатывающего глаза подростка и вдруг понимает гораздо больше вашего и у нее нет ни времени, ни желания слушать ваши советы. Однако без полноценно функционирующей лобной коры принимаемые ею решения могут немного пугать.

Кора лобных долей — это руководитель мозга, центр анализа, планирования и контроля импульсов, но она развивается одной из последних. Значит, девушка, которая учится водить машину, которая собирается на свидания и которая сталкивается со всякого рода новыми ситуациями и искушениями, пока не использует весь потенциал той части своего мозга, что позволяет предвидеть последствия, контролировать сильные эмоции и соотносить краткосрочное удовольствие и долгосрочные цели.

Эта часть мозга развивается полностью только ближе к 25 годам. Таким образом, еще примерно в течение 10 лет ваша дочь может совершать поступки, о которых позже будет сожалеть. А это плохо, потому что подростки особенно уязвимы для травм мозга, ставших следствием их рискованного поведения.

Злоупотребление амфетамином. Данные, представленные Обществом по изучению нейробиологии, указывают, что злоупотребление амфетамином в подростковом возрасте «навсегда изменяет клетки головного мозга». По данным исследований на животных, изменения электрических свойств клеток коры головного мозга происходит после воздействия наркотиков именно в подростковом возрасте. Другие исследования показывают, что у взрослых крыс, подвергшихся воздействию амфетамина в подростковом возрасте, были выявлены нарушения кратковременной памяти. Теперь выясняется, что изменение когнитивного поведения может быть отчасти результатом изменения функции нейронов коры лобных долей из-за воздействия амфетаминов, которые нарушают нормальный процесс развития головного мозга.

Курение сигарет. Исследователи из Калифорнийского университета изучили функционирование мозга у курильщиков-подростков, ориентируясь на лобную кору. Они обнаружили, что чем больше подросток был зависим от никотина, тем менее активной была у него кора лобных долей. Они пришли к выводу, что курение влияет на функции мозга, и лобная кора особенно уязвима, потому что подростковый возраст — это критический период для ее развития.

Марихуана. Ученые из Университета Цинциннати пришли к выводу, что мозг подростков, употребляющих марихуану, работает медленнее, чем мозг их сверстников, которые не употребляют этот наркотик. По мнению ведущего исследователя Кристы Медины: «Хроническое употребление марихуаны в подростковые годы — значимый период продолжающегося развития мозга — связано с низкой производительностью при выполнении задач на мышление, включая уменьшение психомоторной реакции и ухудшение комплексного внимания, вербальной памяти и способности к планированию». Ее открытия также свидетельствуют, что, хотя через три недели после начала воздержания от наркотиков может наступить частичное восстановление функций вербальной памяти, существуют долговременные последствия этой наркотической зависимости, поскольку «продолжается влияние на навыки комплексного внимания». Она также обнаружила, что по сравнению с мальчиками у девочек чаще возникают когнитивные проблемы, в том числе слабое проявление организаторских навыков и пониженная способность планировать, принимать правильные решения и оставаться сосредоточенной.

Нарушения питания. Еще одна большая проблема, с которой сталкиваются сегодняшние девочки, — это растущий уровень ожирения и пищевых расстройств — оба эти фактора могут помешать правильному функционированию мозга. Ваши взаимоотношения с дочерью имеют решающее значение в плане развития у нее хороших привычек в еде, здоровой самооценки и позитивного образа тела. В исследовании, опубликованном в журнале *Archives of Pediatrics and Adolescent Medicine*, приводятся данные о том, что желание девочек-подростков следить за своим весом отчасти основано на их восприятии целей своей матери в этом отношении. Таким образом, если вы привьете им ценности поддержания нормального веса, это позитивно повлияет на них. Я думаю, мы можем также сделать вывод о том, что, если вы слишком критически относитесь к комплекции своей дочери, это может привести к нарушению у нее образа собственного тела и, возможно, даже станет толчком к появлению расстройств пищевого поведения[1].

Обращайте внимание на те послания, которые вы транслируете своей дочери. Вы не можете не осознавать их, но она воспринимает их на каком-то уровне. Следите за тем, чтобы ваше влияние было полезным для нее и для вас.

---

[1] Речь идет об анорексии (патологическом самоистязании голодом) и булимии (патологическом обжорстве), которые связаны с нарушением образа своего тела. — *Прим. ред.*

Недостаток сна. Согласно данным Американского национального фонда по проблемам сна, средняя продолжительность сна для подростков 13–19 лет должна составлять 9 часов. Много ли подростков спят столько времени? Готов поспорить, что не очень много. Однако недостаток сна нарушает регуляцию гормонов и может привести к прибавлению в весе. А это мешает концентрации и силе воли, снижает спортивные результаты и связано с депрессией и СДВГ; другими словами, разрушает все, что значимо в жизни подростков. Недостаток сна широко распространен среди подростков. Циклы сна изменяются, когда дети достигают подросткового возраста. Они становятся склонными к тому, чтобы засыпать позже и просыпаться позже. Но школьные занятия начинаются рано утром и делают невозможным компенсацию тех часов сна, что были потеряны из-за отсылки SMS-сообщений и игр в компьютерные игры в предрассветное время. Исследования на мышах свидетельствуют, что даже кратковременный недостаток сна в подростковом возрасте может помешать сбалансированному росту и истощает синапсы головного мозга (соединения между нервными клетками, через которые происходит их общение). Исследователи предполагают, что это может привести к длительным проблемам с программированием мозга. Девочки-подростки нередко убеждены, что ложиться спать рано — это «для детей», и такое убеждение может иметь длительные последствия.

Депрессия. Она может поразить кого угодно, но девочки-подростки, похоже, предрасположены к ней особенно. По сравнению со своими сверстниками, они испытывают приступы депрессии вдвое чаще. Канадский исследователь Нэнси Галамбос из Университета Альберты обнаружила, что каждая пятая девочка-подросток признается в том, что проходила через период депрессии, а среди мальчиков — только 1 из 10. Она поясняет, что депрессия связана с беспокойством, расстройством питания, деструктивным поведением, неудачами в школе и трудностями во взаимоотношениях.

Причиной могут быть гормональные изменения у девочек. Обращайте внимание на признаки депрессии, такие как капризность, изоляция и самовредительство (например, отрезание или выдергивание волос, ресниц, обгрызание ногтей), и обратитесь за помощью, если поведение девочки начинает вызывать серьезное беспокойство.

Алкоголь. Алкоголизм среди подростков является очевидной проблемой, когда это приводит к вождению в нетрезвом виде и автомобильным авариям. Последний отчет Клиники Майо указывает, что госпитализация в результате продажи пива несовершеннолетним обходится в 755 миллионов долларов ежегодно. Эксперт по зависимостям и врач-психиатр Клиники Майо Терри Шниклот говорит: «Когда подростки пьют, они, как правило, пьют неумеренно, что приводит ко многим разрушительным последствиям, в том числе дорожно-транспортным происшествиям, травмам, убийствам и самоубийствам».

Мы связываем эту тенденцию с мальчиками больше, чем с девочками, и действительно 61%, связанных с алкоголем случаев госпитализации подростков — это госпитализация мальчиков. Но получается, что 39% были девочки — тоже немалое число. Это очень беспокоит, потому что девочки сталкиваются не только с обычными опасностями, связанными со злоупотреблением алкоголем, но и с другой опасностью, которую, возможно, вы даже не осознаете. Употребляющие алкоголь девочки-подростки и молодые женщины имеют повышенный риск развития доброкачественных (нераковых) заболеваний молочных желез. Это не так уж доброкачественно, как кажется, ибо подразумевает повышенный риск развития рака молочной железы в дальнейшей жизни. И продолжающиеся исследования констатируют, что для девочек-подростков из семей с историей рака молочной железы риск еще добавляется.

Рискованное поведение в целом. Ученые из Нидерландов исследовали развитие аддитивного (зависимого) поведения. Их вывод? Зависимости чаще всего зарождаются именно в подростковом возрасте.

Нейровизуальные исследования подросткового мозга показали дисбаланс между лобной корой, управляющей импульсами, и глубинными областями мозга, связанными с мотивацией. Именно этот дисбаланс в подростковом возрасте, когда кора лобных долей еще не созрела, может быть причиной более рискованного поведения в этот период.

В ходе соответствующих исследований ученые оценивали ожидания вознаграждения[1] в группах 10–12-летних, 14–15-летних и 18–23-летних. Было обнаружено, что из всех групп именно подростки проявили наивысшую чувствительность к вознаграждению. Действительно, все выглядит для них столь многообещающе, что это, возможно, способствует их рискованному поведению.

Так что же делать маме? В то время, когда мозг вашей дочери наиболее уязвим для негативных влияний, которые могут препятствовать ее нормальному развитию, и притом она очень склонна к проявлению опасного поведения, рискуя нанести себе непоправимый вред. Как вам защитить ее?

Во-первых, ваше понимание того, что происходит под черепом вашей дочери, поможет вам во взаимоотношениях с ней. Вы ожидаете, что она будет вести себя как взрослая, и она хочет, чтобы ее воспринимали так, но теперь вы знаете, что ее мозг еще не достиг взрослого состояния. И взрослым здесь должны быть вы. Вместо того чтобы терять самообладание, видя, как она пытается вас спровоцировать, сохраняйте спокойствие и поймите, что она пока еще не повзрослела. Затем познакомьте ее с фактами, которые могут помочь ей принять обоснованные решения. Это прекрасный повод вселить в нее немного зависти к здоровому мозгу. Объясните ей, что те вещи, которые сейчас кажутся ей забавными, могут иметь негативные последствия, и помогите ей увидеть картину в целом — в том числе и то будущее, к которому она действительно стремится. Покажите ей результаты сканирования мозга,

---

[1] Речь, видимо, идет о стремлении получать быстрый приятный результат в результате каких-то действий. — *Прим. ред.*

опубликованные в этой книге и на нашем сайте, — те, что наглядно демонстрируют воздействие рискованного поведения на мозг. И начните сотрудничать с ней, заключив пакт мать–дочь, по которому вы обе работаете сообща с целью улучшить каждая свой мозг. А это подразумевает правильное питание, физические упражнения и помощь друг другу в плане избегания опасных тенденций.

Поскольку каждое поколение берет на себя ответственность за подготовку появления следующего, дар здорового мозга будет передан по наследству. И выиграем от этого мы все.

УПРАЖНЕНИЕ 11. НАСЛАДИТЕСЬ ОСОБЫМ ВРЕМЕНЕМ

Многие годы я учил будущих родителей родительским обязанностям. «Особое время» — одно из самых моих эффективных упражнений. Оно занимает всего 20 минут, но значительно улучшает ваши взаимоотношения с ребенком, укрепляет связь между вами.

Вот его суть: проведите 20 минут в день с вашим ребенком/подростком, делая что-то, что он (или она) хочет делать. В течение этого времени не командуйте, не задавайте вопросы и не выдвигайте требования. Это не время, чтобы говорить с ребенком о его грязной комнате, домашней работе или неуважении. Это время, чтобы просто быть вместе. Лучше всего практиковать это с маленьким ребенком, но можно и с детьми старшего возраста и подростками. Скажите ребенку, что вы скучаете по нему и хотите проводить больше времени с ним и что вы хотите сделать это регулярной привычкой — ежедневной, по возможности. Позвольте ребенку выбрать, что вы будете делаете вместе (если это безопасно и укладывается в 20 минут). Если вы сможете практиковать это каждый день, то заметите существенное укрепление ваших отношений спустя 2 недели.

Если у вас нет детей, практикуйте это со своим партнером. Связь между людьми продлевает жизнь и делает ее стоящей.

Глава 12

ИЗМЕНИТЕ СВОЙ ЖЕНСКИЙ МОЗГ — ИЗМЕНИТСЯ И МИР

ПОЙМИТЕ, ЧТО РЕЧЬ ИДЕТ НЕ ТОЛЬКО О ВАС, НО И О ВАШЕМ ПОТОМСТВЕ

Создание семьи и общества, имеющих здоровый мозг, — это двенадцатый шаг на пути раскрытия потенциала женского мозга.

Будьте тем изменением,
которое вы хотите видеть в этом мире.

Махатма Ганди

Недавно мы с женой выходили из церкви, и к нам подошла одна женщина. Она сказала, что похудела на 22,5 кг, следуя «Плану Даниила» (этот план оздоровления мы помогли создать в церкви *Saddleback*). Когда она стала здоровой, ее муж, который весил 150 кг, тоже похудел на 37,5 кг. Он включился в программу не с самого начала, но только увидев, какого успеха добилась его жена, решил присоединиться к ней. Жена сказала ему, что ей жаль, если его не будет рядом, чтобы насладиться прекрасным образом жизни вместе с ней. Никакого ворчания или унижения. Она показала своим примером, что лучшая жизнь возможна, если постараться.

Я надеюсь, что вы знаете из собственного опыта, что вы как человек, как женщина можете изменить свою жизнь и жизнь ваших друзей и семьи. Но давайте на минутку посмотрим на общую картину, оценим глобальную перспективу. Во всем мире женщины пытаются делать то же, что и вы: построить лучшую жизнь, изменяя себя и условия жизни вокруг себя. И когда одна женщина раскрывает потенциал своего мозга — это огромный шаг вперед на благо всех нас, мужчин и женщин, молодых и старых.

В своей замечательной книге «Половина неба» семейная чета журналистов Николас Кристоф и Шерил Вуданн описывают душераздирающие условия бедности и насилия, в которых живут женщины по всему миру. Они рассказывают удивительные истории выживания и выхода за пределы возможного, о том как храбрые, страстные женщины превратили трагедии в триумф, принеся немыслимые исцеляющие перемены себе и своим общинам.

Лидеры во всем мире понимают, что надежда мира заключается в предоставлении возможностей женщинам. Как заявил в своем послании «Женщины в 2000 году» на специальной сессии Генеральной Ассамблеи ООН, бывший Генеральный секретарь Организации Объединенных Наций Кофи Аннан: «Исследование за исследованием подтверждает, что нет стратегии развития более выгодной для всего общества — и для женщин, и для мужчин, — чем та, которая включает женщин как основных игроков».

Усилия по искоренению нищеты, предпринимаемые во всем мире, приносят свои плоды. Было установлено, что оказание женщинам помощи в развитии своего дела создает волну процветания, повышающую уровень жизни сообщества в целом. И микрофинансовые займы женщинам через банк «Грамин» (его основатель Мухаммад Юнус получил Нобелевскую премию мира за свою работу), и усилия *BRAC* (крупнейшая организация по борьбе с бедностью в мире) по спасению жизни и повышению доходов беднейших женщин, неоднократно доказывали, что женщины не только выигрывают от борьбы с нищетой, которую ради них ведут другие люди, но и сами становятся наиболее эффективными проводниками желаемых перемен.

И в самом деле, если вы посмотрите на ситуацию в мире, то можете увидеть женщин, которые стараются изменить общество. И они не только улучшают условия своей жизни, но и приносят пользу своим семьям и обществу. Женщины призывают к справедливости при уважении прав на воду и землю. Женщины выступают за совершенствование образования и здравоохранения. Они ратуют за лучшее отношение к людям, неспособным постоять за себя. И они стараются решить конфликты за счет налаживания коммуникации и понимания.

У правительств и социальных работников есть растущее осознание того факта, что, если вы хотите совершенствовать общество, нужно начать с того, чтобы дать больше власти и экономической свободы женщинам. Когда Кристоф и Вуданн в разговоре с просвещенным бывшим лидером Ботстваны Фестом Могае упомянули политически некорректное мнение о том, что женщины в Африке «как правило, работают лучше и управляются с деньгами разумнее, чем мужчины», он безоговорочно согласился: «Это точно. Женщины работают лучше. Банки первыми увидели это и стали нанимать больше женщин, и теперь все так делают. В семьях то же — женщины управляют делами успешнее мужчин».

Таким образом, тот факт, что когда женщины получают больше власти, жизнь всех людей улучшается, признается широко. Важно, чтобы и вы признали свою силу — не только для того, чтобы изменить себя, но и изменить окружающих вас людей. Женский мозг наделен состраданием и заботой. Вы умеете видеть более широкую картину происходящего и устанавливать связи. И независимо от того, стремитесь ли вы изменить качество жизни в большом мире или в своем собственном доме, вы имеете уникальную перспективу и желание, помогающие вам сдвинуть любую ситуацию. А если у вас будут подходящие инструменты, вас уже нельзя будет остановить.

СИЛА СОЦИАЛЬНОГО ОКРУЖЕНИЯ

Вы можете делать замечательные вещи по своему усмотрению, но вы способны стать еще более мощным проводником перемен, если ваши старания будут усилены возможностями вашего сообщества.

Д-р Линда Вагнер, ведущий консультант из *Marigold Associates*, говорит: «Если бы я смогла дать людям всего один совет о том, как создать перемены, я бы посоветовала им окружить себя людьми, которые олицетворяют эти перемены». Она приводит ряд конкретных причин, почему так полезно быть частью сообщества, поддерживающего перемены.

Во-первых, это дает нам зеркало, в котором мы видим себя реально, без недооценки или переоценки своих сильных и слабых сторон. Мы можем использовать эту информацию, чтобы сделать наши действия эффективными. Работа с другими, кроме того, дает нам силы выйти за рамки своих возможностей. (Это важно, если мы боимся попробовать что-то новое.) Сообщество к тому же заставляет человека выполнять то, что он обещал. Мы охотнее будем ходить каждый день в тренажерный зал или на занятия быстрой ходьбой, если у нас есть друг, который ждет нас на этих занятиях. А еще социальное окружение дает нам необходимую поддержку, когда мы падаем духом и хотим все бросить.

Многим народам известно, что перемены происходят при поддержке других. В своей книге «Вступайте в клуб: как давление со стороны ровесников может изменить мир» Тина Розенберг говорит о «социальном лечении». Она объясняет, что обычно, когда люди пытаются добиться перемен, они рассказывают об этом другим, стараясь убедить их осуществить подобные перемены. Однако социальное лечение использует и более прямой подход. Оно изменяет поведение людей, помогая им получить то, что они больше всего ценят, то есть уважение своих ровесников. Розенберг считает, что давление со стороны общества через группы ровесников — именно это она имеет в виду под клубом, — лучший способ повлиять на поведение людей. Группа ровесников является настолько сильной и убедительной структурой, что может помочь женщине воспринимать себя как новую личность — члена клуба. И в этой роли она может копировать поведение других членов клуба: «Я могу быть такой, как моя подруга, чья жизнь изменилась к лучшему».

Возможно, самый известный и успешный из таких «клубов» — сообщество «Анонимные алкоголики». «Весонаблюдатели» — еще один замечательный пример. Человек присоединяется к группе людей, имеющих те же цели, и вместе они образуют общность, которая будет оказывать давление на каждого индивида с тем, чтобы он достигал целей группы.

Исследователи дают нам некоторое представление о том, почему работа в группе может быть настолько эффективной. Во-первых, если человек является частью сообщества, это помогает ему избавиться от хронического стресса (и таким образом устраняет ключевой фактор ожирения, проблем с памятью, сердечно-сосудистой и пищеварительной системой, дисбаланса инсулина и ослабления иммунной системы). Группа поддержки помогает повысить уровень сглаживающих стресс гормонов, например окситоцина. Дружеские посиделки с близкими друзьями могут привести к ощущению эйфоричного умиротворения.

Розенберг утверждает, что недовольство, которое испытывают люди в своей жизни, чаще всего возникает из-за ощущения изоляции. Люди ищут общества и общения. Социальное лечение может подразумевать жертвование своим временем ради встреч и потерю конфиденциальности, но оно решает значимые личные проблемы и придает жизни людей смысл. Если вы станете побуждать других присоединиться к вам в ваших начинаниях, это повысит и ваши шансы на успех.

Независимо от того, решаете ли вы личные задачи, связанные со здоровьем, заботитесь об окружающей среде или же осуществляете социальные изменения, работа с другими, во-первых, умножает ваши усилия и, во-вторых, удерживает вас на вашем пути. И женский мозг особенно подходит для эффективных действий в группе. У вас отличные коммуникативные навыки, вы легко создаете связи между идеями, вы сильны в многозадачности, и вы умеете сострадать другим. Кроме того, друзья могут обеспечить реалистичную позитивную обратную связь тогда, когда у вас появляются негативные мысли, когда вы начинаете себя осуждать, и, давайте уж смотреть правде в глаза, тогда когда вы ведете себя неразумно.

Так же, как хорошая компания помогает вам не сбиться с пути, плохая компания может увести в сторону, поэтому выбирайте себе подходящую компанию. Сила общественного воздействия — это палка о двух концах. И если вы проводите время с людьми, которые несчастны, негативны или практикуют вредные привычки, то они могут толкнуть вас вниз, а не возвысить.

На сегодняшний день есть немало исследований, убеждающих, что вредные привычки могут быть заразными. Например, исследование, опубликованное в *New England Journal of Medicine*, показало, что один из сильнейших факторов, влияющих на распространение ожирения, — то, с кем вы проводите свое время. В ходе этого исследования в течение 30 лет у более чем 12 000 пациентов проверяли работу сердца. Данные таковы. Те, у кого есть страдающий ожирением приятель, имеют 57%-ную вероятность развития ожирения. А если этот человек — близкий друг, то вероятность возрастает до 71%. И подобная корреляция сохраняется, даже если субъекты живут далеко друг от друга. Взаимоотношения между родными братьями и сестрами тоже имеют большое значение. Если у детей есть братья или сестры, страдающие ожирением, это на 40% увеличивает у них риск ожирения.

Очевидно, что мы влияем друг на друга во благо или во зло. Обратите внимание на тех, кто влияет на вас. Но и воспринимайте это как мощный мотиватор, чтобы быть хорошим примером для подражания и оказывать позитивное влияние на людей, с которыми вы взаимодействуете. Ведь когда человек, который заботится о своем здоровье, оптимизирует его, здоровье его друзей тоже укрепляется. Вы можете быть тем, кто призывает других стать лучше, совершенствуя саму себя.

И чем больше вы помогаете другим, тем больше вы сможете помочь себе. Мне нравится изречение: *вы должны отдать, чтобы сохранить*. Я увидел прекрасный пример этого однажды вечером на мероприятии в своем собственном доме. Моя жена руководит группой «Клиники Амена», где женщинам помогают похудеть и стать здоровыми. Желая отметить последнее занятие сессии, Тана устроила вечеринку для членов группы. Они вели себя так зажигательно, что я не смог удержаться и присоединился к ним.

Я начал разговор с одной женщиной, которая рассказала мне, что она записалась на эти занятия, чтобы узнать, как бороться с фибромиалгией и затуманенностью сознания. В течение двух недель после начала занятий симптомы фибромиалгии исчезли, а ее сознание сильно прояснилось. Она также похудела на 5,5 кг, что и было ее целью. Она сказала, что почувствовала, как программа наших занятий изменила ее жизнь.

Я поздравил ее с прогрессом и сказал, что, для того чтобы и дальше прогрессировать, ей нужно распространять информацию об этих занятиях, уча других тому, чему она научилась сама. Она ответила, что уже начала это делать. Ее муж и дети теперь стали лучше питаться, и, вместо того чтобы делиться печеньем со своими коллегами, она стала рассказывать им о здоровой пище. Она усвоила для себя, что, когда делишься своими знаниями с другими, прочнее встраиваешь эту мудрость в свою повседневную жизнь.

Вот так вы можете стать проводником перемен. Помогая другим людям, вы существенно улучшаете свое здоровье, самочувствие, внешний вид и самоощущение, а также качество своих взаимоотношений. Это беспроигрышная ситуация для всех. И *все это начинается с вас.*

ПРАКТИЧЕСКОЕ ПРИМЕНЕНИЕ: «ПЛАН ДАНИИЛА»

Участие в «Плане Даниила» в церкви *Saddleback* было одним из самых важных моментов в моей жизни. Эта программа была специально разработана для использования возможностей сообщества и призвана помочь людям достичь здоровой, продуктивной жизни. «План Даниила» назван так в честь библейского пророка, который отказался есть вредную пищу, которую предложил ему царь. Эта программа продолжительностью 52 недели имела оглушительный успех. Одна из причин ее успешности: мы воспользовались уже сложившейся структурой церкви *Saddleback*, где тысячи людей еженедельно собираются в небольших группах. Немногие люди могут осуществить значительные изменения в одиночку. Объединение в группы увеличивает приверженность и обучение ее членов, обеспечивая им постоянное ободрение и эмоциональную поддержку. На самом деле, если человек работает в контексте сообщества, а не в одиночку, он на 50% чаще добивается успеха при похудении и укреплении здоровья.

Руководит «Планом Даниила» эксперт по фитнесу и здоровому образу жизни Ди Истман, имеющая огромный опыт организации небольших групп. Ди подчеркивает силу сообщества. Его члены наблюдают за тем, как их коллеги, которым они доверяют, выполняют эту программу, участники группы делятся информацией друг с другом и ведут неформальные беседы, помогают членам группы постоянно помнить о групповых интересах. И если у какого-то члена группы бывает неудачный день, атмосфера в группе побуждает его остановиться и подумать об этом без самоосуждения, а затем попросить поддержки, чтобы восстановить баланс своей жизни.

Ди предлагает несколько отличных советов, как сделать успешными небольшие группы. Стоит иметь их в виду, если вы собираетесь вступить в группу или создать собственную.

Будьте собой. Успех группы зависит от степени аутентичности, которую она поощряет. Члены группы всегда следуют уровню уязвимости и открытости, демонстрируемому лидером. В этой связи скорость лидера — это скорость его команды. Не чувствуйте себя так, будто вы должны вести за собой группу. Если вы просто будете женщиной, которая открыта для роста и действий в условиях сообщества, то этого будет достаточно. Вы не обязаны быть сильнейшей в группе, чтобы вести ее за собой. В центре внимания должно быть совместное объединение на открытых и честных началах, где есть общее желание расти, меняться и продолжать двигаться вперед.

Введите определенную ответственность. Каждой группе нужно решить, какой уровень ответственности допустим для ее членов. Должны быть конкретные цели, которые их вдохновляют. Участники группы не обязаны равняться на чужие достижения. Ответственность может быть реализована через выступление с отчетами на собраниях, регулярные проверки друг друга или любую другую систему, которая эффективно работает.

Сохраняйте разнообразие и актуальность материала. Не повторяйте одно и то же на каждой встрече. Разнообразьте изучаемый материал, пусть это будет новая книга, DVD, серия статей в журнале или что-нибудь еще, что актуально, информативно и вдохновляет. Предоставляйте свежий и интересный материал и таким образом, чтобы члены группы каждый раз узнавали что-то новое и значимое и их интерес сохранялся. Разнообразие — это суть жизни, когда речь идет о небольших группах!

Будьте внимательным слушателем. Участники группы должны очень внимательно слушать друг друга. Им следует стремиться к пониманию и взаимоподдержке; но не надо пытаться решать проблемы членов группы. Люди замыкаются в себе, когда их оценивают или поучают свысока. Комфортная атмосфера открытого общения способствует обмену мнениями и искренности.

Вносите свой вклад. Ваша программа должна включать способы помощи церкви, культуре или сообществу. Внешний вклад отвечает стремлению расти духовно. Передача полученных знаний расширяет возможности группы к позитивным сдвигам.

Выявляйте сильные стороны каждого. Ди говорит, что ей нравится состоять в небольших группах, потому что там легче выявить страсть и призвание каждого человека и затем создать условия, где этими талантами можно было бы поделиться с группой или с окружающим миром. Ди помогает людям проявить себя, например, просит их провести семинар или демонстрацию блюд, снять видео, написать статью и так далее. Ди всегда предоставляет людям возможности послужить в группе на благо отдельного человека и группы в целом. Она работает, чтобы стимулировать этот опыт духовного роста, и препятствует конкуренции. Ди говорит: «Мы, женщины, можем по-настоящему поддерживать других женщин — выявлять сильные стороны друг друга, предоставить другим возможность расти, чтобы все выигрывали от этого, а мы жили бы так, как должны были бы жить».

Один из самых интересных результатов «Плана Даниила» — видеть, как участники распространяют то, чему они научились, за пределы своих групп — своим семьям и общинам, тем самым эффективно продвигая здоровый образ жизни. Наблюдается колоссальный позитивный эффект домино. Ди приводит пример Хлои, которая похудела на целых 77 кг. Эта женщина не только сама стала новым человеком, но и начала делиться своими новыми знаниями, писать на темы здоровья и выпускать полезные кексы. «И они такие вкусные — попробуйте сами!» — добавляет Ди.

ВЫ ВСЕГДА СТАНОВИТЕСЬ ЛУЧШЕ, БЫСТРЕЕ, КОГДА ЗАДЕЙСТВУЕТЕ «ЧЕТЫРЕ КРУГА»

Одна из проблем, связанная с переменами, — они не всегда продолжаются долго. Вы придерживаетесь диеты до тех пор, пока не приходят праздники, и тогда вы теряете власть над собой. Вы следуете плану упражнений целый месяц, а затем начинаете пропускать некоторые дни и наконец забрасываете все.

Однако вам нужно нечто большее, чем временные изменения. Вы хотите постоянных перемен. А это требует перестройки, которая пронизывает все ваше существо и включает каждую часть вас, чтобы закрепить достигнутое. Чтобы такая перестройка произошла, необходимо использовать все «Четыре круга», о которых говорилось в этой книге (биология, психология, социальные связи и духовное здоровье).

Найдите способ внедрить перемены, которые вы хотите, в каждый из этих четырех аспектов своего существа, и тогда изменения станут постоянными. Объясните это и тем, на кого вы хотите повлиять, и они тоже добьются коренных изменений.

РАЗВИВАЙТЕ НАВЫКИ ОБЩЕНИЯ

Дабы стать проводником перемен, необходимо уметь эффективно общаться. Вот шесть рекомендаций, которые помогут вам стать хорошим собеседником:

1. Предположим, другой человек хочет поговорить с вами. Откажитесь от любого негативного отношения с вашей стороны, которое может предрасположить вас к негативному исходу вашего общения.

2. Укажите то, что вы хотите, ясным и позитивным образом. Не выдвигайте требования, которые могут быть встречены в штыки. Но не будьте настолько мягкой, чтобы ваше мнение проигнорировали. Будьте твердой, доброжелательной и уверенной в себе.

3. Устраните отвлекающие факторы и убедитесь, что вы полностью сосредоточены друг на друге.

4. Попросите ответной реакции, чтобы убедиться, что другой человек понимает вас и вы понимаете другого человека.

5. Будьте хорошим слушателем. Если вы не стараетесь понять то, что хочет сказать собеседник, то не будет никакой связи, но могут возникнуть негодование и обида.

6. Контролируйте ваше общение. Даже если вы думаете, что достигли взаимопонимания, люди склонны забывать сказанное, отвлекаться или изменять свое мнение. Если результат важен для вас, убедитесь, внедряются ли в жизнь эти изменения.

РЕЧЬ ИДЕТ НЕ ТОЛЬКО О ВАС, НО И О ВАШЕМ ПОТОМСТВЕ

Ваше поведение влияет на экспрессию генов и здоровье последующих поколений. Как американцы, мы стремимся к свободе. Нам не нравится, когда кто-то говорит нам, что нам делать, особенно если это касается наших собственных дурных привычек. Но горькая правда заключается в том, что наше поведение касается не только нас. Это в конечном счете касается нашего потомства. Когда Тана и я впервые поняли это, мы стали гораздо ответственнее относиться к своему поведению и к тому, что мы допускаем и что не допускаем в своем доме и в клиниках Амена.

В последние 20 лет появилась новая область генетики под названием «эпигенетика». «Эпигенетический» означает «сверх генов». Эпигенетика возникла в результате относительного недавнего открытия. Его суть в том, что наши привычки и эмоции могут повлиять на нашу биологию столь глубоко, что происходят изменения в генах, которые передаются и нескольким следующим поколениям.

Именно эти эпигенетические «знаки» говорят вашим генам о том, когда им следует включаться и выключаться и громко или тихо. Именно через эпигенетику такие экологические факторы, как питание, стресс, токсины и внутриутробное питание могут повлиять на наши гены, которые передаются нашему потомству.

Таким образом, речь идет не только о вас, но и о вашем потомстве. Например, недавнее исследование показало, что у мальчиков, начавших курить до полового созревания (скажем, в возрасте 11–12 лет), увеличивается риск иметь сыновей с избыточным весом. Так глупое решение, принятое в 11 лет, может привести к катастрофическим последствиям для последующих поколений. И ожирение — это только начало. Некоторые исследователи считают, что в эпигенетике лежит ключ к пониманию отдельных видов рака, форм слабоумия, шизофрении, аутизма и сахарного диабета.

В ходе своего новаторского исследования, д-р Ларс Олаф Бигрен, шведский специалист в области профилактической медицины, изучал потомков семей, прошедших через изобилие и через голод. Дети и внуки матерей, которые недоедали, чаще страдали от сердечных заболеваний. Как это ни странно, но дети и внуки мальчиков и девочек, родившихся во времена изобилия (обильного питания), прожили существенно меньше их. Похоже, переедание оказывает на последующие поколения не менее негативное влияние, чем скудное питание. В нынешнее время пищевого изобилия и эпидемии избыточного веса эти данные должны заставить нас всерьез задуматься. То, что мы едим, может повлиять на будущие поколения. И вы состоите не только из того, что вы едите, но и пожинаете плоды того, что ели ваши родители, бабушки и дедушки.

Другой значимый эпигенетический фактор — стресс. Когда будущие матери находятся в состоянии стресса, у них вырабатывается больше кортизола. Определенное количество этого гормона передается ребенку через плаценту. Гормоны повышенного стресса преждевременно настраивают мозг ребенка на гиперреакцию на последующие стрессовые события. Например, среди детей, чьи родители пережили холокост, распространенность депрессии очень высока. Научиться управлять стрессом полезно для вас и ваших детей и внуков.

ВЫСВОБОДИТЕ СИЛУ, КОТОРАЯ МОЖЕТ ИЗМЕНИТЬ МИР

Я не большой сторонник постепенных мер. Я думаю, что для того, чтобы вы стали здоровыми и сохранили это здоровье, вам необходимо сделать серьезные шаги. Тана, которая является не только моей женой, но и моим партнером — она тоже помогает людям выздороветь, — говорит, что для того, чтобы стать по-настоящему здоровым, человек должен перепрыгнуть каньон, а это невозможно сделать постепенно. Чтобы расстаться с губительным образом жизни, нужно совершить огромный скачок вперед.

Живите в соответствии со своим идеальным представлением о себе, и вы обязательно улучшите жизнь тех, кто вам небезразличен. Как женщина, вы привносите специальные навыки и таланты в каждую задачу и в каждые взаимоотношения. Высвободите эту силу, и никто не знает, как далеко распространится ваше позитивное влияние.

Вот только три совета по поводу приложения вашей удивительной силы позитивного воздействия:

Будьте позитивным примером для подражания. Ваши дети наблюдают за вами. Они копируют ваше поведение даже в тех аспектах, о которых вы не подозреваете. Например, по данным научного опроса, проведенного по заказу *CreditCards.com*, выяснилось, что самое большое влияние на респондентов в плане их финансовых знаний и способов распоряжения деньгами оказали их матери. И это влияние было не обязательно позитивным. Если мамы распоряжались своими деньгами неумело, это влияло и на их детей. И вовсе не достаточно давать советы по поводу мудрого распоряжения деньгами. На поведении детей отражались не советы, а фактическое поведение матерей в денежных вопросах.

Используйте свои уникальные качества, чтобы совершенствовать мир вокруг вас. Женский мозг помогает вам работать с другими людьми на благо позитивных перемен. Ваши мощные коммуникативные навыки и умение видеть картину в целом позволяют свести людей вместе и способствовать разрешению ситуации. Ваше отличное понимание окружающих и сопереживание им делает вас заботливой и умеющей помочь своей семье, друзьям и обществу в целом.

Например, исследования, проведенные в Университете Цинциннати, указывают, что по сравнению с мужчинами женщины, начиная новый бизнес, склонны учитывать индивидуальную ответственность и чаще используют свой бизнес в качестве средства для социальных и экологических изменений. Вы всегда думаете о других людях, даже когда совершенствуете себя.

Это не означает, что вы должны выйти на мировую сцену. Однако выполняя задачи, которые приходят к вам, и решая проблемы, с которыми вы сталкиваетесь каждый день, вы можете позитивно влиять на всех, кто встретится на вашем пути.

Влияйте на мужчин вашей жизни, чтобы быть их единственной. Ваш мозг отличается от мозга мужчины. Используя это, вы можете общаться друг с другом так, чтобы усилить вашу большую любовь и способность к совместной работе на благо ваших отношений и вашей семьи.

Исследования свидетельствуют, что активное участие отца в семье можно предсказать на основе участия матери (обратное влияние не столь значительно). Именно матери могут стимулировать отцов принять активное участие в жизни семьи. Помогите своему мужчине, поощряя его к эффективному общению, живому участию в жизни семьи и ведению здорового образа жизни.

Чтобы добиться этого позитивного эффекта, вам нужно сделать все, чтобы ваш собственный мозг был здоровым и работал идеально. Я называю такой мозг мозгом воина, который воюет за себя и за тех, кого он любит. Для обретения такого мозга нужно:

- *Содержать свой мозг в порядке, избегая вредной пищи, химических веществ и наркотиков и воздерживаться от опасной активности, которая могла бы травмировать мозг.*
- *Нормализовать свой вес.*
- *Делать упражнения, которые способствуют циркуляции крови.*
- *Получать достаточное количество сна каждую ночь и решить такие проблемы, как сонное апноэ.*
- *Избегать насыщенных жиров и есть полезные ненасыщенные (содержащиеся, например, в оливковом масле), и особенно жирные кислоты омега-3 (через биологически активные добавки или рыбу без токсинов).*

- *Поддерживать пластичность своего мозга с помощью активных тренировок и обучения его новым навыкам. Знаете ли вы, что ваш мозг может выращивать новые нейроны? Так и будет, если вы выполняете свою часть работы, внося в него новую информацию и поддерживая его здоровье.*
- *Решить такие проблемы, как СДВГ, депрессия, тревога и стресс, получив соответствующую помощь. Я обычно начинаю с натуральных методов, прежде чем обращаться к лекарствам.*
- *Окружить себя сетью единомышленников, которые будут поощрять ваши усилия и помогать вам выполнять вашу программу оздоровления.*

Эти вещи не происходят сами собой, и никто не сделает их за вас. Вы должны осознанно относиться к собственному здоровью, биологически, психологически, социально и духовно. И не только для вашего же блага, но и на благо всем, на кого вы влияете.

Именно сейчас вы можете внести необходимые изменения, позволяющие увеличить силу вашего мозга и наладить свое здоровье. Откладывание на завтра, как правило, означает, откладывание на неопределенное время. Как давно вы уже собираетесь начать жить по-другому? Не слишком ли долго?

Что удерживает вас от того, чтобы начать? Беспокойство, что у вас не получится? Или нежелание приложить усилия? Или мысли о том, что это несущественно?

Я надеюсь, что доводы этой книги доказали вам, что у вас есть удивительные возможности для успеха, которые встроены в саму структуру вашего мозга.

Женский мозг способен понять, что надо сделать, и наладить связи по всему вашему мозгу, чтобы призвать на помощь неожиданные ресурсы, которые помогут вам добиться цели. Ваша способность любить и чувствовать сострадание может мотивировать вас на достижение многого. Если внутренний голос говорит вам, что вы не можете сделать это — он всего лишь АНЕМ. Выбросьте его из своей жизни.

Как можно не желать приложить усилия, когда вы видите проблемы, которые возникают от ничегонеделания? Ожирение, токсическое воздействие и невылеченные травмы могут привести к снижению качества жизни, болезням и ранней смерти. Наверное, это не то, что вы хотите для себя и тех, кого вы любите. Составьте список своих целей. Разместите фотографии близких в тех местах, где вы можете видеть их каждый день. Пусть любовь, которую вы испытываете, поможет вам справиться с вашим первоначальным сопротивлением, а удовольствие чувствовать себя все лучше и лучше станет мощным мотивирующим фактором.

Это *действительно* имеет значение. Это важно не только для вас, но и для всех, кто вас окружает. Женщины в особенности обладают невероятными возможностями влиять на других людей позитивно. Пусть вас вдохновят рассказы женщин во всем мире, которые начинают выходить на первые роли в своих странах и трансформируют свое общество. То, что они делают, можете делать и вы.

Мир ждет, чтобы вы преобразили свой собственный уголок в жизни и запустили волну позитивной энергии, которая может иметь последствия, выходящие далеко за пределы того, что вы сейчас можете себе представить. Чтобы начать этот процесс трансформации, я надеюсь, вы примените все, что узнали из этой книги, раскрыв силу вашего женского мозга.

ДЕЛИТЕСЬ ЗДОРОВЬЕМ МОЗГА

Может ли один женский мозг изменить мир? Да. Я хочу, чтобы вы познакомились с моей подругой Юк-Линн из Гонконга. Она прочла мою книгу «Измените ваш мозг — изменится и ваша жизнь». В то время она страдала от упадка сил, тяжелого брака, а также эмоциональных и академических проблем сына-подростка.

Хотя Юк-Линн жила далеко от одной из наших клиник в Гонконге, это не остановило ее. Сначала она отправила к нам на обследование мужа и сына, и это значимо повлияло на их жизнь. Ее сын Джонатан родился в результате трудных родов. Скан его мозга показал наличие травмы мозга. Он сказал матери, что этот скан очень помог. Он понял, почему ему было так трудно. «В этом виноват не я, — сказал он, — а то, что со мной случилось». После сканирования он стал следовать плану лечения, и его состояние существенно улучшилось. Муж Юк-Линн Рой тоже помог ему, что укрепило их брак. Затем обратилась за помощью и сама Юк-Линн, за ней ее мать, сестра, брат, отец и многие другие члены семьи и друзья. Она оказала огромное влияние на все свое сообщество. Юк-Линн и Рой привезли в Гонконг команду врачей, умеющих использовать ОЭКТ-сканы в контексте оздоровления мозга. Юк-Линн применила то, что она узнала, на благо многим другим людям.

Я молюсь о том, чтобы и вы сделали подобное. Усвойте эту информацию и передавайте ее другим. Мир нуждается в вашем здоровом женском мозге больше, чем когда-либо прежде.

УПРАЖНЕНИЕ 12. СОЗДАЙТЕ СОБСТВЕННУЮ СЕТЬ ГЕНИЕВ

Мой хороший друг Джо Полиш мастер по построению отношений. У него есть упражнение «Создайте свою собственную сеть гениев», и он великодушно позволил мне поделиться им с вами. Оно может помочь вам преуспеть и поддержит вас на пути к вашей цели, как это происходит в небольших группах церкви *Saddleback*. Исследования показали, что крепкие взаимоотношения связаны со здоровьем, счастьем и успехом. Здоровье группы ваших ровесников является одним из наиболее значимых предсказателем вашего здоровья и долголетия.

Это упражнение поможет вам создавать и поддерживать свою собственную сеть.

Какие у вас цели в области здоровья (будьте конкретны):

1. ____________________

2. ____________________

3. ____________________

4. ____________________

5. ____________________

Напишите имена пяти людей, которые помогут вам достичь вашей цели и поддержат ваши усилия стать здоровой и сохранить здоровье:

1. ______________________________

2. ______________________________

3. ______________________________

4. ______________________________

5. ______________________________

Напишите, как именно эти люди могут вам помочь. Какие навыки у них есть (они могут дать совет по поводу здоровья, вместе с вами заниматься физкультурой, поддерживать вас морально и т.д.):

1. ____

2. ____

3. ____

4. ____

5. ____

Как вы можете им помочь? (Отдача — это ключевой компонент, побуждающий работать вашу сеть гениев).

1. ______________________________

2. ______________________________

3. ______________________________

4. ______________________________

5. ______________________________

Каждую неделю выделяйте время на общение с пятью участниками вашей сети гениев — лично, по телефону, посредством электронной или простой почты. Если вы сделаете одно это упражнение, вы начнете строить сеть, которая поможет вам выглядеть лучше и жить здоровой и продолжительной жизнью.

Хотя это упражнение несложное, оно обладает большой силой. Сохраняйте свою сеть гениев и обязательно поддерживайте других в их попытках приложить свой мозг для изменения своего здоровья и своей жизни. В ходе этого процесса вы поддержите и сами себя.

Приложение

НАТУРАЛЬНЫЕ БИОЛОГИЧЕСКИ АКТИВНЫЕ ДОБАВКИ ДЛЯ РАСКРЫТИЯ ПОТЕНЦИАЛА ЖЕНСКОГО МОЗГА

Я убежден в ценности натуральных БАДов. Я лично принимаю несколько видов таких добавок каждый день и чувствую, что они значительно повышают качество моей жизни. Я рекомендую их членам моей семьи и моим пациентам, исходя из их индивидуальных потребностей. По своему опыту могу сказать, что натуральные добавки укрепили здоровье моего мозга, повысив мою энергию и улучшив анализы.

Своим пациенткам я рекомендую добавки, которые помогают при расстройствах настроения, гормональных нарушениях, во время беременности, перименопаузы и менопаузы.

Некоторые врачи считают, что добавки не нужны, если у вас сбалансированное питание. Это было бы правдой, если бы пища, которую мы покупаем в магазине, содержала все необходимые питательные вещества. Но так ли это? Как пишет д-р Марк Хайман в книге «Мозг: обратная связь»[1]: Если бы мы «употребляли в пищу натуральные, свежие, местные, экологически чистые, генетически не модифицированные пищевые продукты; выращенные на целинных почвах, богатых минеральными элементами; продукты, которые бы не перевозились на огромные расстояния и не хранились бы месяцами, прежде чем их употребят в пищу; …Если бы мы работали и жили на природе, дышали бы свежим, чистым воздухом, пили только чистую воду, спали бы по 9 часов в сутки, каждый день много двигались и были бы свободны от стрессогенных факторов

---

[1] М.: Эксмо — 2010.

и воздействия токсинов окружающей среды», то не исключено, что, возможно, и не нуждались бы в пищевых добавках.

Но кто так живет? Когда вы в последний раз ели яблоко, которое было только что сорвано с дерева? Мы живем в быстро изменяющемся обществе и едим там, где это можно сделать быстро, пропускаем приемы пищи, а затем перекусываем переслащенными закусками и сильно обработанными полуфабрикатами и без раздумий употребляем в пищу химически обработанные продукты. Даже если ваши продукты были выращены в натуральных условиях, скорее всего, они оставались на прилавке магазина (или в вашем холодильнике) так долго, что потеряли большую часть своей питательной ценности. Вот почему так важно заполнить пробелы несколькими витаминно-минеральными БАДами.

Я хотел порекомендовать натуральные добавки, поскольку они могут быть очень эффективными, имеют значительно меньше побочных эффектов, чем большинство рецептурных препаратов (и, как правило, стоят дешевле). Однако как бы восторженно я ни относился к употреблению натуральных БАДов, должен отметить, что и в отношении их есть ограничения. Во-первых, биологически активные добавки не могут работать самостоятельно. Они могут оказать свое влияние, только когда используются как часть общей программы, наряду со здоровым питанием, физической активностью и благоприятным психологическим настроем.

Кроме того, хотя БАДы обычно дешевле лекарств, они, как правило, не покрываются страховкой и льготами, а это может означать большие затраты с вашей стороны. И то, что что-то является натуральным, еще не означает, что это безвредно. Мышьяк и цианид — тоже натуральные средства. А еще натуральные компоненты могут иметь побочные эффекты, которые нельзя игнорировать. Например, зверобой является прекрасным природным антидепрессантом, но он повышает чувствительность к солнечным лучам. Кроме того, зверобой снижает эффективность ряда лекарственных средств, например противозачаточных таблеток. Вот это да! Вы впадаете в депрессию, берете зверобой в аптеке и неожиданно беременеете. Это не очень хорошая новость при депрессии.

Другая серьезная проблема, касающаяся натуральных пищевых добавок, — их качество не подлежит строгому контролю. Следует выбирать БАДы известных производителей, которым вы доверяете.

Теперь давайте посмотрим, как биологически активные добавки могут помочь в решении специфических женских проблем.

ПОМОЩЬ ПРИ ПМС

Недостаток прогестерона служит одной из причин симптомов ПМС. При этом состоянии нередко помогает прогестероновый крем, который нужно использовать в течение последней недели менструального цикла.

Кроме того, следующие добавки могут помочь сбалансировать мозг для облегчения симптомов:

- *Цитрат кальция (400–500 мг дважды в день)*
- *Хелатный магний (200–300 мг дважды в день)*
- *Витамин А (5000 МЕ)*
- *Комплекс витаминов группы В (где 50 мг витамина* B_6*)*
- *Масло энотеры (500 мг 2 раза в день)*
- *5-гидрокситриптофан, 5-ГТФ, (50–100 мг дважды в день) — он может помочь повысить уровень серотонина и снизить тревогу и беспокойство*
- *Зеленый чай или L-тирозин для концентрации (500 мг 2–3 раза в день)*
- *Монашеский перец тоже может облегчить симптомы ПМС, особенно боли в груди или ее чувствительность, отеки, запоры, раздражительность, подавленное настроение либо изменения настроения, гневливость и головные боли у некоторых женщин (20–40 мг в день).*

ПОВЫСЬТЕ УРОВЕНЬ ЭСТРОГЕНА, ЧТОБЫ ОБЛЕГЧИТЬ СИМПТОМЫ МЕНОПАУЗЫ

Дииндолилметан (ДИМ) — это фитонутриент, содержащийся в крестоцветных овощах вроде брокколи, цветной капусты и руколы. Он трансформирует метаболизм эстрогенов, способствуя образованию дружественных, безвредных метаболитов. ДИМ может существенно помочь выведению «плохих» эстрогенов всего лишь за четыре недели (75–300 мг в день).

- *Омега-3 жирные кислоты (рыбий жир) содержат эйкозапентаеновую кислоту, которая помогает контролировать метаболизм эстрогенов и снизить риск рака молочной железы. Натуральная говядина, полученная от коров, вольно пасшихся на лугах, тоже содержит полиненасыщенные жирные кислоты (2000 мг в день).*
- *D-глюкарат кальция — это натуральное вещество, содержащееся в овощах и фруктах вроде яблок, брюссельской капусты, брокколи и белокочанной капусты. Он подавляет фермент, который способствует раку груди, простаты и толстой кишки. Кроме того, он снижает реабсорбцию эстрогена из ЖКТ (500–1500 мг в день).*
- *Пробиотики помогают поддерживать здоровую кишечную микрофлору и нормальный баланс эстрогена. Убедитесь, что вы принимаете пробиотики штамма человека, которые имеют живые культуры (10–60 млрд единиц в день).*
- *Растительные фитоэстрогены. Североамериканское общество по изучению менопаузы при симптомах менопаузы особенно рекомендует диетические изофлавоны (содержащиеся в сое и продуктах из льняного семени), воронец и витамин Е. Эти растительные соединения могут быть полезны при различных состояниях (могут помочь при ПМС и способны предотвратить эндометриоз), в том числе симптомах менопаузы.*

- *Фитоэстрогены встречаются во многих растениях. Хорошие источники фитоэстрогенов — орехи и масличные культуры (например, льняное масло), соя, кудзу, красный клевер и гранат.*
- *Ресвератрол — это биофлавоноидный антиоксидант, который содержится в винограде и красном вине. Он подавляет рост раковых клеток в молочной железе (по данным лабораторных исследований).*
- *Воронец — это растение, которое на протяжении веков американские индейцы использовали для восстановления гормонального баланса в организме женщин. На протяжении последних 30 лет европейские врачи, помогающие женщинам при менопаузальном переходе, тоже широко применяют его. В исследованиях на человеке было обнаружено, что воронец снимает приступы жара, связанные с менопаузой. В отличие от воздействия обычного эстрогена на людей, предрасположенных к раку груди, воронец, как было показано в лабораторных исследованиях, подавляет раковые клетки. Хотя его долгосрочная безопасность пока не была подтверждена, он, по-видимому, прекрасно подойдет для временного курсового приема. В большинстве исследований использовали дозы 20–80 мг 2 раза в день, что обеспечивало 4–8 мг тритерпеновых гликозидов, на период до 6 месяцев.*
- *Мелатонин — это гормон, вырабатываемый в шишковидной железе, он, помимо других функций, помогает нам спать. Уровень мелатонина снижается с возрастом, и этим можно объяснить распространенность нарушений сна у женщин в период менопаузы. Мелатонин тоже подавляет рост раковых клеток молочной железы. (Исследования свидетельствуют, что недостаток мелатонина увеличивает риск рака молочной железы у женщин.) Он действует как противовоспалительное и антиоксидантное средство в мозге и других тканях, например в кишечнике. Если у вас есть проблемы со сном, попро-*

буйте принимать 3–6 мг мелатонина перед сном. Это может усилить вашу иммунную систему и поможет вам заснуть.

- *SAMe (S-аденозилметионин), помимо прочего, способствует сохранению здоровья суставов и уменьшению боли. Обычная доза составляет от 400 мг до 800 мг 2 раза в день. Лучше принимать его в начале дня, поскольку он действует возбуждающе. И вы должны быть осторожными с SAMe, если у вас биполярное расстройство.*
- *Одна новая интересная работа показывает, что ДГЭА (обсуждается ниже) может существенно улучшить сексуальную функцию у женщин в период менопаузы.*

ПОМОЩЬ ПРИ СТРЕССЕ

ДГЭА (дегидроэпиандростерон) является натуральным гормоном-прекурсором, он вырабатывается в надпочечниках, яичниках и в мозге и служит основой при образовании эстрогена и, в меньшей степени, тестостерона. ДГЭА защищает клетки головного мозга от бета-амилоидного белка, который связан с болезнью Альцгеймера. В периоды хронического стресса выброс гормона стресса кортизола может снизить уровень ДГЭА, что снижает иммунитет и, потенциально, ускоряет процессы старения. Недостаток ДГЭА также приводит к увеличению массы тела и депрессии. Есть убедительные доказательства того, что биологически активные добавки с ДГЭА помогают поддерживать функционирование надпочечников, настроение и нормальный вес. Как правило, мы начинаем с 10 мг и затем повышаем дозу. ДГЭА обычно хорошо переносится, но возможны некоторые весьма неприятные побочные эффекты, такие как прыщи и волосы на лице — благодаря тенденции ДГЭА повышать уровень тестостерона. Этого можно избежать, принимая метаболический ДГЭА, который называется 7-Кето-ДГЭА. Этот препарат дороже, чем простой ДГЭА, но он может быть предпочтительнее в некоторых случаях. (Обычная доза 7-Кето-ДГЭА составляет 50–100 мг.)

- *L-теанин (200 мг 2–3 раза в день) одновременно для расслабления и сосредоточенности*
- *Relora (750 мг в 2–3 раза в день)*
- *Магний (натуральное слабительное) (200–300 мг 2 раза в день, особенно перед сном)*
- *Базилик (200–400 мг 2–3 раза в день)*
- *Ашваганда (250 мг 2–3 раза в день)*
- *Родиола (200 мг 2–3 раза в день)*

НЕДОСТАТОК ТЕСТОСТЕРОНА

Заместительная терапия тестостероном приносит женщинам и другую пользу, помимо повышения либидо. Помогает сохранить мышечную массу и плотность костей, улучшает настроение, а также снижается риск развития сердечно-сосудистых заболеваний. Перед проведением любого лечения вроде биоидентичной заместительной терапии тестостероном или даже перед употреблением таких пищевых добавок как ДГЭА, нужно проверить уровень тестостерона в крови и убедиться, что он низкий.

Перед тем как просить врача назначить вам инъекции тестостерона или таблетки, попробуйте увеличить тестостерон естественным образом: за счет значительного снижения потребления сахара, мучного и обработанных пищевых продуктов.

Обилие сладкого, как было установлено, снижает уровень тестостерона на 25%.

Еще один способ естественно повысить уровень тестостерона — начать программу снижения веса. Строительство мышц помогает вашему организму увеличить выработку тестостерона. Добавки вроде ДГЭА и цинк тоже могут помочь. Цинк необходим для поддержания нормального уровня тестостерона. Неадекватные показатели цинка мешают гипофизу выделять гормоны, которые стимулируют выработку тестостерона. Цинк, кроме того, является ингибитором[1] фермента, который превращает тестостерон в эстроген. Если эти меры не работают, возможно, вам потребуется заместительная терапия тестостероном.

ЩИТОВИДНАЯ ЖЕЛЕЗА

Если у вас проблемы со щитовидной железой, их можно эффективно решить с помощью целого ряда тиреоидных препаратов. Ваш врач должен регулярно проверять уровень секреции вашей щитовидной железы, чтобы убедиться, что вы принимаете подходящую дозу препаратов. Существует также ряд натуральных БАДов, которые поддерживают функции щитовидной железы, в том числе: розмарин, цинк, хром, калий, йод, L-тирозин, витамины A, B_2, B_3, B_6, C, D, селен, морские водоросли и ашваганда.

Помимо прочего, убедитесь, что у вас нормальный уровень тестостерона, инсулина и мелатонина.

ИНСУЛИН

- *Хром (200–400 г) — для регулирования уровня сахара в крови.*
- *Корица (1–6 г; чайная ложка вмещает 5 г) — для регулирования уровня сахара в крови.*

КЛЮЧЕВЫЕ ВИТАМИНЫ, МИНЕРАЛЫ И ТРАВЫ ДЛЯ ОБЩЕГО ГОРМОНАЛЬНОГО БАЛАНСА

Для хорошего самочувствия я рекомендую практически каждому следующие добавки.

- *Мультивитамины*
- *Рыбий жир (2000 мг в день)*

---

[1] Буквально «подавителем». — *Прим. ред.*

- *Пробиотики для здоровья пищеварительного тракта, чтобы связать плохие эстрогены (10–60 млрд КОЕ)*
- *Цитрат кальция (400–500 мг 2 раза в день)*
- *Хелатный магний (200–300 мг 2 раза в день) — для сохранения спокойствия*
- *Витамин D (2000 МЕ витамина D ежедневно, но следует провериться индивидуально)*
- *Цинк (15 мг) для поддержания уровня тестостерона и здоровья щитовидной железы*

МУЛЬТИВИТАМИНЫ

Согласно последним исследованиям, свыше 50% американцев не съедают рекомендуемые 5 порций фруктов и овощей каждый день — минимальную дозу, необходимую для получения полноценного питания. Кроме того, страдающие лишним весом отнюдь не питаются здоровой пищей и, как следствие, имеют дефицит витаминов и питательных веществ. Я рекомендую всем своим пациентам ежедневно принимать качественный поливитаминный/минеральный комплекс. В редакционной статье в журнале *Journal of the American Medical Association* ученые рекомендуют всем ежедневно принимать витамины, потому что они помогают предотвратить хронические болезни. Люди, которые принимают мультивитамины, имеют более молодую ДНК.

РЫБИЙ ЖИР

На протяжении многих лет я пишу о пользе омега-3 жирных кислот, которые содержатся в рыбьем жире. Я лично принимаю рыбий жир каждый день и рекомендую всем своим пациентам делать то же самое. Исследования показали, что омега-3 жирные кислоты необходимы для оптимального функционирования мозга и организма человека.

Например, по данным исследователей из Гарвардской школы общественного здравоохранения, недостаток омега-3 жирных кислот является одной из основных предотвратимых причин смерти и связан с заболеваниями сердца, стенокардией, депрессией, суицидальным поведением, СДВГ, слабоумием и ожирением. Имеются также научные доказательства того, что недостаток омега-3 жирных кислот играет значимую роль в контроле массы тела.

Исследования последних лет показали, что диеты, богатые омега-3 жирными кислотами, способствуют эмоциональному равновесию и позитивному настроению в последующие годы, возможно потому, что докозагексаеновая кислота (ДЗГК) — это главный компонент синапсов мозга. Растущий объем научных данных указывает на то, что рыбий жир помогает облегчить симптомы депрессии. Исследование, охватившее 3317 мужчин и женщин, проводившееся в течение 20 лет, показало, что люди с высоким потреблением ЭЗПК и ДЗГК реже испытывают симптомы депрессии. Известно, что жирные кислоты омега-3 позитивно влияют на когнитивные функции в любом возрасте.

Взрослым я обычно рекомендую 1–2 г высококачественного рыбьего жира в день со сбалансированным содержанием ЭЗПК и ДЗГК.

ВИТАМИН D

Этот витамин солнца известен тем, что укрепляет кости и повышает иммунитет, а также очень полезен для здоровья мозга, настроения, памяти и нормализации массы тела. Хотя токоферол называют витамином, на самом деле это стероидный гормон, жизненно важный для здоровья. Недостаток витамина D связан с депрессией, аутизмом, психозом, болезнью Альцгеймера, рассеянным склерозом, сердечными заболеваниями, диабетом, раком и ожирением. К сожалению, недостаток токоферола становится все более и более распространенным, отчасти потому, что мы проводим больше времени в помещении и используем много солнцезащитных средств.

Токоферол настолько важен для функционирования мозга, что его рецепторы можно найти по всему мозгу. Этот витамин играет ключевую роль во многих самых значимых когнитивных функциях, в том числе в обучении и памяти. Чем ниже у вас уровень витамина D, тем больше вероятность того, что вы будете испытывать хандру. В последние годы мы видели доказательства того, что прием БАДов с витамином D улучшает настроение.

Нынешняя рекомендуемая доза витамина D составляет 400 МЕ ежедневно, но некоторые эксперты считают, что это намного ниже физиологических потребностей большинства людей, и рекомендуют высокую дозу — 2000 МЕ[1] витамина D ежедневно. Однако следует обязательно проверить ваши индивидуальные потребности, особенно если у вас избыточный вес или ожирение, поскольку ваш организм может не усваивать витамин D эффективно, если у вас есть лишний вес.

---

[1] Известно, что прием высоких доз всех жирорастворимых витаминов (A, D и E, а также рыбьего жира) опасен — приводит к отравлению организма с массой болезненных реакций, поэтому врачи обычно против таких экспериментов. — *Прим. ред.*

ПРИМЕЧАНИЕ ПО ПОВОДУ ИСТОЧНИКОВ

Информация, которая приводится в этой книге, основана на более чем 250 источниках, в том числе научных исследованиях, книгах, интервью с медицинскими экспертами, статистических данных государственных учреждений и организаций здравоохранения, а также на сведениях из других надежных источников. Если напечатать полный список литературы, он займет огромное количество страниц, поэтому, стремясь сберечь несколько деревьев, я разместил список литературы только на сайте www.amenclinics.com. Приглашаю вас взглянуть на него здесь: www.amenclinics.com/unleashthepowerofthefemalebrain

БЛАГОДАРНОСТИ

Я благодарен многим людям, помогавшим мне в этой работе. Особенная благодарность — всем моим пациентам и друзьям, которые позволили мне поделиться с вами своими историями, и в первую очередь — моей замечательной жене Тане. Я признателен доктору Джеймсу Лавалдю и доктору Тами Мералья за их руководство и идеи. Я благодарю Ди Истман, руководителя «Плана Даниила» в церкви *Saddleback* за ее понимание. Кроме того, благодарю многих своих друзей и коллег из церкви *Saddleback* за их любовь и поддержку. Джо Полиш, спасибо тебе, мой друг, за то, что придумал упражнение «Создай свою собственную сеть гениев» и позволил мне передать его нашим читателям.

Доктор Эллен Дикстайн и Рейчел Кранц были неоценимы в процессе исследования, интервью и завершения этой книги. Наш научно-исследовательский отдел, в том числе доктор Кристен Уилемейр и Дерек Тейлор, обеспечили меня ценной информацией и поддержкой.

Другие сотрудники *Amen Clinics, Inc.* тоже оказали мне огромную помощь в этом, особенно мой личный помощник Кэтрин Миллер, главный врач нашей Вирджинской клиники доктор Джозеф Аннибали; генеральный менеджер *Amen Clinics* Сьюзен Хагер; генеральный менеджер *MindWorks* Берни Ландс; наш директор по маркетингу Мюррей Брэннен и наш директор по связям с общественностью Дэвид Яр.

Я также хочу поблагодарить мою удивительную литературную команду в издательстве *Crown Archetype/Harmony*, особенно моего доброго и вдумчивого редактора Джулию Пасторе и моего издателя Тину Констейбл. Я благодарен, как всегда, моему литературному агенту Фэйт Хэмлин, а также нашему агенту по зарубежным правам Стефани Диас. Если вы читаете это за пределами Соединенных Штатов, именно Стефани сделала это возможным.

Я хочу сказать спасибо всем моим друзьям и коллегам из общественных телевизионных станций по всей стране. Общественное телевидение — это богатство нашей страны, и я благодарен за возможность выступить партнером телестанций и донести вам послание надежды и исцеления. Я люблю вас всех.

О ДОКТОРЕ ДЭНИЭЛЕ ДЖ. АМЕНЕ

Доктор Амен — врач, психиатр, преподаватель и автор восьми книг, ставших бестселлерами. Он по праву считается одним из ведущих в мире экспертов по применению томографии мозга в клинической психиатрической практике. Он является сертифицированным специалистом в области детской и взрослой психиатрии и заслуженным членом Американской ассоциации психиатров. Доктор Амен — медицинский директор компании *Amen Clinics, Inc.*, которая имеет филиалы в Ньюпорт-Бич, Сан-Франциско, Калифорния; Бельвью, штат Вашингтон; в Рестоне, штат Виргиния; Атланте, штат Джорджия, и Нью-Йорке. *Amen Clinics* обладает крупнейшей в мире базой данных по функциональному сканированию мозга — почти 80 000 сканов пациентов из 90 стран.

Доктор Амен широко известен как талантливый педагог, который делает сложные понятия нейропсихиатрии и здоровья мозга доступными для широкой общественности.

Доктор Амен относится к ведущим исследователям в области томографии головного мозга/реабилитации профессиональных футболистов. Его исследования не только продемонстрировали наличие серьезных повреждений мозга у большинства бывших игроков НФЛ, но и возможность реабилитации многих из них согласно принципам, которые лежат в основе его работы.

Под руководством Пастора Рика Уоррена доктор Амен вместе с докторами Марк Хайманом и Мехметом Озом является одним из главных вдохновителей «Плана Даниила» церкви *Saddleback*. «План Даниила» — это программа физического, эмоционального и духовного оздоровления прихожан церкви продолжительностью 52 недели.

Доктор Амен является автором полусотни профессиональных статей, соавтором главы комплексного учебника по психиатрии «Функциональная визуализация в клинической практике» и автором 30 книг.

Доктор Амен является продюсером и звездой шести весьма популярных шоу о мозге, которые заработали для общественного телевидения свыше 44 миллионов долларов.

Вот несколько организаций, где выступал доктор Амен: Агентство национальной безопасности; Национальный научный фонд; Гарвардская конференция по изучению мозга; Организация Франклина Кови; Национальный совет судей ювенальной и семейной юстиции; Верховный суд штатов Делавэр, Огайо и Вайоминг. О работе доктора Амена рассказывалось в журналах *Newsweek, Parade, New York Times Magazine, Men's Health* и *Cosmopolitan.*

Доктор Амен женат, его жену зовут Тана, он является отцом четверых детей и дедом Элиаса, Джулиана, Ангелины, Эмми и Лайама. А еще он очень любит настольный теннис.

ОБ AMEN CLINICS, INC.

Amen Clinics Inc. (ACI) была создана в 1989 году доктором медицины Дэниэлем Дж. Аменом. Клиника специализируется на инновационной диагностике и лечении широкого спектра расстройств поведения, обучения, эмоциональной и когнитивной сферы, а также на проблемах веса у детей, подростков и взрослых.

Клиники *ACI* имеют международную репутацию в оценке таких состояний, как синдром дефицита внимания (СДВ), депрессия, тревожность, проблемы в обучении, черепно-мозговые травмы, обсессивно-компульсивный синдром, агрессивность, проблемы брака, когнитивное ухудшение, зависимость от алкоголя и наркотиков, ожирение.

В клиниках *ACI* выполняют однофотонную эмиссионную компьютерную томографию (ОЭКТ, *SPECT*). Здесь собрана самая большая в мире база данных сканирований головного мозга при различных проблемах в поведении.

ACI принимает пациентов по направлениям врачей, психологов, социальных работников, семейных психотерапевтов, наркологов, а также индивидуальных пациентов.

Адреса клиник:

Amen Clinics, Inc., Newport Beach
4019 Westerly PL, Suite 100
Newport Beach, CA 92660
(888) 564-2700

Amen Clinics, Inc., San Francisco 1000
Marina Blvd, Suite 100
Brisbane, CA 94005
(888) 564-2700

Amen Clinics, Inc., Northwest
616 120th Ave. NE, Suite C100
Bellevue, WA 98005
(888) 564-2700

Amen Clinics, Inc., DC
1875 Campus Commons Dr.
Reston, VA 20191
(888) 564-2700

Amen Clinics New York
16 E. Fortieth St., 9th Floor
New York, NY 10016
(888) 564-2700

Amen Clinics Atlanta
5901-C Peachtree Dunwoody Rd. NE, Suite 65
Atlanta, GA 30328
(888) 564-2700

WWW.AMENCLINIC.COM

A*menclinic.com* — это образовательный интерактивный веб-сайт, посвященный вопросам здоровья мозга и созданный для профессиональных медиков, педагогов, студентов и всех интересующихся проблемами здоровья. Сайт содержит обширную информацию, которая поможет вам оценить свой мозг и оптимизировать его работу. Здесь вы найдете свыше 300 цветных сканов ОЭКТ (*SPECT*), тысячи выдержек из научных работ об использовании технологии ОЭКТ (*SPECT*) в психиатрии, бесплатное тестирование здоровья мозга и многое другое. www.theamensolution.com

На основе своего 30-летнего опыта работы клиническим психиатром доктор Амен создал передовое онлайн-сообщество, которое поможет вам стать стройнее, умнее, счастливее и моложе. Здесь вы найдете следующее:

- *Подробные опросники, которые помогут вам определить тип своего мозга и настроить программу под себя*
- *Интерактивный ежедневный журнал для отслеживания ваших анализов, калорий и полезных для мозга привычек*
- *Сотни рецептов блюд, полезных для мозга, советы, списки покупок и планы меню*
- *Эксклюзивное круглосуточное членство в тренажерном зале для мозга*
- *Ежедневные советы и даже текстовые сообщения, которые помогут вам запомнить ваши биологически активные добавки и не сбиться с курса*
- *Комнату для релаксации, которая поможет вам избавиться от стресса и преодолеть негативные стереотипы мышления*
- *И многое, многое другое (www.theamensolution.com)*

АЛФАВИТНЫЙ УКАЗАТЕЛЬ

ДРУГИЕ КНИГИ ДОКТОРА ДЭНИЭЛА ДЖ. АМЕНА

1. Измени свой мозг — изменится и тело!

---

2. Мозг против лишнего веса.
Программа похудения для думающих людей

---

3. Измените свой мозг — изменится и жизнь!

---

4. Великолепный мозг в любом возрасте

---

5. Мозг и любовь.
Секреты практической нейробиологии

---

6. Мозг и душа.
Новые открытия о влиянии мозга
на характер, чувства, эмоции

---

7. Измени свой мозг — изменится и возраст!

---

8. Мозг: от хорошего к превосходному

Издание для досуга

ПСИХОЛОГИЯ И МОЗГ

Дэниэл Дж. Амен

ЗАГАДКИ ЖЕНСКОГО МОЗГА

Директор редакции *Е. Капьёв*
Руководитель направления *Л. Ошеверова*
Ответственный редактор *К. Пискарева*
Редактор *М. Широков*
Художественный редактор *П. Петров*
Технический редактор *О. Куликова*
Компьютерная верстка *А. Москаленко*
Корректор *Н. Овсяникова*

ООО «Издательство «Эксмо»
123308, Москва, ул. Зорге, д. 1. Тел. 8 (495) 411-68-86, 8 (495) 956-39-21.
Home page: **www.eksmo.ru** E-mail: **info@eksmo.ru**

Өндіруші: «ЭКСМО» АҚБ Баспасы, 123308, Мәскеу, Ресей, Зорге көшесі, 1 үй.
Тел. 8 (495) 411-68-86, 8 (495) 956-39-21
Home page: www.eksmo.ru E-mail: info@eksmo.ru.
Тауар белгісі: «Эксмо»
Қазақстан Республикасында дистрибьютор және өнім бойынша
арыз-талаптарды қабылдаушының
өкілі «РДЦ-Алматы» ЖШС, Алматы қ., Домбровский көш., 3«а», литер Б, офис 1.
Тел.: 8 (727) 2 51 59 89,90,91,92, факс: 8 (727) 251 58 12 вн. 107; E-mail: RDC-Almaty@eksmo.kz
Өнімнің жарамдылық мерзімі шектелмеген.
Сертификация туралы ақпарат сайтта: www.eksmo.ru/certification

Сведения о подтверждении соответствия издания
согласно законодательству РФ о техническом регулировании
можно получить по адресу: http://eksmo.ru/certification/

Өндірген мемлекет: Ресей
Сертификация қарастырылмаған

Подписано в печать 15.05.2014. Формат 60x90 $^1/_{16}$.
Гарнитура «Minion Pro». Печать офсетная. Усл. печ. л. 28,0.
Тираж 5000 экз. Заказ 3565.

Отпечатано с готовых файлов заказчика
в ОАО «Первая Образцовая типография»,
филиал «УЛЬЯНОВСКИЙ ДОМ ПЕЧАТИ»
432980, г. Ульяновск, ул. Гончарова, 14

ISBN 978-5-699-71824-5